Romance Mediúmn

EUSTÁQUIO

XV Siglos de una trayectoria

Abel Glaser

Por el Espíritu

Cairbar Schutel

Traducción al Español:

J.Thomas Saldias, MSc.

Trujillo, Perú, Mayo, 2023

Título Original en Portugués:
"Eustáquio XV Séculos de una Trajetória"

Traducido de la 2da Edición, Noviembre 1998

World Spiritist Institute
Houston, Texas, USA
E-mail: contact@worldspiritistinstitute.org

Del Traductor

Jesus Thomas Saldias, MSc., nació en Trujillo, Perú.

Desde los años 80's conoció la doctrina espírita gracias a su estadía en Brasil donde tuvo oportunidad de interactuar a través de médiums con el Dr. Napoleón Rodriguez Laureano, quien se convirtió en su mentor y guía espiritual.

Posteriormente se mudó al Estado de Texas, en los Estados Unidos y se graduó en la carrera de Zootecnia en la Universidad de Texas A&M. Obtuvo también su Maestría en Ciencias de Fauna Silvestre siguiendo sus estudios de Doctorado en la misma universidad. Terminada su carrera académica, estableció la empresa *Global Specialized Consultants LLC* a través de la cual promovió el Uso Sostenible de Recursos Naturales a través de Latino América y luego fue partícipe de la formación del **World Spiritist Institute**, registrado en el Estado de Texas como una ONG sin fines de lucro con la finalidad de promover la divulgación de la doctrina espírita.

Actualmente se encuentra trabajando desde Perú en la traducción de libros de varios médiums y espíritus del portugués al español, habiendo traducido más de 220 títulos, así como conduciendo el programa "La Hora de los Espíritus."

Índice

PREFACIO

A partir de agosto de 1991, bajo la dirección de Cairbar Schutel, el Grupo de estudios de Cairbar Schutel comenzó a recopilar datos relevantes para este libro de Nuevo Amanecer. El método utilizado fue la clarividencia simultánea de varios médiums, concomitante con la orientación psicofónica de un mentor - confirmando, corrigiendo o complementando informes. Todo grabado, transcrito y sistematizado, proporcionó el desdoblamiento de las diversas etapas evolutivas de Eustáquio, seguidas de la ubicación - a través de la vía psicográfica - de los numerosos diálogos que componen esta obra.

Para situar el momento histórico y la mentalidad de la época de los hechos vividos por Eustáquio, se mantienen los nombres reales de algunos personajes relevantes - Clóvis, Carlos Magno, Joana D'Arc, Napoleón, entre otros - porque constituyen personalidades de relevancia pública y mundial, no implicando una invasión a la intimidad de ninguna familia en particular, ya que sus vidas tienen amplia y extensa divulgación.

En cuanto a las demás personalidades, que se relacionaron con Eustáquio a lo largo de estas reencarnaciones, se cambiaron sus nombres reales para preservar sus identidades. Se tuvo cuidado de no revelar detalles muy abiertos de su existencia - como fechas, lugares y situaciones -, pues no sería difícil realizar investigaciones pertinentes y los descubrimientos de muchos de los que compartieron este retrato evolutivo.

Algunos lugares también fueron trasladados a propósito para evitar el reconocimiento e identificación de personas, familias e instituciones.

Sin embargo, nada de lo que se ha cambiado perjudica la comprensión histórica y lógica de la obra.

Las menciones a la Iglesia Católica, a la Orden Benedictina y a otras instituciones no reflejan, por supuesto, el proceder de todos sus miembros, sino una evidente fase histórica conocida por todos: como las monedas - que tienen dos caras - la Historia tiene su bien y su malas maneras de mostrar; por tanto, Eustáquio tuvo la oportunidad de conocer las dos caras de muchas instituciones y personas.

En cuanto a las posiciones geográficas - regiones, países, ciudades -, para mejor comprensión del lector, los lugares por los que pasó Eustáquio tienen actualizados sus nombres contemporáneos.

Se consideró mejor, por ejemplo, identificar a Francia que al Reino de los Borgoñones, a pesar de saber que este estaba al lado del Reino de los Francos, al inicio de la trayectoria del personaje central de esta obra y de la propia Francia, luego lo hizo no existe.

Asimismo, en lo que respecta a los aspectos mediúmnicos - médium, pase, fluido, entre otros - la terminología utilizada, por regla general, sigue la nomenclatura vigente con el fin de facilitar rápidamente la comprensión de las experiencias mediúmnicas vividas.

* * *

La evolución de los espíritus no se produce de forma inmediata y rápida. Hay una purificación lenta pero progresiva, según la reforma íntima y las acciones de cada uno.

Mil quinientos años, por lo tanto, serían insuficientes para que cualquiera llegara a ser perfecto.

La primera encarnación de Eustáquio presentada en esta obra no representa en modo alguno, y obviamente, el inicio de su andadura en el reino humano: en este contexto, quince siglos son insuficientes para alcanzar un grado de purificación que permita etapas espirituales en lugares similares al nuevo amanecer.

Sin embargo, el período de la vida de Eustáquio que este libro da a conocer sirvió como vehículo importante en su viaje, buscando resaltar, a lo largo de esta trayectoria, tres fases bien diferenciadas: la primera lo presenta como un ser malvado y vengativo, donde predominan los sentimientos menos nobles, que le causan gran endeudamiento; y grosero, antipático, autoritario, absoluto, ignorante, escéptico, incrédulo, en fin, materialista por excelencia. Esta fase se concreta narrando su recorrido desde un punto de vista romántico y descriptivo. El camino del desvío es evidente, pero también la ruptura con su pasado más remoto y totalmente descomprometido de la escalada en arista.

Eustáquio comete errores, se sorprende con sus incursiones en el plano material, se considera un materialista convencido, pero se debilita en ciertos momentos de su recorrido ante la fuerza del amor y el acompañamiento de sus mentores y su Colonia; la segunda lo muestra en reeducación, con una mejor explicación: se muestra evolucionando en sus posturas, deshaciéndose de muchos errores y desviaciones, pero aun de manera vacilante, pasando la obra al entrelazamiento de lo romántico descriptivo con la historia fáctica. Innumerables pasajes y personajes de la Historia jalonan estos 500 años de su camino reeducativo. No se puede imaginar que los próximos cinco siglos serán plenamente regenerativos y hermosos, propios de un misionero que reconoció plenamente sus errores y está en el camino del amor y la luz, porque sería una visión equivocada. Sin embargo, vemos en ellos la rectificación de muchas de sus actitudes.

Esta tercera fase tiene fuertes raíces históricas, políticas y sociales de un Eustáquio consciente, evolucionado, culto, en camino de alcanzar grados satisfactorios y seguros de progreso moral. El crecimiento siempre continuo de su cultura e intelecto les permite participar en la construcción de un mundo nuevo.

* * *

Eustáquio logra hacer un progreso relativo en su purificación sobre estos 1.500 años y eso es precisamente lo que este libro pretende mostrar. Todavía no se ha vuelto perfecto, pero ha evolucionado. Continúa desarrollándose y esforzándose por mejorar. Puede cometer errores hoy, pero nunca tan graves como los de su pasado, ya que no hay lugar para retroceder en la escala evolutiva.

Así, en las páginas de esta obra se puede observar el constante progreso del espíritu y la importancia de los mil quinientos años en la vida de un ser.

De cara a la eternidad, se trata de un corto espacio de tiempo. Sin embargo, frente a la evolución, a la que se somete toda criatura, representa una fuente inagotable de oportunidad y progreso.

Representa también el ejemplo de la entrega de un espíritu en un camino abnegado en busca de la purificación de su interior: los años pasan y permiten su conducción a una constante renovación; su aprendizaje incluye el despertar al amor varias veces y de diferentes maneras, así como la acumulación de conocimientos a lo largo de muchos años y en los innumerables lugares que recorre. En este camino se puede ver la importancia fundamental de la evolución conjunta del espíritu en el ámbito moral e intelectual.

Eustáquio es un espíritu en evolución. Por eso, su trayectoria en sus diversas fases se identifica con la de todos los encarnados, brindando este conocimiento de sus diversas encarnaciones, una valiosa oportunidad para reflexionar sobre las propias deudas de cada uno y cuánto trabajo queda por hacer en el camino de bien para reparar los errores del pasado y alcanzar etapas superiores de progreso espiritual.

Como en los libros anteriores de Nuevo Amanecer, no soy el creador de esta obra, solo ocupo el puesto de su coordinador y organizador, siendo Cairbar Schutel el autor verdadero o espiritual.

São Paulo, 19 de septiembre de 1992.Abel Glaser

ACLARACIONES NECESARIAS

Los personajes que aparecen en este libro solo una vez tienen sus nombres solo en el Glosario de Nombres. Los espíritus que tienen sus existencias retratadas más de una vez a lo largo de la obra también se incluyen en el Resumen General de Evolución Espiritual. Los nombres históricos se enumeran en el Índice.

Las menciones bibliográficas de los textos clásicos fueron colocadas por el autor material, con el fin de remitir al lector a las obras citadas, conservando los originales mediúmnicos.

Los mapas elaborados a partir de la investigación pretenden facilitar al lector la localización geográfica de los hechos narrados. Representan meras ilustraciones y no tienen la pretensión precisa de una obra cartográfica.

PRIMERIA PARTE

EN LA SENDA DEL ERROR

445 – 1080

CAPÍTULO I

LA BATALLA DE DIJON

Violentos combates separan a varios soldados perfilados uno al lado del otro en sus relucientes armaduras. Las espadas blanden terribles golpes buscando herir al enemigo. Visigodos[1] y francos[2] se enfrentan a los borgoñones[3]. En esta inmensa pradera, que una vez estuvo llena de paz y de un verde intenso, solo ronda el odio y la venganza, sentimientos que permiten la formación de un pesado y asfixiante patrón vibratorio, los fluidos emanados de las masivas desencarnaciones que ocurren cada minuto no fueron suficientes. Una nube negra comienza a apoderarse del azul del cielo. Los jinetes casuales sobre sus intrépidos caballos ceden a las

---

[1] Nota del Autor: Visigodos es el nombre que reciben los godos occidentales. Entraron en la Península Hispánica en el año 415. Bajo el reinado de Eurico I, poseyeron la Península y gran parte de la Galia, entre el Ródano y el Líger (Loira). En el año 507 comenzó la decadencia del imperio visigodo. Durante unos años fueron dueños del territorio, más tarde llamado Portugal. La invasión árabe acabó rápidamente con el dominio visigodo en la Península, a excepción de las montañas del norte. (Diccionario Práctico Ilustrado Lello, p. 1940)

[2] Nota del autor del material: los francos son los miembros de las tribus germánicas que conquistaron la Galia en el siglo V; habitaron primitivamente entre el Meno, el Mar del Norte, Elster y Elba. Los principales fueron los de los Bructeros, los Queruscos, los Sicambros y los Salians. (ob.cit., pdg.1614)

[3] Nota del autor del material: los borgoñones son un pueblo germánico, establecido en el siglo IV a orillas del Rin, derrotado por los hunos en 437. Aliado con los romanos e instalado en la cuenca del Ródano, fue sometido por los francos en 534. Los borgoñones le dieron su nombre Borgoña. (ob.cit pdg. 14 76)

presiones de este extraño poder magnético que domina sus emociones. Se sienten obligados a luchar cada vez más, aunque saben con inquebrantable convicción que sucumbirán en el campo. Esto y el espectro de la guerra, donde los hombres conocen sus medios, no son completamente capaces de evaluar su fin y ni siquiera están completamente convencidos de sus ideales.

En este campo, la mayoría se ciega en ocasiones en sus sensaciones más constantes, sin vislumbrar el amor, el compañerismo y el perdón. Lógicamente, creen que tales sentimientos deben ser ajenos a las memorables batallas de la historia. Creen en construir un mundo mejor a través del derramamiento de sangre y el perfil viril de una arrogancia cobarde, en una fórmula cruel que sería capaz, en su limitada comprensión, de promover el progreso de las civilizaciones. Pero este triste desvío del propósito, enfrentado por el hombre durante tantos siglos, acompaña el grado de evolución del planeta, aun en etapa de expiación y de pruebas. Sonidos guturales de gritos de súplica y ayuda llegan de todos los rincones.

Los animales, antes habitantes pacíficos de este campo verde, huyen aterrorizados. Una extraña luz de luna aparece en el cielo, como si fuera de noche, aunque las horas indican el mediodía. La piedad y la misericordia son los pedidos constantes que son rápidamente rechazados por un golpe mortal de espada o lanza. Los caballos pisotean, a regañadientes, sus cuerpos tirados en el suelo, algunos aun vivos y terminan su viaje terrenal pisoteados por seres irracionales, como si ya hubieran sido pisoteados por los seres racionales. Masas de espíritus parecen chocar con los encarnados, aunque algunos no se tocan y, a veces, ni siquiera se dan cuenta que están interconectados. Las entidades no iluminadas buscan venganza, acostumbradas a las ideas vengativas que traen consigo de otras batallas, donde sucumbieron sin piedad. Ahora, los que los destruyeron quieren el mismo fin, ya que no tuvieron un segundo de paz después de su desencarnación. También quieren egoístamente que sus compañeros tomen la fuerza de las armas para poder encontrarlos de nuevo, sin importar el costo.

Se hace un cruel retrato de la humanidad en una plaza de guerra. Si por un momento estos protagonistas de tan siniestro cuadro pudieran abrir sus campos de visión, seguramente no tendrían fuerzas para continuar. El rubor avergonzado en sus mejillas pronto se mostraría. Cada uno seguiría un camino diferente, buscando consuelo en la meditación y la reflexión sobre tantas atrocidades cometidas contra el prójimo.

Los gladiadores, insensibles a cualquier percepción positiva y asfixiados por la multitud de espíritus que se acerca, siguen actuando en el escenario de sus cruentas luchas. En este punto, el cielo se cubre y el sol desaparece por completo, como si se hubiera extinguido. Es de noche. Se encienden antorchas y se instruye a los guerreros, conducidos por manos firmes, a no desfallecer y nunca cesar la lucha hasta que el enemigo perezca sin dejar sobrevivientes. Si se pudiera producir un retrato de los dos planos de la vida, ya no sería posible distinguir al gladiador encarnado del guerrero desencarnado, el tamaño y el proceso obsesivo que impera en el escenario.

Los francos; sin embargo, con sus aliados, mantienen una aparente ventaja en la lucha. Los borgoñones, superados en número, pero igualmente salvajes, resistieron valientemente y, sin cesar los ataques, fueron cayendo uno a uno. Esta imagen de victoria hace emerger una figura imponente de dentro de un claro, previamente olvidado por todos. Un caballero adornado con una armadura portentosa, que brilla inusualmente en el reflejo de las llamas de las antorchas, parece ser el renacimiento del sol. Ingresa al campo. Su caballo es blanco como la nieve ártica y está envuelto en un fino manto de terciopelo azul, que entorpece su galope más que realza sus líneas. Adornado con innumerables banderines, cada uno de los cuales representa un lugar de batalla ganado previamente por su caballero, marcha con orgullo. En su cintura, el reluciente gladiador lleva una espada inmensa, cuya hoja está hecha de un hierro especial, que posee el brillo de la plata, pero audaz como el acero. El mango del arma está hecho de oro, con incrustaciones de las piedras más preciosas, lo que le da el delicado contorno del mango. Acompaña a este caballero un portentoso séquito de fieles e intrépidos soldados, además de varios criados y palafreneros.

Delante, un soldado herido con una lanza, que le atraviesa el brazo derecho, se acerca a la comitiva y grita:

- ¡Tenemos una ventaja indiscutible, general! ¿Continuaremos hasta que muera el último de los enemigos, o podemos contentarnos con su rendición y huida, tan cerca en este punto?

Sin pestañear y casi automáticamente el comandante reacciona:

- ¡No quiero sobrevivientes! Las órdenes que di deben cumplirse al pie de la letra. La masacre total de estos malditos borgoñones servirá de ejemplo para todos los demás pueblos insumisos e insatisfechos con nuestro poderío militar. Además - dice sin ninguna convicción - nuestro rey desea demostrar su fuerza a sus fieles súbditos... ¡Adelante!

Sin duda, el guerrero, herido y tambaleante, regresa al campo y transmite las órdenes recibidas a los demás. Confiado y en el colmo de su orgullo y vanidad, imaginando ya los pomposos homenajes que recibiría; el general no se contiene y ordena:

- Vayamos directo al corazón de la batalla, porque quiero ver, con mis propios ojos, la eliminación total de nuestros enemigos. Toquen las trompetas y síganme - grita, espoleando ya a su caballo y corriendo deprisa. Una inmensa nube de polvo se eleva y el campo se oscurece aun más, como de luto por tantas vidas perdidas sin piedad.

Unos minutos después, cuando ya no se escucha ningún sonido de lucha y solo se pueden detectar gemidos, el comandante de las tropas se acerca al lugar del conflicto. Algo distante y temeroso de un levantamiento, camina con cautela. Intrépido en sus órdenes, pero no tan seguro de sus actitudes, se siente cómodo en la tarea de dirigir, pero nunca le gustó luchar personalmente. Cree que un líder no debe someterse al combate físico y directo, atribución - a su juicio - de hombres inferiores.

Tranquilo por haber ganado otra batalla, el comandante sigue buscando alguna manera de incitar a sus soldados al derramamiento de sangre:

- Daré una bolsa de monedas de oro al caballero que me traiga un borgoñón, aun vivo, para gozar de mi triunfo, sucumbiendo ante mí, humillado...

Los gladiadores no tardan en hacer frente a tan generosa oferta y, minutos después, un soldado herido, con la cabeza gacha y sin condiciones para reaccionar, está frente al general.

- ¡Levanta tu cabeza ante mí, porque estás en presencia del más temido de los generales francos, oh criatura miserable!

El hombre, tambaleándose, levanta la frente y fija su mirada en la del comandante. Ante tanto odio que se le transmite en ese momento, el general tiembla encima de su caballo y siente fibrilar su pecho. Sin esperar una sola orden, sus fieles seguidores intentan abofetear, con extrema frialdad, al audaz enemigo. El preso, cobardemente golpeado, cede a la presión y baja la cabeza, cayendo de rodillas. La sangre corre por su rostro alterado y sus manos apenas pueden sostener su pierna fracturada.

De nuevo, el jefe de los francos pronuncia:

- ¿Cómo te llamas, descarado borgoñón?

- Melquiades - contesta el muchacho tosiendo y cabizbajo.

- ¿Cuantos años tienes?

- 19 años.

Interesado en humillar al joven antes de exterminarlo, el comandante hace:

- ¿Sabes con quién estás hablando?

¡Definitivamente que sí! Eres el mortal más vil que he conocido en toda mi existencia...¿Y conoces, oh pobre criatura, mis hazañas indiscutibles?

- No podía ignorar su vileza, señor. No te considero un enemigo honorable. Tu sadismo al matar a los que caen a tus pies no es digno de un noble caballero, sino un atributo de las rapaces carroñeras.

- ¡Cállate, insignificante y despreciable borgoñón! ¿Quién eres tú para cuestionar mis métodos? Perecerás por la fuerza de mi espada, y entonces tendrás el honor de no haber tenido nunca que morir gloriosamente a manos del más grande de los líderes francos.

Con exceso de confianza, el general se acerca al joven soldado, sosteniendo su espada afilada y brillante lista y montado en su caballo objetivo. Pretende hacerle rogar por su vida, humillándolo y sometiéndolo hasta el final. El prisionero; sin embargo, permanece cabizbajo y no se mueve. Insatisfecho, el líder grita:

- ¡Levántate para morir como un verdadero guerrero! Ni siquiera termina su imponente frase y el muchacho, concentrando todas las fuerzas que le quedan, en un odio desmedido, saca un puñal, estratégicamente escondido en su bota y se lo arroja al general, gritando:

- ¡Estoy muerto, detestable general! Tu cobardía te costará un alto precio...

Los soldados francos, inertes y tomados por sorpresa, ven la daga girar en el aire y observan su correcta trayectoria, sorteando toda la resistencia de las miradas incrédulas de los presentes y llegando al corazón del gallardo caballero, a esa altura libre de su armadura.

El general cae de su caballo, ya inerte, tal es la fuerza del golpe, plasmado en el último grito de guerra de un bravo soldado afrentado en su orgullo. A pesar de todos los esfuerzos e intentos de reanimación, no hay otro resultado. El comandante de los vencedores, el enviado del rey de los francos, el otrora inalcanzable general Eustáquio Alexandre Rouanet, acaba de desencarnar.

La incredulidad domina a todo el ejército ganador. Después de tantas guerras triunfantes, el mito de los francos en los campos de batalla se hace inevitablemente visible ante el ataque de un frágil prisionero. El triunfo de los aliados - francos y visigodos - pierde brillo. Especialmente atormentados por las explicaciones que darán a sus superiores en la Corte, por haber permitido este incalculable ataque, los confundidos gladiadores lamentan la pérdida de un controvertido e idolatrado líder.

Irónicamente, el sol vuelve a brillar en el cielo, alejando la negrura de las nubes que cubrían el campo. Un pájaro gris, volando sin miedo, rasga la quietud de los afligidos guerreros y emite un trino melancólico, que resuena en la pradera y reverbera en el azul celeste claro.

CAPÍTULO II

EUSTÁQUIO EN LA ERRATICIDAD

Permaneciendo impasible junto al cuerpo material inerte en el suelo, Eustáquio, sin conciencia alguna de su desencarnación, sigue dando órdenes a sus tropas, esperando ser atendido sin cuestionamientos. Materialista como siempre había sido, nunca supondría que estaba muerto para el plano físico. Poco a poco, su ira crece, porque nadie nota su presencia y mucho menos sigue sus determinaciones. Permaneciendo orgulloso y altivo, en este punto; sin embargo, ya sospecha. Está pasando algo extraño que no entiende.

El general de los francos, en actitud desesperada, comienza a gritar, sintiéndose desacreditado por sus hombres, ya que nadie sigue sus órdenes. Su ejército se retira del campo de batalla, tomando su cuerpo físico para su futuro entierro en la Corte. Permanece solo. Incrédulo, comienza a fijar su visión, aun borrosa, en todas direcciones. Nota la presencia de muchos cuerpos caídos y una tenue niebla gris formando un escudo sobre la llanura. Oye algunos gemidos y comienza a notar que se acerca una multitud de espíritus. La esperanza reaparece para ser respondida en sus afirmaciones, pero se sorprende al descubrir que la mafia está compuesta en su totalidad por borgoñones. Una vez más, el dolor se apodera de tu ser. Imagina cómo se enfrentarás al enemigo solo. Saca su espada y carga contra los soldados frente a él. Golpes y más golpes son disparados en todas direcciones y solo se escuchan fuertes carcajadas a cambio. Todos, en la inmensa pradera, quedan desencarnados y el grupo de borgoñones, muertos en la misma lucha armada, pasa junto a Eustáquio, sin siquiera notar su presencia. El desprecio es total y la angustia le hace llorar compulsivamente.

La incredulidad lo domina. El comandante de los visigodos y francos, triunfante en la batalla de Dijon, ya no existe. Allí vaga un espíritu perdido y tímido, amargado y temeroso, incapaz de aceptar su propia muerte al mundo material como una realidad inexorable.

A lo lejos, cruzando ya el horizonte, ve alejarse su vieja caballería. Acércate a la caravana. Fija su mirada en un cuerpo inmóvil que es transportado y ve desplegarse frente a él el rostro de un hombre canoso, de unos 50 años, el rostro transfigurado por el dolor, sangre brotando del pecho, donde se guarda rígidamente una daga. Revive las imágenes de su pasado reciente y la escena del crimen se dibuja en su mente. Está frente a su propio cadáver.

Un inmenso rugido resuena en la pradera, provocando una sensación de desequilibrio e inquietud por todos lados. Eustáquio cae de rodillas y está en agonía.

Permanece en esta posición durante mucho tiempo hasta que decide levantarse y buscar una explicación racional a las sensaciones que está experimentando. Después de todo, en su entendimiento, para todo hay una lógica ineludible. Se levanta. Comienzas a elegir la dirección en la que debe ir cuando algunas entidades aparecen frente a él:

- ¿Cómo está Eustáquio? ¿O debería decir general? - pregunta una figura espantosa, vestida con una armadura negra, ojos que irradian fuego y manos deformes que se mueven mientras sostiene una enorme lanza plateada.

Sin respuesta, pero solo con inquietud, la figura monstruosa continúa:

- Sí, mi querido amigo, ya no estás en el mundo de los vivos, en una posición que tanto admirabas... Ahora eres mío y de mi grupo de seguidores. ¿Recuerdas nuestros acuerdos del pasado? ¡Claro que sí! Quería tener el placer ineludible de recibirte cuando te convertiste en tu patria espiritual. Aquí estoy. ¿No me agradeces?

Recuperando los sentidos que había perdido por unos segundos, tal fue la emoción de ver frente a él al "caballero negro", personaje llamativo en muchas de sus pesadillas y figura que tanto lo inspiró en su belicoso viaje, dice:

- ¡No es posible! Todo es una broma cruel de muy mal gusto. ¡Exijo volver a mi castillo! Debo informar al rey inmediatamente. ¡Te ordeno que dejes de completar este acto tuyo, oh vil criatura!

Eustáquio sigue siendo altivo e inalcanzable. Siente que no debe perder el control ante una situación tan extraña. Sin embargo, es nuevamente interrogado por el espíritu frente a él.

- ¡Por qué, Eustáquio! Deja tu arrogancia a un lado, pues ya no eres más el general que manda ejércitos y no eres más que un mediocre ser inferior que debe actuar desde ahora bajo mi mando. reconocer, mi querido, tus días de gloria han terminado. No tienes más remedio que obedecerme. Si no quieres seguirme, me aseguraré de demostrarte, de la peor manera posible, que estás muerto para tu mundo. ¿Qué eliges?

Ciego a la realidad, condenado a no comprender el misterio inexplicable de su propia existencia y ahora fuera de control, Eustáquio permanece impasible, repitiendo una y otra vez su orden anterior. La criatura de negro, sin perder tiempo, ordena a sus secuaces:

- ¡Abrácenlo y llévenselo! Saben muy bien a dónde quiero que vaya.

A lo lejos, emerge un majestuoso castillo, estacionado a orillas de un lago de aguas cristalinas y enmarcado por abundante vegetación, cuyas torres centrales parecen servir de nexo entre el cielo y la tierra. Una inmensa llanura rodea la sede del gobierno de los francos, y solo un camino atraviesa la suave y baja hierba que cubre deslumbrante todo el escenario. Desde lo alto de una de las torres suena una trompeta que anuncia el regreso de las tropas victoriosas. En una de las salas principales, impaciente, se encuentra el rey Clodoveo, sediento de información.

¡¿Me dijeron los desgraciados mensajeros del reino que mi amado general Eustáquio murió en la batalla de Dijon?! ¡Imposible! Un valiente y noble caballero no se permitiría tal vergüenza, sobre todo cuando le habían disparado las manos indignas de un insolente y mediocre borgoñón. Infames rumorean se explayan en mis dominios. ¡Exijo la verdad!

Un golpe en la mesa resuena por toda la fortaleza y sus muros parecen temblar con la furia desenfrenada del soberano. Las antorchas de los corredores mueven sus llamas al mismo ritmo del cambio de humor del rey y parecen abrasar el techo del castillo, tal es la ira del majestuoso Clodoveo. Innumerables sirvientes abandonan apresuradamente el palacio para encontrarse con el ejército que regresa. Al frente de los hombres de confianza del soberano está el vizconde Archibaldo.

- ¿Quién es responsable de las tropas? Traigo órdenes del Conde de Mefené, ayudante directo de su majestad el Rey Clodoveo.

- Soy yo, Sr. Vizconde.

- ¡Muy bien! Determine a todos sus hombres que la muerte del general Eustáquio no debe ser publicitada como si fuera el resultado de un acto de traición de un prisionero enemigo. El descontento del Rey con esta situación ya ha llegado a su límite. Por tanto, nos parece justo conceder al comandante del ejército victorioso un funeral digno de un combatiente honrado por su majestad. Los mensajeros que trajeron la noticia del ataque fueron imprudentes, lo que enfureció a nuestro soberano. En adelante, a todos los efectos, el general Eustáquio murió en combate, glorificando a su nación. ¿Está entendido? Ni una palabra debe decirse del vil ataque que había sufrido.

- ¡Pero eso no es cierto! El general fue asesinado por su excesiva arrogancia y el sadismo con que pretendía exterminar al enemigo. Un joven borgoñón herido, humillado a las órdenes de nuestro comandante, acabó vengándose y...

El líder del ejército es interrumpido gritando por el vizconde:

- ¡Cállate, criatura estúpida! Esto no es lo que nuestro amado Rey Clodoveo quiere oír. ¿Es tan difícil entender que en este reino solo lo que Vuestra Majestad quiere oír? Nuestra verdad, mi querido capitán, siempre se basa en la conveniencia. Debes seguir mis órdenes y dirás lo que he determinado. Si no lo haces, tu vida no tendrá valor...

- Así se hará, señor Vizconde Archibaldo.

- ¡Está muy bien! Volvamos al castillo.

- En la misma habitación, Clovis está esperando. Mientras tanto, está constantemente hurgando en los papeles que tiene delante, en referencia a los planos elaborados para la batalla ganada en Dijon. Con expresión sombría pero firme, el rey recibe a un mensajero:

- Su Majestad, el comandante de las tropas reales, el Capitán Trudeau, desea verlo.

- Hágalo pasar - responde el soberano, poniéndose inmediatamente de pie.

- Presento mis respetos al augusto rey de los francos, noble de los nobles, paladín de la justicia, imagen del imperio...

- ¡Cállate la boca! - Grita el rey - ¡Basta ya de tributos inútiles! Quiero noticias de Eustáquio, mi general, por la batalla que ya sé que gané.

Narrando toda la versión elaborada por los asesores del soberano, el comendador afirma que Eustáquio pereció en el campo de batalla, enarbolando la bandera del reino de los francos. Es, en su opinión, un verdadero héroe.

Pensativo, el monarca reflexiona por unos instantes, más resignado y dice:

- Quiero los tributos más conmovedores a este caballero y líder que nunca me defraudó. No escatimes esfuerzos para que mi deseo sea concedido. ¡Vete ahora, que quiero estar solo!

De repente, el Rey sorprende, al estallar en llanto en la sala, la entrada de una hermosa joven. Pálida, con expresión perturbada y grandes ojos rojos, Patricia, la esposa del general Eustáquio, busca consuelo en el imponente Clodoveo.

Mi Rey, todos estamos descontentos con la pérdida de Eustáquio. Me parece que la vida ha perdido su sentido. Su figura paterna y de esposo será insustituible. Nuestro hijo Guillermo está enojado y quiere venganza...

Antes de continuar, el niño, que parece tener 16 años, interrumpe a su madre y dice en voz alta:

- ¡Es justo que cien cabezas de borgoñones rueden para aligerar la mancha que pesa sobre la memoria de mi padre!

- ¡Calma! - Responde el rey más serenamente -. Nada más se puede hacer, porque el general Eustáquio partió de este mundo en un momento de absoluta gloria, dándonos la certeza de la victoria y demostrando al enemigo la fuerza de nuestro ejército. Su memoria se conservará para siempre en nuestra historia y nunca permitiré que los rumores irrazonables sobre él sigan proliferando. El capitán Trudeau me acaba de explicar la verdadera faceta de la muerte de nuestro comandante. Por ello, tendremos que hacerle un entierro digno de su posición social y del valor que tuvo en su tierra natal. La venganza no será necesaria, sobre todo ahora que deseo unificar mi reino entre vencedores y vencidos.

Mientras Clóvis predica la conciliación y transmite serenidad, Guillermo ni siquiera escucha lo que dice el soberano y comienza a imaginar su propio ascenso en las filas del ejército real, quizás ocupando el lugar de su padre, en dirección a las tropas de su majestad. Todos los presentes notaron su falta de interés y recordaron la tensa relación que tenía el muchacho con el general. Su inconformidad con la muerte de su progenitor es falsa y alejada de la verdad de su corazón. De hecho, su relación con Eustáquio siempre fue desestructurado y conflictivo, sin lazos amorosos entre ellos.

Ambicioso y pérfido, el único hijo de Eustáquio y Patrícia propicia, con sus constantes vibraciones de desprecio hacia la figura paterna, el surgimiento de una enorme red vibratoria negativa, que se instala en el recinto. Un inmenso globo fluidico aparece en el techo de la habitación, relampagueando como explosiones meteóricas. Los espíritus menos iluminados, en torno a esta construcción magnética, ríen sin parar y esperan la llegada de Eustáquio que, poco después, entra en el recinto, conducido por los compañeros del "caballero negro".

Patricia, descontenta con la falta de respeto de su hijo y sabiendo bien su verdadero propósito, lo mira con reproche. Llamándolo a un rincón, alerta:

- Ni se te ocurra vilipendiar la memoria de tu padre en este momento tan difícil para todos nosotros. Sé bien cuáles son tus verdaderas intenciones. Te importa poco la muerte de Eustáquio, porque realmente quieres ocupar su lugar en el ejército real. Atrévete a plantear este asunto al rey y yo personalmente me encargaré que seas expulsado de este castillo.

El joven accede de buena gana y renuncia a cualquier propuesta prematura al respecto. Valores nobles y dignos; sin embargo, no componen su carácter.

Presente y acompañando la escena entre su mujer y su hijo, Eustáquio toma conciencia de su situación, sobre todo del desprecio que le muestra su afligida familia. Cuando todos salen de la habitación, Clovis llama a Patricia a un lado y le dice:

- A pesar de tanto sufrimiento, la vida siempre nos presenta el lado positivo de todo, ¿no es así querida Patricia? Ahora podemos encontrarnos más brevemente y sin tanto miedo.

La joven consternada, a pesar de ser la amante del Rey, tiene motivos fundados para no continuar con su relación adúltera.

- ¡No, mi querido soberano! Ahora que Eustáquio se ha ido, al menos su memoria deseo preservar. Además, esta situación nunca fue la más aceptable para mí, y su majestad todavía está casado.

El rey esboza una reacción, pero la joven, tajante, continúa.

- Nada de lo que diga, mi señor, me convencerá de lo contrario. Estaba esperando que algún evento pusiera fin a nuestra relación. No tengo muchas esperanzas en la vida y sé que actué mal al traicionar a Eustáquio, pero tengo la intención de morir en paz con mi conciencia a partir de ahora.

Sin dar ninguna posibilidad de respuesta, Patricia sale apresuradamente de la habitación.

Eustáquio está profundamente abatido y sufre por la revelación del adulterio de su amada esposa. La fidelidad al rey y las glorias de su título no hicieron nada para sostener la dignidad de su matrimonio. A pesar de haber sido también adúltero durante su vida de casado, no admitió que pudiera, en igual proporción, ser traicionado por Patricia. De mala gana, termina creyendo que, de hecho, está desencarnado. El "caballero negro" se acerca.

- ¡Sé que ahora estás convencido! ¡Estoy satisfecho! Después de todo, tenemos cuentas que saldar y trabajar para desarrollarlas juntos. Pasé muchos años dándote inspiración. Tu éxito en el mundo material es el resultado de mi trabajo. Por lo tanto, reducido como estás a tu insignificancia, debemos regresar a nuestra guarida.

Cediendo a las presiones que recibe de las entidades que lo acompañan, Eustáquio hace un último pedido:

- ¡Está bien, me iré, oh criatura despreciable! Pero antes, me atrevo a suplicarte, quiero dar un paseo por el castillo y despedirme de los seres que aun aprecio.

- ¡Muy bien! ¡Que así sea! Sufrirás aun más, pero no me importa ni un poco. Que busque en las mazmorras de su propia conciencia. ¡Te dejó ir!

Apenas termina su frase, el "caballero negro" se retira y sus aliados permiten que Eustáquio camine libremente por la fortaleza, aunque siempre conectado por densos lazos de un cordón negro.

Ficción y realidad se mezclan en tu mente. Confundido, siente que la amargura de su corazón aprieta sus pasos y su único grito de desesperación -maldiciendo su presente- sigue el curso de sus más ardientes sentimientos.

CAPÍTULO III
REVELANDO SU PASADO

El orgullo y la vanidad, asociados al materialismo, son la base del sufrimiento de muchos espíritus, apenas abandonan el cuerpo físico. No se sienten desencarnados y parte de una nueva vida. Por estas razones, el plano espiritual superior les permite ser abordados por entidades menos iluminadas, a veces incluso compañeros de tiempos pasados, pero cuyo principal objetivo es humillar y dominar a sus antiguos aliados.

En algunos otros casos, son deudas por redimir y los recién desencarnados son aprisionados por espíritus que quieren compensación por sus errores en otras existencias. Las conexiones que el encarnado mantiene durante su etapa en el plano físico, su forma de pensar y de actuar y, en especial, las vibraciones que nutre y las sintonías que experimenta son los aspectos más comunes de los desenlaces traumáticos del cuerpo, con un carácter agitado y paso difícil al mundo de los espíritus.

Eustáquio, durante su existencia, solo cultivó sentimientos menos dignos, que exaltaban el orgullo y la vanidad, pasiones mundanas de hombres desprevenidos. Tuvo una trayectoria de glorias terrenales, llena de crímenes y ataques a sus semejantes, ahora recogiendo los frutos de su total falta de vigilancia. Esclavizado por sus verdugos, en realidad compañeros del pasado, vive un momento arduo en su desenlace con la vida material.

Además, recibió malos consejos a lo largo de su existencia, provenientes de las mismas entidades que hoy lo dominan. Su falta de vigilancia; sin embargo, permitió este acoso y no lo convierte en mártir o víctima, sino en coautor de las barbaridades que le sugerían los espíritus de obsesión. En el plano inmaterial, antes de reencarnarse en Eustáquio Alexandre Rouanet, celebró siniestros pactos y fomentó alianzas encaminadas a oscuros intereses ajenos a la práctica cristiana. Así, a lo largo de su vida material, sintió el acompañamiento de los mismos esbirros con los que, un día, se desvió por el camino del mal.

Fruto de la ley de acción y reacción, Eustáquio se encuentra ahora en posición de subyugado, para cosechar, en la justa proporción que le corresponde, los males que sembró en su pasado.

Las puertas del castillo no son obstáculos para él. El general penetra en cada habitación y visita las muchas habitaciones lujosamente decoradas del palacio. Por primera vez se siente en una posición ventajosa, porque nada puede detenerlo. Su contentamiento es efímero, porque la realidad lo llama a razonar.

En una de las salas que recorre, observa la existencia de varios cuadros, ricamente ornamentados con marcos realzados por el brillo insólito del oro, cada uno representando una memorable batalla de Clodoveo. Está orgulloso de sus propios logros militares, ya que ayudó a construir el reino de los francos.

Liberado momentáneamente, el general intenta escapar de los muros del palacio, pero se siente atrapado. Hay un cable negro que lo conecta con el otro extremo del pasillo. Los verdugos que lo mantienen prisionero se divierten con su vano intento de fuga. Le queda arrepentirse de su humillante situación y continuar su viaje por el castillo.

Entra en una habitación contigua y nota una figura femenina junto a la ventana, es su esposa Patricia. Se acerca a ella y la abraza apasionadamente. La joven siente escalofríos en la columna y comienza a transpirar. El remordimiento acude a su mente y la amargura de la traición penetra en su interior.

En el otro lado del palacio, el rey experimenta las mismas sensaciones. Con la cabeza gacha, sentado en su sillón favorito, reflexiona sobre la relación que mantuvo con la joven Patricia, a pesar de su matrimonio con Clotilde y su amistad con Eustáquio.

Irónicamente, estos dobles sentimientos de remordimiento alcanzan rápidamente la percepción del general y, en lugar de consolarlo, actúan grandilocuentemente sobre su sentimiento. Se revela el adulterio entre el monarca y su esposa. Su ira crece y grita a todo pulmón:

¡Miserable! Fui traicionado por aquel a quien dediqué mi vida y por la mujer que tuvo el honor de ser mi consorte. Este arrepentimiento tardío de ambos, ahora que estoy muerto, no es reparador para mí. ¡La venganza será mi ideal a partir de ahora!

Asfixiado por su propia ira, se vuelve hacia otro rincón de la misma habitación donde está Patricia y ve a su hijo, Guillermo, concentrado en estudiar manuscritos. Se calma.

- ¡Hijo! ¡Escúchame si puedes! Alguien restaurará mi honor herido... Cuento con tu compromiso para ayudar a tu padre en este camino regenerador.

El joven ciertamente no escucha el grito del espíritu a su lado, pero de alguna manera se siente incómodo. Sin embargo, ignorando las súplicas de su padre, comienza a trazar sus planes para el futuro.

- ¡Excelente! Me deshice de mi padre tiránico a tiempo, quien, a estas alturas, debe estar ardiendo en las llamas del infierno. Puedo perfectamente tomar u lugar al mando de las tropas. Sin embargo, necesito convencer al Rey...

El golpe es duro para Eustáquio. Una vez más, su descontrol emocional es evidente y su llanto se convierte en la única salida. Minutos después se recupera y al verse totalmente abandonado y traicionado, sin recibir una sola vibración de apoyo, acepta la idea de asociarse con ese despreciable ser, el "caballero negro", que se le acercó en su primer momento de regreso a vida espiritual. Quiere salir de allí inmediatamente.

Una violenta ráfaga de aire abre la ventana. Los papeles vuelan en todas direcciones y las velas de los candelabros se apagan. El ambiente se vuelve tenso y Patricia siente la presencia espiritual de Eustáquio. A pesar de ser incrédula y materialista, está conmocionada. De repente, recuerda el día de su boda. Tenía catorce años cuando fue cortejada por el imponente general, rondando ya los treinta y cinco. Me enamoré, es verdad. Seducida por un hombre experimentado y alentada por sus padres, contrajo un matrimonio que solo le reportó un año de felicidad. Después, al darse cuenta de la vida totalmente desenfrenada de Eustáquio, que se relacionaba con varias mujeres de la Corte - entre nobles y sirvientas - cayó en desgracia y maldijo el día que conoció a su marido. Sintiéndose cruelmente abandonada, siendo muy joven aun, acabó siendo consolada por Clóvis, con quien mantuvo una relación adúltera y de quien, de hecho, quedó embarazada. Ni el monarca ni Eustáquio sabían del origen de Guillermo.

Sentirse solo e infeliz. Se dio cuenta que sus relaciones amorosas no eran gratificantes, ni con su marido ni con su amante.

Eustáquio comprende, en ese momento, que ni siquiera tuvo un hijo. El muchacho lo despreciaba y no existían lazos de sangre entre ellos.

Su matrimonio había sido un completo fracaso. Asiente con la cabeza, reflejando la plena aceptación de su nueva condición, sujetándose a las reglas que le imponen sus verdugos. Los espíritus que lo tenían aprisionado aparecen por todos lados y, en una fracción de segundo, el general sale de allí, sin llevar consigo ninguna imagen positiva.

* * *

El entierro se lleva a cabo con toda la pompa posible y está presente toda la Corte. Patrícia y Guillermo interpretan los papeles de viuda e hijo desolado, ambos descontentos con la pérdida de su patriarca. Una inmensa iglesia, ricamente decorada, sirve de escenario al evento. Solo unos pocos candelabros están encendidos, lo que oscurece el ambiente. Envuelto en un manto gris, que lo cubre de pies a cabeza, acompaña a Eustáquio, desde lejos, en estos últimos momentos de su conexión con la envoltura material. Lo acompañan dos entidades, aun bajo vigilancia.

Junto al altar, descansa plácidamente el cuerpo de Eustáquio. La gente circula. Se dirigen palabras de condolencia a la afligida esposa e hijo, pero también se emiten tácitamente vibraciones de desprecio y desprecio por parte de los visitantes. Raras eran las figuras de la Corte que habían dejado tras de sí tantos enemigos como fue el caso de Eustáquio.

En el ambiente tenso y pesado del velorio, no parece haber un solo mensaje de amor o piedad. Todas las conversaciones giran en torno a temas materialistas, tratando herencias, títulos y riquezas de todo tipo. Afuera de la iglesia, algunos sirvientes rezan por el alma del general. Creyendo en la posibilidad de un paso tranquilo al otro lado de la vida, le desean, a través de oraciones, lo mejor de sus sentimientos.

Además de los encarnados, varios espíritus forman parte de la multitud alrededor del entierro. Por tu parte, tampoco está presente ninguna vibración de amor.

La procesión camina hacia el mausoleo de la familia Rouanet. Está sepultado el cuerpo de Eustáquio y con él todas las esperanzas de un general que fue la historia misma de su pueblo y el orgullo de su nación.

CAPÍTULO IV

EL CRECIMIENTO DE EUSTÁQUIO

Eustáquio tuvo una infancia feliz. Sus padres, Filipe y Claudine Rouanet, nobles y ricos, le proporcionaron todas las comodidades posibles a un niño de buena cuna. Educación exquisita, mucho cariño y atención por parte de los padres no le faltó. A lo largo de su crecimiento; sin embargo, mantuvo sensaciones extrañas y vibraciones negativas, que parecían alejarlo de ese ambiente amoroso de su hogar.

A temprana edad, Eustáquio demostró ser un niño malcriado y sin escrúpulos, pero siempre fue perdonado por sus amables padres y perdonado, también, por los fieles servidores de su casa. Quería una formación envidiable que le preparara para hacerse cargo de los negocios de su padre e incluso de puestos importantes en la Corte. El joven; sin embargo, no se interesaba por nada positivo y sacaba especial satisfacción cuando lograba perjudicar los intereses de los demás.

El destino le reservó una oportunidad para reformarse cuando contrajo tuberculosis a la edad de 15 años. Desilusionado por los médicos más famosos del reino y por especialistas de toda Europa, el niño acaba siendo llevado a un pequeño pueblo, en las afueras de su ciudad, por su sirvienta Gertrudes, que era la dama de honor de su madre Claudina. La bondadosa doncella de los Rouanets no se conformaba con la enfermedad del joven heredero, que representaba la alegría de su familia ya quien dedicaba una especial devoción. Su formación cristiana le decía que nada en el mundo pasaba por casualidad y que el amor de Jesús podía transformar los caminos de los hombres, con solo que llegara un sincero pedido a sus Emisarios. Entonces, convenciendo a Claudine para que permitiera el viaje, decidió llevar al niño a la presencia de su viejo amigo, Genevaldo, quien dirigía una obra de apoyo espiritual.

En una tarde nublada y fría, propia del invierno europeo, llegaron al pueblo de Eustáquio y Gertrudes. Fueron recibidos en una casa sencilla, cuya chimenea exhalaba un humo gris, atravesando el cielo áspero y lluvioso como si fuera un poste indicador. En el interior, un grupo de personas rezaba. Una brillante luz dorada se dibujó alrededor de la cabaña, que enmarcaba el paisaje y lo hacía acogedor.

Allí había un centro de oración y Genevaldo, su líder, no se sorprendió con la llegada del joven visitante. Eustáquio, por su parte, con mirada despectiva, miró por unos minutos al apacible hombre de 76 años, de cabellos blancos como la nieve, ralo bigote, que llevaba al cuello un inseparable pañuelo de lana a cuadros.

- ¡Bienvenidos, queridos hermanos! Siéntanse como en casa. A ti, mi querido joven, te transmito mis más sinceros deseos que te recuperes de la enfermedad que se apodera sin piedad de tu cuerpo. Creo que podemos ayudarte... Tus padres son personas queridas por todos nosotros, que siempre han mostrado preocupación por nuestras obras sociales y caritativas. Nunca podríamos dejar de responder a una solicitud de su familia.

Mientras el anciano se redoblaba en amabilidades, tratando de tranquilizar al niño, Eustáquio se sintió avergonzado e inquieto ante la sencillez del lugar. Manteniendo la cabeza en alto y mirando con superioridad a todos los presentes, le susurró a Gertrude:

- ¿Era realmente necesario venir a este miserable lugar? Nunca en mi vida había pisado un suelo tan despreciable. Mira a esta gente sombría... Parecen más mendigos asquerosos que hombres buenos...

Interrumpida en sus declaraciones frívolas, la sirvienta respondió con docilidad:

- ¡Mi joven señor! No hay nada más hermoso en el mundo que el amor sincero y este sentimiento se puede encontrar y experimentar aquí. Si todos los rincones del mundo pudieran contar con la vibración positiva que siempre está presente en esta casa, los males ciertamente no tendrían cabida entre los hombres. No te preocupes por las apariencias, la gente te quiere. Además, estás delirando y ya no sé si estás viendo hombres o espíritus.

- ¡Deja de decir tonterías, Gertrudis! Todo el mundo sabe que los espíritus no existen. No estás cansado de escuchar sermones dominicales sobre este tema. ¡Vieja terca!

Sin insistir en su creencia, la buena mujer se acercó a Genevaldo y le dijo:

- El chico no pretendía ofender, solo está cansado y enfermo. No tomes en cuenta estas actitudes, mi querido hermano.

Al instante, el encargado del lugar respondió:

- Ahora bien, querida hermana, ¿entonces no sabe que nuestros amigos espirituales ya han tenido la oportunidad de informarnos de su venida a esta casa? Sabemos todo sobre el joven Eustáquio, al menos en cuanto a las revelaciones que se nos permite saber. Te ayudaremos con todas nuestras fuerzas. Trae al niño a nuestra mesa y haz que se siente a la cabeza. ¡Vamos a rezar!

Cuando el mundo espiritual se reveló, apenas el grupo inició las actividades, se pudo seguir el trabajo incansable de los mentores para higienizar el ambiente, alejando a las entidades menos iluminadas que acompañaban a Eustáquio. Por otro lado, la luz dorada de la protección del nuevo amanecer estaba activa y presente. Nada podría hacer temblar ese recinto de amor y fe en Jesús.

Acostumbrados a los aspectos negativos de la obsesión, los cristianos allí reunidos pronto se dieron cuenta del motivo de la visita de Eustáquio a su casa. Estuvo seriamente involucrado con espíritus del más vulgar nivel evolutivo. Su enfermedad fue el resultado de su propia falta de vigilancia y, a pesar del ambiente positivo que siempre le habían brindado sus padres, el periespíritu del niño no pudo resistir los ataques intermitentes que sufrió, impregnándose de cargas magnéticas negativas. El resultado se reflejó en la tuberculosis que la medicina no pudo curar.

Uno a uno, fueron asistidos los entes que continuamente hostigaban a Eustáquio. Incrédulo y perturbado, el joven trató de reaccionar, pero lo calmó un pase de apoyo que le dio su propia benefactora Gertrudis. Finalmente se durmió, y aun así, las tareas del grupo de oración continuaron. Después de dos horas sin interrupción, todo se resolvió y los integrantes de la sesión quedaron exhaustos. Liberado temporalmente de ese proceso obsesivo, que le provocó una peligrosa enfermedad, Eustáquio cayó en un profundo sueño. Entonces Genevaldo ofreció una oración de agradecimiento:

- Señor, alabamos tu nombre y te damos gracias por la asistencia permanente que nos brindas en nuestra humilde y cristiana morada. Somos conscientes del riesgo inherente a la misión del joven Eustáquio y estamos siempre dispuestos a colaborar con él. Es justo que podamos redimir nuestras deudas pasadas en una gratificante actividad de amor. Nuestros amables mentores, invariablemente justos, nos pusieron cara a cara con este joven. Lo que hemos hecho y haremos por nuestro hermano. Que Jesús bendiga nuestro trabajo. ¡Gracias a Dios!

Su natural sencillez no le permitía tener oraciones prolongadas impregnadas de un estilo lingüístico pomposo, pero de su corazón brotaba una luz fuerte y brillante, con un matiz primordialmente plateado, que alcanzaba y acariciaba a todos. Nada más hermoso les podía pasar a los trabajadores sintonizados con lo Alto.

Momentos después, cuando se encendieron las velas de la cabina y la luminosidad material volvió a estar presente en el ambiente, Eustáquio despertó.

- ¿Qué sucedió? ¡Me siento débil! Creo que me voy a desmayar.

- No tengas miedo, muchacho, todo está bien ahora - le transmite, con confianza, Genevaldo. Tráiganle un poco de sopa, debe tener hambre.

En efecto, Eustáquio comió bien y, al poco tiempo, sin siquiera agradecerle, pidió una cama para dormir. Todos entendieron su situación y, sin dudarlo, prepararon un lugar para que tomara un merecido descanso.

Durante esa noche, por primera vez, Eustáquio durmió tranquilo y con una mirada angelical en el rostro. A la mañana siguiente, antes de partir, Genevaldo llamó al joven Rouanet para charlar.

- Mi querido muchacho, necesito darte algunas aclaraciones que te envió tu mentor. Son revelaciones básicas sobre tu futuro, con el fin de prepararte mejor para la resistencia que debes tener en relación a los embates del mal.

A pesar de ser recalcitrante, convencido por Gertrudes, Eustáquio terminó escuchando lo que el líder tenía que decir. El orgullo y la vanidad serán sus mayores obstáculos en la búsqueda del progreso espiritual. Trata de mantener encendida en tu mente la llama del buen ejemplo que te dieron tus padres. Nunca quieras seguir una carrera militar, pues allí estará tu desgracia. Tienes deudas con muchos enemigos del pasado, por lo tanto, no ganes tantas aplicándote a la guerra de conquista y la vida ingobernable y materialista. Solo la fuerza de vuestro amor purísimo y la misión práctica de la caridad pueden hacerte encontrar un poco de tranquilidad. Tacha la palabra petulancia de tu diccionario y ahuyenta a los amigos que son pródigos en malos ejemplos. Quien te dice que este es tu amigo más cercano, ese espíritu-mentor que vela por tu suerte. No desprecies este consejo, porque de él depende el éxito de tu futuro viaje. Una carrera militar no te será gratificante, contrariamente a lo que imaginas, sirviendo solo para proporcionarte una falsa ascensión social, mientras que destruirá tu posibilidad de debilitar tu corazón. Por todo esto, estate en guardia, mi querido amigo. Aquí estaremos siempre a tu disposición.

Terminada la breve exposición de Genevaldo, Eustáquio quiso irse de inmediato y sin decir una sola palabra de ternura ni de agradecimiento a los presentes, salió apurado de la casa, feliz de no tocar más aquellas sencillas paredes y muebles. Fue indiferente a los consejos que le dio el líder de la sesión que lo curó de la tuberculosis y ni siquiera notó que ya no tosía y que la fiebre había bajado por completo. Su corazón permaneció tan duro como una roca. Interiormente imaginaba que había sido víctima de actos de brujería, con lo cual no estaba de acuerdo, después de todo, se sentía miembro activo de la Iglesia Católica en Roma, la cual aborrecía tales prácticas.

De camino a casa, atribuyó el cambio de aire y clima a su súbita mejoría, aunque siguió queriendo consultar con los médicos de la Corte. De hecho, quería buscar una explicación racional para su pronta recuperación.

Gertrudes, por su parte, regresó resignada y agradecida, además de estar segura de haber cumplido con su deber. De hecho, no esperaba una regeneración repentina de Eustáquio, ni creía que cambiaría su forma de afrontar la vida con resentimiento. Su petulancia arraigada no sería derrotada tan fácilmente. Sin embargo, tenía fe en que el consejo de Genevaldo penetraría en el corazón del muchacho.

Pasaron los años y el joven Rouanet inició su carrera militar. Se sentía realizado cada vez que tenía algún contacto con tropas del ejército y ni por un segundo recordaba las instrucciones que había recibido del bondadoso Genevaldo. Olvidó que un día tuvo tuberculosis y se curó. Su afán de poder fue creciendo a medida que alcanzaba la madurez y, gracias al buen nombre de su familia en la Corte, pronto se destacó entre los oficiales más prometedores del reino, recibiendo los más importantes puestos de mando.

Exultante de sus hazañas, comenzó a pactar con la Iglesia, para, juntos, dominar porciones de tierra cada vez más grandes. Con el pretexto de unificar el reino, a instancias del soberano de los francos, Eustáquio promovió violentos ataques militares, agravados por el saqueo de las regiones que sucumbían a su poder bélico. Parte de esta colecta fue destinada, "caritativamente", a la Iglesia, cumpliendo su papel de buen cristiano a los ojos de la sociedad. El resto se repartió entre el reino y sus posesiones privadas. Día a día, su fortuna fue creciendo y su fama de militar intransigente, arrogante y déspota fue sentida por todos.

En el lecho de muerte de su madre, Eustáquio recibió importantes consejos, que volvió a despreciar.

- ¡Mi único hijo! Te llamé a mi presencia en esos últimos instantes que me quedan de vida para llamarte a la vuelta a la razón. La vida que llevas es una locura para tu propia paz. Siento que en realidad no cosechas amor en este camino tuyo y sé que solo los sentimientos nobles y positivos, como tu padre y yo hemos tratado de enseñarte a lo largo de los años, pueden construir un mundo mejor. Confía en tu madre moribunda y no creas que son advertencias infundadas... Siento que tendrás un destino oscuro si persistes en tu camino. La gente te odia y te has ganado muchos enemigos. Tu padre, que ha partido de este mundo, siempre deseó que te convirtieras en un caballero digno y honorable, admirado en toda la Corte y no temido por todos como lo eres ahora. ¿Qué más puedo decirte, hijo mío, si no puedo sentir ninguna dulzura en tu corazón?

- ¡No digas nada, madre mía! Mis triunfos militares son el resultado de deseos divinos. Así dicen los sacerdotes del reino... No hay mejor cristiano que yo en las filas del ejército.

- Ahora, Eustáquio, no pronuncies blasfemias. Estas personas a las que llamas sacerdotes no son más que impostores que tergiversan el verdadero mensaje dejado por Jesucristo. Son tan codiciosos como tú... Usan tus conquistas para enriquecerse también.

La exaltación de la Condesa Rouanet empeoró su ya delicado estado de salud y los médicos quisieron interrumpir aquel agotador encuentro.

- Déjame solo con mi hijo. Sé que no terminaré hoy y habré dejado este cuerpo cansado. Los médicos ya no tienen nada que hacer en esta habitación. Quiero cerrar los ojos con tranquilidad y la última imagen que quiero ver es la de mi querido Eustáquio.

Para no molestarla, los médicos y los sirvientes abandonaron las habitaciones de Claudine.

- Pero, mamá, ya no entiendes tu propio delirio... No podemos prescindir de una valiosa ayuda médica.

- Hijo mío, despedí tanto a los médicos como a los sacerdotes. Para morir en paz, solo quiero verte mejor, y para eso no necesito la ayuda de nadie. Tú eres quien debe ayudar a tu madre...

- ¿Y cómo puedo hacer esto?

- Prometiéndome cambiar tu comportamiento. Quiero verte lejos de la guerra de conquista y de la indignidad de muchos falsos religiosos. No entiendo del todo la lógica de la vida, y nunca he podido comprender por qué unos tienen grandes riquezas y otros sufren la más vil de las miserias. Sin embargo, confío en Dios y sé que sin caridad no hay salvación. Esta es la verdadera lección de la vida y no la que estás aprendiendo en los bancos de las iglesias y que os lleva a enriquecerte cada vez más, con la pérdida flagrante de muchos miserables. Basta hijo. Tu padre y yo nunca hemos tomado nuestras posesiones a la ligera, y nunca hemos tomado ningún valor de los demás. Es hora, Eustáquio, de aprender los valores correctos del cristianismo.

Conmovido por la elevación del carácter de su madre, quiso evitar otro sermón.

- Yo digo, mamá, qué deliras... Solo dices tonterías.

Desafortunadamente, tu corazón está endurecido, como me dijo Gertrude. Un día, hijo mío, fuiste curado por la buena acción de un grupo de personas que no conocías y ni siquiera dijiste una palabra de agradecimiento. Solo la vida te puede enseñar a perder la soberbia y, quizás, solo el justo juicio divino podrá, en el futuro, darte la recompensa que mereces. Estoy cansada y veo que no te rindes...

Debilitado por el estado terminal de su madre, Eustáquio buscó consolarla.

- ¡Está bien! Te prometo que replantearé mi vida y cambiaré mis objetivos, como me pides.

- Estás de acuerdo conmigo, querido hijo, en contentarme en este último momento. Si, en efecto, actúas así, seré feliz y, dondequiera que esté, daré gracias a Dios por tanta gracia.

Una suave luz azul penetró en la habitación y la hizo tan clara como el cielo. Vibrando por su hijo, sin preocuparse de sí misma, la Condesa Rouanet cerró los ojos, tomó con fuerza la mano de Eustáquio y abandonó su cuerpo material, sostenida por su mentor espiritual. En la habitación, durante unos segundos, brilló la luz del portal de la verdadera vida. El silencio era casi total, solo perturbado por el aleteo de las cortinas que bailaban con el viento. Todo era paz. Claudina se había ido.

A los 35 años, Eustáquio Alexandre Rouanet ya había alcanzado el grado más alto en las filas del ejército real. En los festejos de su último triunfo, en una gran fiesta celebrada en la Corte, conoció a la joven Patricia. Niña rica, educada en los más tradicionales conventos europeos, de fina cuna y dotada de singular belleza, de refrescos, ojos verdes y cabellos dorados, encantaba a todos. El general Rouanet se enamoró desde el primer momento que la vio y quiso tenerla para él. Animada por sus padres, que estaban orgullosos de las hazañas del valiente soldado, la niña cedió a los encantos de Eustáquio y, seis meses después, se casaron, con la bendición del Papa, la aquiescencia del Rey y bajo el entusiasmo general de la Corte..

La joven esposa inició su vida de casada feliz y confiada, pues creía que formaría una verdadera familia junto a su marido, un hombre ya maduro, a la altura de las cuatro décadas, con todas las condiciones económicas para ello.

Su primera decepción llegó el día que Eustáquio le dijo que no quería tener hijos. Sintiéndose despreciada y humillada, consciente de los amoríos que su marido comenzaba a tener con las damas de la Corte, acabó viviendo una vida infeliz y angustiosa al final del primer año de matrimonio.

En poco tiempo, Patricia despertó el acoso de varios pretendientes en la sociedad y acabó cediendo a las insistentes peticiones de compañía del rey Clodoveo. Eustáquio, en esa época, viajaba mucho, en adiciones militares y se tranquilizó al saber que su esposa se refugiaba en el castillo real. Estuvo fuera del reino durante muchos meses.

Durante esta tensa doble relación que empezó a mantener, la joven quedó embarazada y solo ella supo que el niño era de Clóvis y no de Eustáquio, con quien hacía tiempo que no tenía relación. Sin embargo, ciego de orgullo y vanidad, el general ni siquiera consideró la posibilidad de haber sido traicionado y recibir como propio al descendiente que prolongaría el linaje tradicional de los Rouanet.

El determinismo de lo Alto, innumerables veces, actúa con rigor para trazar el campo de acción de los personajes de la vida, proporcionando a cada encarnado las chances y oportunidades de progreso y elevación espiritual compatibles con sus necesidades reales. En ese caso, Eustáquio prosiguió su andar terrenal sin revelar la relación amorosa extramatrimonial de su mujer, quizás incluso porque él también era adúltero. Condenado a amar a un hijo que no era suyo, solo cuando desencarna puede verdaderamente tomar conciencia del camino errante que vivió, así como del cruel escenario que construyó para sí mismo.

CAPÍTULO V

LA DESTRUCCIÓN DEL PUEBLO

Era una tarde lluviosa. El castillo del rey quedó expuesto a la furia de los rayos y truenos que lo rodeaban con insistencia. Se iluminaba con cada destello y se sobresaltó por los vientos furiosos que vagaban por los pasillos del palacio, imitando audaces sonidos metálicos. Los candelabros de cristal crujieron y las velas cedieron, inertes, al clamor del viento. Dentro de los muros, la vida permanecía casi inmutable si no fuera por el temor a la ira del cielo que tantos nobles y caballeros se escondían bajo el manto de su venerado valor.

Con impaciencia, el rey Clovis se paseaba por su taller. Cuando estaba a punto de tocar el timbre llamando a su criado más cercano, el agregado del Vizconde Archibaldo, Menelao, irrumpió en la habitación llevándole noticias.

- ¡Majestad, el general Rouanet está en camino! Probablemente el mal tiempo lo retrasó. En unos minutos estará en vuestra augusta presencia.

- Mejor así. Tengo una importante misión que transmitirles que no puede esperar.

Tal como lo profetizó el criado, minutos después se anunció a Eustáquio.

- ¡Mi buen amigo! Necesito tus servicios. Hay una revuelta silenciosa en mis dominios. Los borgoñones no quieren la unificación de mi reino. El momento requiere una intervención armada, y quiero que te encargues de eso.

- ¡En efecto, Su Majestad! ¡Estoy a tu servicio! Tienes en mí al soldado más fiel del reino. Partiré de inmediato, solo necesitando organizar la expedición.

- No escatimes esfuerzos y gasta todo lo que necesites. Las arcas reales están abiertas para ti.

Unos días después, Eustáquio partía en misión oficial de gran importancia para el Rey. Debía romper con los puntos de resistencia existentes en determinados pueblos del sur de Francia con el fin de preparar el terreno para la batalla final, donde los francos contarían ya con el apoyo de los visigodos, según negociaciones en curso. El impetuoso general Rouanet; sin embargo, ambicioso y calculador, promovió inmensos saqueos de las riquezas del reino, con el pretexto de equipar bien su caravana militar. De hecho, malversó fondos para su propio enriquecimiento y pretendía restaurar al rey, saqueando los pueblos que encontraba por el camino, otra de sus actitudes menos dignas en el alto mando que le había sido asignado.

- ¡General! - El conde Bergerau interrumpió las reflexiones de Eustáquio -. Tendremos que reemplazar todo lo que extraviamos del castillo, pero sinceramente, no sé cómo lo haremos.

- Ahora bien, Bergerau, no hay nada más sencillo que realizar saqueos masivos en los lugares por donde pasamos.

- Pero, en general, esto es un robo contra nuestros propios conciudadanos.

- ¡Disparates! Imaginemos que solo será un préstamo forzoso para potenciar la campaña militar de Su Majestad por la unificación del reino.

Silencioso e insatisfecho con la explicación, el Conde prosiguió su viaje, respetando las órdenes despóticas de su comandante.

A las pocas horas vieron un inmenso y verde valle, cuyas montañas tenían a sus pies el pueblo más prometedor de la región.

- ¡Parada total! - Anuncia Eustáquio. Descarguen sus armas y armen tus tiendas. Arreglemos nuestro campamento en este claro.

Sin duda, los caballeros desmontaron de sus animales y llevaron a cabo las órdenes recibidas. Minutos después, el general se reunió con su consejo en la carpa principal.

Este es el plan de ataque, simple y objetivo: hay cuatro entradas principales y dos secundarias a este pueblo, como puedes ver en el mapa. Quiero hombres esparcidos por todas partes, bloqueando la entrada o la salida de cualquiera. Otros equipos me seguirán al centro comercial. El Conde Bergerau dirigirá la expedición de búsqueda. Los borgoñones deben ser eliminados rápidamente. Una vez realizado el saqueo y controlada la situación, los últimos en entrar al pueblo serán los caballeros con las antorchas. Quemarán todas las casas, sin excepción. No me gustaría ver supervivientes. ¿Alguna pregunta?

Conmocionados, los líderes de los grupos de asalto se miraron entre sí y solo intervino el Vizconde Altay.

- General, no entiendo por qué exterminamos a inocentes, como mujeres, niños y ancianos... Somos los caballeros del Rey y no mercenarios.

- ¡No seas estúpido! ¿Quieres testigos vivos de nuestro saqueo? Mis órdenes deben ser obedecidas al pie de la letra, después de todo, todos ustedes serán beneficiarios, por igual, de las riquezas que recaudemos.

- Pero, Comandante, creo que es un poco inhumano...

- Cállate la boca. No encontrarás nada. Solo cumple con mis determinaciones.

Todos conocían el temperamento explosivo y colérico de Eustáquio y nunca tendrían la osadía de desafiarlo. Un silencio morboso cayó en la tienda, y cada uno de los oficiales se deslizó en su tienda. Claro, el general tenía el control total de la situación. Meses antes, se había involucrado amorosa y decididamente con Rita, la hija de Paul, el comerciante más rico de la región. A través de él, a costa de favores sexuales, obtuvo un mapa del pueblo, así como una relación detallada de los usos y costumbres de sus habitantes. Sabía dónde se guardaban los valores comerciales y ni un solo centímetro del pueblo estaba fuera de su control.

Sin ninguna oposición de sus subordinados, el plan se llevó a cabo al pie de la letra. A la mañana siguiente, soldados camuflados, ocultando las banderas y los símbolos reales, invadieron el pequeño pueblo y, con gritos frenéticos, comenzaron la matanza.

En este viaje de terror, Eustáquio recordó el lugar. Era el mismo pueblo donde, varios años antes, había estado con Gertrude para curarse de su fatal tuberculosis. Recordaba vagamente al viejo Genevaldo y sus consejos. Altivo, ignoró la coincidencia y, frente a sus hombres, se empeñó en robar personalmente los bienes de los mercaderes, asesinados cruel y cobardemente por los soldados.

El pueblo ya estaba en llamas cuando una voz rompió el silencio sepulcral que se había apoderado de toda la región. Muy viejo, inmóvil en su cama, Genevaldo seguía rezando, balbuceando pequeñas frases. Una brillante luz dorada atravesó la negrura del humo que se elevaba hacia el cielo e iluminó la cabaña del anciano durante unos minutos. Entró el mentor Papisco, materializándose en el ambiente.

– ¡Mi querido amigo Genevaldo! Sabes que ha llegado tu hora y la de tus compañeros. ¡No te preocupes! Pronto, estaremos juntos de nuevo. Ya eras consciente de la desencarnación colectiva que durante mucho tiempo se cernió sombría sobre los destinos de este pueblo. Aquí hubo numerosos romanos que, en el pasado, quemaron vivos a los cristianos en la arena para el deleite de los crueles espectadores. Estuvo entre ellos y ahora está cumpliendo su camino regenerador. Habían desencarnado de la misma manera que, en el pasado, hicieron salir a sus hermanos del plano material.

Genevaldo, que apenas escuchó los sonidos de la matanza, despertó de inmediato al percibir los temas y palabras de su espíritu guía.

- ¡Ay, mi querido amigo! Cumplo resignadamente mi destino. Alabo a Dios por la oportunidad de rescate que me ha dado. Siento que, por desgracia, esta desencarnación masiva de tantos semejantes fue provocada por las manos del niño Eustáquio.

Ya no es un niño. Hoy, general, contrario a los consejos que recibió en su adolescencia, está atacando a muchas personas inocentes, solo para satisfacer su codicia.

- ¿Puedo ayudarle en el futuro, amigo?

- ¡No lo pienses ahora! Intenta cerrar los ojos al peso de la materia y abre tu corazón a la luz de la verdadera vida. Aquí estoy para ayudarte. ¡Que Dios nos ilumine!

Mientras Genevaldo se despedía de sus ropas carnales, muchas entidades inferiores rondaban el lugar para rescatarlo en el momento en que pasara al plano espiritual. Apoyado; sin embargo, por el mentor de luz, el brillo de su partida cegó a todos los seres que estaban cerca y les quitó cualquier intento de interferir en el proceso de desencarnación.

Confundidos, los entes se volvieron contra los propios soldados, involucrándolos en un proceso obsesivo. Muchos, sacudidos e inconscientemente rechazando el ataque, de repente perdieron el conocimiento y se desmayaron aun sobre sus caballos. Otros, cediendo a los impulsos masacradores de estos malos espíritus, se enfurecieron aun más y siguieron buscando víctimas sin cesar.

Eustáquio paseaba por el pueblo envuelto en llamas, contando los muertos y calculando lo que le había valido el botín. Indiferente a los gritos de dolor y las súplicas de auxilio, pisoteó los cuerpos frente a él con su animal.

De repente, un dolor en el pecho consumió sus fuerzas y su cuerpo se tambaleó en la silla del caballo. Su cabeza se nublaba, envuelto en mareos y ya no podía razonar. Le pareció oír, de alguna parte, la voz de su madre Claudine, rogándole clemencia. Abrumado por una emoción inexplicable, dejó de divertirse a costa de la agonía del otro y, azotando al caballo, dejó inquieto al pueblo. A pesar de tantas advertencias que recibió, Eustáquio permaneció irreductible, atado al materialismo y poseyendo un espíritu cada vez más endurecido. Nada parecía sacudir su convicción interior. Cediendo a los instintos más salvajes, atrajo hacia sí a innumerables seres degradados que habitaban las zonas de sombra más oscuras. Subyugado por las fuerzas del mal, permaneció loco en su guerra de conquista.

Cuando abandona el plano físico, ante tantas atrocidades que ha cometido a lo largo de su existencia, la compañía que le espera a Eustáquio no puede ser otra que la de sus obsesores, aliados de su locura y cómplices de sus crímenes. A pesar de ser valiente, intrépido y orgulloso cuando encarna, al dejar la protección que le brinda el cuerpo físico, su espíritu es un blanco fácil para las cadenas de las entidades Umbralinas. Encarcelado, humillado, sin fuerzas para reaccionar y sin apoyo alguno de los mentores de la luz - debido a su propia postura materialista - acaba reducido a la condición de instrumento de quienes, a lo largo de los años, asistieron - maquiavélicamente - al agotamiento de su desgracia Recupera la conciencia después de la muerte, presenciando la traición de su esposa a su venerable rey y el odio del hijo hacia la figura paterna. Los mismos espíritus que antes le aconsejaron hacer el mal, hoy se burlan de su desgracia y se ríen a su costa.

Se dirige a zonas oscuras y deja tras de sí la gloriosa trayectoria de uno de los generales más temidos que jamás hayan horrorizado al reino franco.

CAPÍTULO VI

LA DIVISIÓN EN LAS ÁREAS OSCURAS

Eustáquio delira y se siente morir. Un torbellino de imágenes componen los cuadros que la dibujan, paso a paso, en su dolorosa rememoración del pasado. Mientras tanto, impulsado por entidades monstruosas con semblantes rostiformes, garras afiladas y agresión natural, se imagina atrapado en un cuento de terror clásico. Los caminos oscuros y sinuosos lo llevan a un castillo sombrío que se encuentra al borde de un pantano. El calor es inmenso, dándote una sensación desagradable. Prácticamente sin nada que ver, frente a la lúgubre oscuridad, no puede ver el final de los momentos de tortura que está viviendo.

Lentamente, se pueden ver luces sin ningún brillo y Eustáquio comienza a escuchar estruendosos rugidos por todos lados. Su pesadilla acaba de comenzar.

La caravana reduce la velocidad y se detiene frente a una puerta estrecha que se abre al costado de una pared para recibir a los recién llegados. Entran en la fortaleza, construida siguiendo las mismas líneas que las que existen en el plano material.

Sin sentido del tiempo, momentos después de llegar a su destino, es encarcelado en un calabozo. Pierde el conocimiento y continúa así durante días seguidos.

Cuando se despierta, se da cuenta que está en una celda mal iluminada y fétida, llena de una humedad incómoda y llena de escombros. Está a punto de gritar desesperadamente cuando una criatura deforme abre la puerta y gruñe, haciéndole un gesto para que lo siga. A pesar de tener miedo, siente que salir de este lugar es una prioridad y no pone ninguna objeción.

Caminan por pasillos muy estrechos, todos mal iluminados, y se detienen frente a una habitación cuyo portal ya está abierto. Segundos después, Eustáquio es recibido por un espíritu vestido de negro de pies a cabeza, encapuchado como un monje y portando un gran crucifijo oxidado sobre el pecho.

- ¡Bienvenido mi querido amigo! Espero que después de tanto tiempo podamos restablecer nuestros lazos de unión y solidaridad.

Se imagina, por un momento, que todo había sido un sueño y ahora estaría despertando a la realidad.

- ¿Quién eres, padre?

- Mi nombre es Gedión. Me gusta disfrazarme de monje para alabar mi pasado. ¿Me recuerdas, Eustáquio?

- ¡Ciertamente no! Creo que he estado soñando hasta este momento.

- Me gustaría que me enviaran al castillo del rey. ¿Sería posible?

- Siento decepcionarte, querido, pero estás muerto para el mundo que pretendes alcanzar. Has vuelto a tu lugar de origen y, como todos nosotros, eres una criatura de las tinieblas, arrastrándote por el miserable Umbral.

Su última esperanza de despertar de una pesadilla cesa y el general se derrumba, desmayándose. Poco después, se recupera y ante él aparece la figura de un militar, ataviado con una raída armadura gris, lejos del brillo de las túnicas del ejército franco.

- ¡Es un placer tenerte de vuelta, amigo! Inmediatamente comenzaré con las aclaraciones que esperas recibir. Siempre hemos sido aliados. Estábamos creando un nuevo orden espiritual poderoso e imbatible. Nuestros compañeros, bajo nuestro mando, conquistarían un espacio jamás alcanzado en ningún globo terrestre, dominando naciones, fomentando la guerra y destruyendo a quienes se opusieron a nuestras determinaciones.

Todo iba muy bien y ahora habíamos logrado influir en los grandes gobernantes de la Corteza, hasta que construimos esta fortaleza para que nos sirviera de refugio. Cuando íbamos camino a lograr nuestros objetivos, unos seres invasores, poseyendo una luz de odioso brillo, invadieron nuestro templo, esclavizaron a nuestra gente y se llevaron a nuestro gran líder[4]. ¡Tú, Eustáquio!

Atónito, sigue con atención la narración que revela su pasado.

Estábamos casi sin esperanza de encontrarte de nuevo y ciertamente no seríamos capaces de hacerlo, si no fuera por las vibraciones que nos enviaste desde donde te reencarnaste en la Tierra. Fue un día glorioso para todos nosotros. Inmediatamente fuimos a tu encuentro y, para nuestra inmensa satisfacción, acabamos encontrándote en una de las batallas que enfrentaste. Estabas masacrando a sus enemigos, sin piedad ni misericordia, actitud digna de un líder y ejemplo para nuestra causa. Emocionados, desde entonces nunca te hemos abandonado, y cuando desencarnaste, fuimos a recibirte.

Aun confundido, Eustáquio argumenta:

- No recuerdo haber llamado a nadie...

- No había necesidad de llamarnos explícitamente. Te encontramos cuando empezaste a tener los mismos pensamientos que nos unían en este plano inmaterial. Tu vibración era inconfundible.

- No puedo entender...

---

[4] Nota del autor material: Procesos de rescate como el que sufrió Eustáquio ocurren con el apoyo de sesiones de desobsesión del plano material y son llevados a cabo por mensajeros de lo Alto, quienes invaden regiones del mal para obligar a sus ocupantes a un escenario en cámaras de rectificación o a reencarnaciones obligatorias según la programación de la superioridad divina. Ver en el libro "*Conversando sobre Mediumnidad - Retratos del Nuevo Amanecer*", en el capítulo II, los ítems "Desobsesión y remisión" y "Equipo Científico Externo del Nuevo Amanecer", para mayor aclaración.

- ¡Fue muy sencillo, amigo mío! Cuando estuviste con nosotros, en el plano espiritual, pensaste en conquistar mayores dominios y, para ello, utilizaste cualquier instrumento. Reencarnado, utilizaste los mismos métodos y, por tanto, frente a la cruenta guerra de conquista que concebiste y llevaste a cabo, pudimos unirnos una vez más a vuestros pensamientos y acompañarte. Era obvio que un cambio en tu comportamiento, abandonando tus antiguos principios, podría habernos alejado. afortunadamente esto no sucedió y ahora estamos juntos de nuevo!

Después de largas horas de conversación e intercambio de información, Eustáquio acaba accediendo a estas explicaciones y vuelve a su antiguo estilo de vida, asociándose, una vez más, con los seres inferiores que siguieron sus pasos durante tantos años.

- Ahora te recuerdo... ¿Eres mi fiel aliado, capitán Tergot?

- A sus órdenes, mi comandante.

En el año 529, un monje llamado Benito, movido por buenas intenciones, creó la Orden de los Benedictinos. Esta obra suya, poco a poco, se fue deteriorando, sobre todo con el surgimiento de la orden de los monasterios, encabezada por monjes que querían vivir en reclusión, desvirtuando así los principios básicos de la organización creada. Para ello se construyeron abadías, lugares utilizados para el aislamiento de estos monjes, llenos de habitaciones y cortados por innumerables laberintos, de los que los reclusos solo podían salir con la ayuda de quienes conocían toda la estructura interna de las murallas. Llevando una vida recluida, sin convivencia exterior y sin la práctica de la caridad, los religiosos de esta orden terminaron generando la saga de las abadías, lugares frecuentemente utilizados para prácticas desviadas de las enseñanzas cristianas y que sirvieron de base para la actividad de muchos espíritus obsesivos sobre siglos.

Treinta y cuatro años después de su muerte, Eustáquio es reconocido como un líder en las zonas espirituales oscuras. Desde su puesto comanda la actividad de muchos equipos de seres inferiores que buscan encontrar, en la materialidad, encarnados para obsesionar, subyugar y conducir los pasos. La filosofía que impulsa a estas entidades pretende establecer el mayor número posible de adherentes a sus prácticas anticristianas, como si pudieran, un día, derogar el mensaje virtuoso, único y verdadero de Jesús. Viven en la ilusión que son poderosos y tratan de mantener, en el plano espiritual inferior, la misma vida que llevaban cuando encarnaron, llena de malas conductas y vicios de todo tipo. Son espíritus enfermos, cuyo tratamiento y regeneración es reforma íntima. Solo la reencarnación, luego de ser rescatados en las zonas oscuras, podrá conducirlos de regreso a caminos menos tortuosos.

En este despertar, Eustáquio organiza una asamblea con el objetivo de formar un nuevo organismo que actuaría en el plano material. Invita a todos los líderes de su conocimiento al evento.

En una arena inmensa, rodeada por todos lados por espíritus errantes, gritando maldiciones e incitando peleas unos contra otros, entra el líder del cónclave, vestido con una túnica sacerdotal negra y desgarrada, luciendo una inmensa capucha en la cabeza, deshilachada en los extremos. Sombrío y decidido, camina hacia el centro del anfiteatro. Los aullidos de saludo resuenan por todos los rincones. De repente, cuando se levanta la mano del líder, se produce un silencio morboso.

- ¡Mis compañeros! Los convoqué a mi presencia en este día histórico para darles los parámetros de un nuevo orden que pretendo formar. Abandonaremos los métodos tradicionales de influir en los encarnados y adoptaremos otros, infalibles e inteligentes, que nos traerán un aumento considerable de adeptos por todo el mundo. Nuestro trabajo se centrará en la organización religiosa de los monjes benedictinos. Muchos de estos sacerdotes viven en constante mala conducta, lo que facilita el acoso y la dominación. Una vez establecidos los lazos de sometimiento, podremos atraer a otros seres a nuestra guarida, mediante la convicción y la astuta promesa de salvación para sus almas. Dejaremos de lado las guerras de conquista y no necesitaremos invertir en sangrientas batallas para alcanzar niveles dignos de la desgracia de la Humanidad.

Los presentes se miran con curiosidad.

- ¡Este es el nuevo orden, mis hermanos! En la apariencia de la sencillez, en la ausencia de armas y bajo el manto sacerdotal, existirá una poderosa organización, capaz de dominar a reyes y gobernantes, influir en nobles y miembros del clero; en fin, ostentar el poder económico y religioso de la planeta. Acosar a los militares, cultivar guerras, ya se ha vuelto agotador y no tan eficiente. La conquista de nuevos espacios exige un orden más eficiente y menos laborioso. Donde haya fingimiento, traición, soberbia, riqueza, traición, ambición desmedida, allí estaremos poniendo nuestros cimientos. Ahora he descubierto una abadía de los benedictinos, donde podemos comenzar nuestras actividades. En este lugar, algunos de sus integrantes practican "magia negra", llamándonos desde las zonas oscuras para que les brindemos asistencia. No dudaremos en ayudarlos. Estableciendo discípulos fieles en el plano material, expandiremos rápidamente nuestra influencia a otras abadías y, quién sabe, a otros centros religiosos y políticos.

Ignorantes y pervertidos, los entes presentes, incapaces de razonar sobre el tema del que habla Eustáquio, se limitan a aplaudirle, aullando sin cesar.

Comienza el alboroto y, de repente, se escucha una voz en la asamblea.

- ¡Todos cállense y escuchen lo que tengo que decir! No me opongo a la creación de un nuevo orden, pero no simpatizo con la extinción de los métodos militares de conquista. Sin armas y sin guerras, no habrá suficiente sangre para brotar de la multitud de encarnados que se resisten a nuestros mandatos. Exijo que se formen órdenes religiosas militares.

El inconformismo viene del capitán Tergot y sorprende a Eustáquio.

- Ahora, Tergot, este no es el momento de dividir nuestras fuerzas. Además, no admito que me interroguen por orden mía. Entiendo que esta no es la ocasión para discutir tu propuesta.

- No fui consultado de antemano sobre su brillante idea, mi querido general. Por lo tanto, me niego a callar e insistir en mi posición inicial. O nos mantenemos involucrados con las órdenes militares, aunque también sean religiosas, o no podemos permanecer unidos. ¡Hay intereses del grupo que represento en juego en esta decisión!

- Así sea, capitán. Vamos a la votación. Que venza el mejor. La mayoría absoluta de las entidades, siguiendo el mandato de Eustáquio, aceptaron sus ideas de renovación y votaron a su favor. Encabezada por el capitán Tergot, la minoría derrotada no se doblega a la elección celebrada y se retira, derrotada, de la asamblea. En unos minutos, se deshace una unión secular entre los espíritus que formaban una sola organización.

Tras esta ruptura, el grupo de Eustáquio comenzó a hostigar a la Orden de los Benedictinos, especialmente en las abadías donde sus nefastas intenciones eran receptivas. Los aliados de Tergot influyen en otros encarnados que, en el futuro, formarán la Orden Templaria en la corteza terrestre.

Además de la divergencia de organizaciones, el primer grupo fija su centro de actividades en Francia y el segundo en Alemania. No por casualidad, la disputa Alsacia-Lorena contó con la participación directa de dos crueles enemigos del plano espiritual, fomentando divergencias y alentando la beligerancia en esta región durante años.[5]

---

[5] Nota del autor del material: la cuestión de la disputa en la región de Alsacia-Lorena es antigua entre franceses y alemanes. Los conflictos entre Alemania y Francia por las provincias fronterizas conocidas como Alsacia y Lorena tienen su origen en el siglo IX. Habitada por pueblos germánicos, esta región perteneció al imperio de Carlomagno, rey de los francos (768 a 814) y emperador de Occidente (800 a 814). Tras su muerte, el Imperio Carolingio fue dividido por su hijo Luis I el Piadoso, Emperador de Occidente, Emperador de Alemania

y Rey de Francia (814 a 840) entre sus hijos. Lotario I (795-855), el mayor, emperador de Occidente, cayó en el norte de Italia y en una franja de tierra que se extendía desde los Alpes hasta los Países Bajos, comprendiendo la Alta y la Baja Lorena; Luis II el Germánico, segundo hijo, rey de los francos orientales (817 a 843) y de Germania (843 a 876), pertenecía a las regiones al este del río Rin, y a Carlos II el Calvo, el más joven, rey de Francia (840 a 877), las tierras del centro y oeste de Francia - Tratado de Verdún, 843. Con la muerte de Lotario I (855), sus hermanos comenzaron a disputar el trono. Carlos II, el Calvo, arrebató Lorena a Luis II el Germánico, su hermano, en 858. Luis III el Sajón, rey de Alemania (876-882), hijo de Luis II el Germánico, ganó finalmente la disputa y el territorio en cuestión fue incorporado a su tomó Baviera de su hermano Carlomán, rey de Baviera e Italia (828 a 880) y Lorena occidental (880) de su primo Luis III, rey de Francia (879 a 882), hijo de Luis II, el Tartamudo, rey de Francia (877 a 879) y nieto de Carlos II el Calvo. Así se mantuvieron estas regiones hasta el siglo XVII, cuando Luis XIV, rey de Francia, tomó - como del Imperio Alemán debido a Derrota alemana en la Guerra de los Treinta Años e imposición, por parte de los vencedores, del Tratado de Westfalia. Al final de la guerra franco-prusiana en 1871, el victorioso Otto von Bismarh, canciller de Prusia y artífice de la unificación alemana, recuperó de Luis Napoledo, segundo emperador francés y sobrino del célebre general corso, las tierras de Alsacia y Lorena, a través del Tratado de Frankfurt. La situación se mantuvo estable hasta 1919, cuando, al finalizar la Primera Guerra Mundial, la Entente victoriosa, compuesta por Estados Unidos, Gran Bretaña y Francia, por una de las cláusulas del Tratado de Versalles, los arrebató nuevamente a los alemanes. Imperio. En 1940, durante la Segunda Guerra Mundial, la derrotada República Francesa y el Tercer Reich firmaron, en el mismo bosque de Compiègne, donde veintidós años antes se había firmado el armisticio que más tarde se tradujo en el citado Tratado de Versalles, la rendición de la que, entre otros, devolvía los dominios en disputa a la nación germánica. Este estatus se mantuvo hasta 1944, cuando los estadounidenses y británicos, tras un desembarco masivo de tropas en las costas de Normandía, arrebataron a Francia las citadas provincias (Alsacia-Lorena), situación que se mantiene hasta el día de hoy.

CAPÍTULO VII

EL RESCATE

Después del tumultuoso encuentro que había tenido lugar, Eustáquio, sintiéndose victorioso, revive en su interior el gozo cruel que proporcionan el orgullo y la vanidad, recordando sus momentos de gloria en el plano material. A su lado, sus fieles seguidores, Gedión y Razuk.

- Una vez más aplastamos al enemigo. Tu liderazgo es indiscutible, amigo mío.

- ¡No digas eso, Gedión! No consideré a mi amigo Tergot un adversario. Lo extrañaré a mi lado y nunca olvidemos que es pérfido y peligroso... Ahora, como somos enemigos acérrimos, hará todo lo posible para atacarnos de las formas más terribles que pueda encontrar.

- Particularmente, Eustáquio, creo en los métodos militaristas expuestos por el capitán...

- ¡Cállate, criatura estúpida! ¿Cómo te atreves a desafiar a nuestro líder? El duro diálogo entre Razuk y Gedión pronto es interrumpido por Eustáquio

- Gedión, no le hables así a tu compañero. Razuk tiene derecho a expresar su opinión sobre los hechos que nos tomaron por sorpresa. Recordemos que nuestra unión nunca debe verse afectada.

Buscando un compromiso, Razuk termina la conversación:

- Ciertamente, general, permaneceré a su lado, a pesar de mi simpatía por la idea de Tergot.

Los espíritus que habitan las regiones umbrales, por ser ignorantes, frívolos y desviados de la práctica cristiana, tienden a imitar la vida que llevaban cuando estaban encarnados, desde sus moradas hasta su forma de pensar. Se arrastran durante años por la oscuridad del entorno en el que viven, pero también se enfrentan a la cancha en el campo de las ideas. Quedan enyugados a la demora y solo encuentran algún alivio cuando son rescatados por entidades superiores, provenientes de las Colonias espirituales que circundan el planeta, para ser enviados a una etapa regenerativa o a una reencarnación forzosa.

En un momento dado, Eustáquio comienza a hojear un inmenso libro de tapas negras, mostrándoselo a sus compañeros.

–¡Aquí, mis amigos, están nuestros récords! Este libro rastrea todas nuestras actividades en los últimos tiempos. Podrás seguir nuestra gloriosa trayectoria y todos nuestros logros. También tenemos una lista de todos los encarnados que colaboran con nosotros en la corteza terrestre.

Ambos están de acuerdo, eufóricos.

- Permítame una pregunta, general. ¿Por qué hay hojas sueltas que tienen el borde quemado?

- Es un dilema centenario al que nos hemos enfrentado. Cuando algunos de esos "invasores de la luz" entraron por última vez en nuestro castillo, se llevaron varias hojas de este libro y lograron desgarrarlas con la fuerza de sus armas. No pudimos oponer resistencia y, en consecuencia, perdimos importantes registros de nuestras actividades y, sobre todo, hacer, algunos archivos de nuestros colaboradores[6]. Ahora, como pueden ver, hay muchas hojas sueltas y los bordes están quemados por esa luz...

---

[6] Nota del Autor Materia: Cuando un Espíritu maligno es rescatado desde lo Alto, se cortan sus lazos con el mundo de las tinieblas para que tenga un seguimiento normal en su vida sin el acoso de entidades ignorantes. Por eso, cuando lo llevan a Nuevo Amanecer o a uno de sus Puestos de Socorro, junto a él van esos archivos de los que Eustáquio habla con orgullo.

- ¿Hay alguna forma de prevenir tales "invasiones"?

- ¡No hay nada que podamos hacer, Razuk! Hemos probado todas las posibilidades y somos presa fácil para estos equipos. No sabemos de dónde vienen ni adónde van, llevándose consigo a nuestros compañeros.[7]

Razuk decide no preguntar más para no aumentar el enfado de su jefe y Gedión se solidariza con Eustáquio ante su impotencia para repeler estos ataques.

- ¡No tratemos más este aburrido tema! Repasemos los mapas que trajiste.

Estudian el mapa de Europa, especialmente el de Francia, para conocer el territorio donde pretenden trabajar. Eustáquio recuerda bien esta región, pues promovió numerosas guerras de conquista cuando era general de los francos.

Después de muchas horas de reunión, los compañeros se despiden y solo queda Eustáquio en la sala, meditando. Recuerda, por unos momentos, su infancia feliz con sus padres Claudine y Filipe. Las preguntas comienzan a venir a su mente. En algún lugar del universo, ¿existiría la felicidad plena, como afirmaba su madre? ¿Fue correcto su camino, permaneciendo a la cabeza de un grupo de innobles, laicos degenerados? ¿Qué hubiera sido de él si hubiera rechazado la oferta del capitán Tergot de reincorporarse a la banda? ¿Por qué los equipos de rescate de criaturas son tan brillantes y fuertes? En este proceso de autocrítica y reflexión íntima, se queda dormido, entumecido. Sigue conectado; sin embargo, a la imagen de su bondadosa madre y recuerda sus últimos momentos al borde del lecho de muerte de Claudine.

---

[7] Nota del autor material: Eustáquio y sus aliados, siendo muy ignorantes en esa ocasión, no sabían quiénes eran estos "invasores" y hacia dónde iban. Otros espíritus que habitan el Umbral, en cambio, por ser muy inteligentes - y algunos iluminados -, saben quiénes son los integrantes de estos equipos y conocen sus ciudades espirituales. Tanto es así que los integrantes del equipo de rescate cuentan con equipo para su protección y Colonias y Puestos ya han sufrido ataques de entidades inferiores en zonas de sombra.

Produce la primera buena vibración en su corazón a lo largo de los años en el ostracismo del odio y el rencor.

Lejos de allí, en un avanzado centro de comunicaciones de la colonia espiritual Nuevo Amanecer, ubicada en el Posto de Socorro número 5, un equipo de guardia recibe una alerta.[8]

Hermano Vinícius, mi panel acusa el código 500-EAR. Debemos enviar un grupo de rescate inmediatamente.

En pocos minutos, varios mensajeros del Puesto de Socorro parten hacia el castillo de Eustáquio, dispuestos a recoger al hijo pródigo.[9]

Mientras tanto, Amâncio - asesor directo de la Coordinación General en la ciudad espiritual - es informado de esta misión, determinando que el Archivo General[10] inicia su trabajo de verificación.

Las flechas magnéticas multicolores de alto brillo invaden las áreas oscurecidas. Las entidades inferiores se esconden, asustadas.

La potente luz del equipo de rescate de la Estación de Salvamento invade la sala de reuniones, donde duerme Eustáquio. La alarma suena en todo el castillo a medida que se acerca la intensa luz del grupo de búsqueda. Gedión y Razuk, temerosos, se dirigen a su líder. Al no poder entrar al recinto, cegados por la intensidad de la luz, se ven obligados a esperar la secuencia de los hechos.

---

[8] Nota del autor material: ver en el libro "*Nuevo Amanecer*" el capítulo "La descripción de nuestro árbol - La Casa de Reposo, actualmente también conocido como "Hospital de Scheilla".

[9] Nota del autor material: cada vez que un Espíritu, acompañado de cierta colonia, es sensibilizado en su peregrinaje por las zonas oscuras - como le sucedió a André Luiz, después de muchos años en Umbral-, equipos superiores reciben autorización para rescatarlo. Así fue el proceso con Eustáquio y utilizado, en aquella ocasión, en Nuevo Amanecer. El código recibido - "500-EAR" - significa: 500 (año de desencarnación) EAR (Eustáquio Alexandre Rouanet).

[10] Nota del autor material: ver en el libro "*Nuevo Amanecer*" el capítulo "La descripción de nuestro árbol - II - El Edificio Central."

De repente, una voz suave rompe el silencio que acababa de instalarse.

- ¡Eustáquio, hijo mío! Soy yo, Claudine[11]. Respondí a tu llamada y aquí estoy para llevarte conmigo.

Embriagado por las exhortaciones de amor que penetran en su ser, Eustáquio se debilita y se vuelve receptivo al rescate que se le presenta.

- Hijo, se acerca el tiempo de la regeneración cuando hay preparación del espíritu para recibirla. El amor triunfa siempre que el libre albedrío lo anima a hacerlo. La desesperanza cede terreno a la palabra del Señor. Ha llegado tu hora, y por eso he venido a buscarte. Oremos a Jesús, rogándole que sea complaciente en su estado de miseria espiritual.

Los irreprochables argumentos de Claudine nutren el espíritu de Eustáquio, quien, a pesar de ser fiel a sus amigos, accede a partir a una nueva vida, donde sea.

Uno de los miembros del equipo de rescate le inyecta una dosis de medicina para evitar un choque magnético entre ese ambiente que lo involucró por muchos años y el escenario purificado que encontraría en la Estación de Rescate. Se queda dormido, esta vez profundamente.

Insatisfechos e inertes, Razuk y Gedión se lanzan contra ese remolino de luz sin siquiera saber qué les podría pasar, tal era su desesperación por capturar al líder.

En unos minutos, también son recogidos y parten con Eustáquio hacia el Puesto donde reiniciarán su vida y encontrarán la paz y la tranquilidad de sus espíritus dolientes.

---

[11] Nota del autor material: Claudine, en Nuevo Amanecer (en Espiritualidad), se llama Nívea.

CAPÍTULO VIII
NUEVO AMANECER

Un panel luminoso se enciende en la entrada principal de la Unidad Hospitalaria Avanzada, demostrando la llegada de nuevos pacientes. Las enfermeras se apresuran a brindar todos los detalles que faltan para recibir con mucho cariño a algunos más compañeros de vidas pasadas que regresan a su hogar, adormecidos por el sueño reparador que les provoca el rescate que acaban de vivir. El ambiente refleja paz y tranquilidad y hay una luz plateada con tonos azulados por todas las estancias. Poco después, se acercan camillas en el interior de un vehículo que aparca en la puerta de la unidad.

- Enfermera Rosana, ¿a dónde debemos dirigir a los hermanos que acaban de llegar?

- Según las instrucciones dadas en los expedientes que acabo de recibir, del Archivo General y del Consejo Asesor, Eustáquio debe ir al Pabellón "S" y sus dos amigos, Razuk y Gedión, para el Pabellón "T", todos del Edificio III. Los equipos de estos lugares le darán la bienvenida.

Minutos después, los tres pacientes dormidos ingresan a la Unidad de Rectificación del Edificio III. Allí pasarán buena parte de su futuro, reflexionando sobre sus acciones de vidas pasadas, así como sobre sus errores y desvíos, sin recibir, por ahora, ningún tipo de orientación. Harán una completa retrospectiva de sus últimos 500 años de existencia, mientras permanecen en cámaras de sueño profundo.

Pasan cinco años. En una mañana soleada, el Dr. Euclides, el médico responsable del sector de las Cámaras de Sueño Profundo de la Unidad de Rectificación, solicita una audiencia con el líder de la Colonia. Inmediatamente, y recibido por Agamenón Duarte, entonces Coordinador General de Nuevo Amanecer.

- ¡Entra, joven! He seguido su inmensa dedicación a nuestros pacientes Eustáquio, Razuk y Gedión. Incluso podría imaginar una fuerte conexión entre ustedes de otros tiempos, si no conociera, con gran satisfacción, tu entrega personal a cada uno de tus pacientes. Di lo que quieras y veré qué puedo hacer.

- ¡Mi buen Agamenón! Siempre estoy feliz de poder ayudar a un hermano enfermo. Sin embargo, observo que, a menos que nuestros líderes superiores lo juzguen mejor, ya es hora que saquemos a nuestros amigos de las cámaras de sueño profundo y los traslademos a las cámaras de rectificación de la primera etapa.

Haremos una consulta a la Unidad de Elevación Divina [12] y esperaremos una respuesta. En cuanto a mí, está autorizado a proceder como mejor le parezca en el caso específico.

- Perdónenme por la ansiedad, pero creo que es el momento ideal para despertar a estos pacientes. Siento una recuperación considerable después de estos años de sueño profundo.

El mismo día, Agamenón hace la consulta solicitada y recibe la autorización para proceder al tratamiento de Eustáquio y sus dos acompañantes, tal como lo requiere el médico.

Mensaje enviado al Dr. Euclides, inmediatamente y activó el proceso de sacar a los tres pacientes de sus cámaras de sueño profundo, trasladándolos a cámaras de rectificación de primera etapa, donde deberán permanecer un tiempo más. En estas

---

[12] Nota del autor material: ver en el libro *"Nuevo Amanecer"* el capítulo "La descripción de nuestro árbol - V - Unidad de la Elevación Divina."

cámaras se detiene el proceso de recordar sus errores y desviaciones y comienzan a recordar los mensajes positivos que recibieron a lo largo de sus últimas existencias materiales. Es un período donde solo las orientaciones positivas y cristianas invaden su núcleo. Después de tres años en este proceso, los amigos son llevados a la presencia de Euclides.

- Espero de todo corazón, queridos míos, que toda la ayuda que les hemos podido dar haya servido para sintonizarlos con el entorno elevado.

Este puesto, es totalmente diferente al que experimentaron en las zonas de sombra.

- Me siento como si estuviéramos en un hospital. ¿Estamos enfermos?

- En cierto modo, sí, Gedión. Todavía estás perturbado por tantas locuras cometidas durante una existencia pasada dedicada a la anarquía y al crimen. Estaban en tratamiento, aunque todavía necesitan cuidados. Dirijámoslos a la Casa de Reposo. ¡Que Jesús los ilumine!

Todos parten hacia el Hospital de Nuevo Amanecer, saliendo del Puesto de Auxilio número 5. Dentro del vehículo que los transporta, acompañados de enfermeras, el silencio es total. A pesar de tantos años de diferencia, ninguno de los tres se atreve a iniciar una conversación, tal es la confusión mental de todos.

Entran en la Unidad de Recepción y son enviados inmediatamente al Centro de Clasificación. Luego se van a sus habitaciones. Durante varios días son visitados por médicos y enfermeras que buscan brindarles la mejor eliminación posible de los líquidos negativos que aun los acompañan. A pesar de todos los esfuerzos realizados por el equipo médico, solo una verdadera reforma íntima podrá conducirlos a una mejoría efectiva.

Lúcido y consciente, Eustáquio es llevado ante Agamenón.

- ¡Mi querido Eustáquio! Paz en Jesús. Estamos felices de darte la bienvenida de nuevo a nuestra ciudad espiritual. Estamos siguiendo tu progreso, especialmente a través de la interferencia de tu madre Claudine, nuestra querida Nívea. A estas alturas ya sabes que tu última experiencia en la Corteza te ha traído profundas deudas que necesitan ser reparadas. ¿Crees, hijo mío, que estás listo para una nueva etapa en el plano material?

- Le confieso, señor, que no estoy en condiciones de responder con certeza a la pregunta que se me hace. A pesar de estos años de obligada reflexión a los que fui sometido, no creo que me haya vuelto capaz de tomar una decisión como esta. No me siento capaz de hacer nada. Me gustaría conocer a mi madre, si es posible. Tal vez ella pueda ayudarme...

-En el momento adecuado, arreglaremos esta reunión. Ahora, necesitamos saber si, por su libre albedrío, está preparado para reconocer tus graves errores del pasado y comprender que la mejor manera de rescatarlos es el regreso inmediato a Crosta.

- Y si acepto, ¿en qué condiciones volveré?

- Se había enfrentado a una vida sencilla, con algunas privaciones materiales para poder redimirse de tantas desviaciones practicadas en su antigua opulencia.

- ¿Como? Entonces, ¿volveré pobre y miserable?

- ¡No hay razón para estar tan disgustado, hijo mío! La pobreza material es a menudo la clave de la riqueza espiritual. Recuerda que la mayoría de tus errores provienen de tu casta social privilegiada, cuando reencarnaste en Francia. Si volvieras en las mismas condiciones, la trayectoria se perdería prematuramente. Su programa indica que un cambio en su lugar de nacimiento y situación financiera será providencial.

- No puedo estar de acuerdo, lo siento! Creo que todavía no estoy listo para aceptar sus términos. ¿Tengo otras opciones?

- ¡No todavía! En el futuro, quién sabe...

- ¿Qué sucede si me niego a aceptar su sugerencia?

- Sentiríamos mucho su posición. No obstante, antes que te decidas, responderé a tu petición. Puedes ver a tu madre.

La dulce Nívea entra en la habitación, vestida toda de blanco, con un precioso lazo azul en el pelo y sosteniendo en sus manos un cuadro con su propia imagen, sosteniendo en brazos al pequeño Eustáquio, simbolizando el mejor momento que pasaron juntos.

- ¡Hijo, aquí estoy hablando contigo otra vez! No tengo otro objetivo inmediato que ayudarte. Es la fuerza de nuestro amor la que siempre debe prevalecer. No arriesgues tu felicidad futura y acepta la invitación que te hace Agamenón. Si aceptas naturalmente esta oportunidad de renacer, estaré a tu lado para ayudarte cuando lo necesites.

- Pero, madre mía, ¿cómo puedo soportar la pobreza? Nunca podría vivir un solo día en la miseria.

Eustáquio, recuerda que las posesiones materiales de un encarnado no significan nada en este mundo que ahora le sirve de morada. Aun no te has dado cuenta, hijo mío, que en este plan de vida real prescindimos del oro y joyas, títulos y propiedades? No somos codiciosos, ni soberbios, porque somos absolutamente iguales dentro de las leyes divinas y el amor cristiano. No existe ninguna forma de ambición entre nosotros, excepto la que nos impulsa a valorar el carácter y los postulados morales. Nuestro objetivo es progresar espiritualmente y sabemos que el paso por la corteza terrestre es efímero y transitorio. ¿Para qué riqueza material, Eustáquio, si siempre te ha representado desgracia y sufrimiento? ¡Confía en mí! Acepta esta propuesta.

- ¿Cómo puedo negarte algo, mamá? No entiendo por qué debería volver...

- ¡La idea de tu regreso al plano material no es nuestra, hijo mío! Es parte de las Leyes de Dios y consagra la ley universal de acción y reacción. Debes regresar para enmendar tantos errores que has cometido anteriormente.

- ¿No puedo quedarme un poco más? ¿Quién sabe, entonces, si volvería a Francia?

- Realmente, necesitas volver a Dijon y esa región, pero no ahora. Fortalécete primero y luego tendrás la oportunidad de reparar tus deudas allí. Debes aprender a vivir con sencillez y humildad lejos del lugar donde has disfrutado de toda la gloria permitida a un ser humano. ¡Cuento con tu progreso!

- Pero, querida Claudine, ¿cómo resistiré cualquier tentación que me aleje de tus sabios consejos?

- Siguiendo las instrucciones de tu madre. Por eso, estaré de vuelta en la carne para seguirte de cerca. Una vez más renaceremos madre e hijo y juntos progresaremos. ¿Me acompañas?

- Sí lo haré. Me gustaría, si es posible, saber el destino de mis amigos Razuk y Gedión...

- Por ahora, Eustáquio, preocúpate por tu trayectoria. Estarán bien y tendrán la misma oportunidad de regresar que tú.

Un emotivo abrazo acerca a Nívea a Eustáquio, mientras Agamenón da las últimas pautas.

- Recuerda, Eustáquio, que tu madre solo regresa a Crosta para apoyarte en tu viaje, pues ya no necesita volver a la materialidad. Espero que reconozcas este noble gesto, dejándote llevar por los prudentes consejos de tu futura madre Giovanna, en la distante Cosenza del sur de Italia. Ella se irá de inmediato y esperarás el momento adecuado. Dios los ilumine. Que así sea.

CAPÍTULO IX

EL REINICIO EN COSENZA

Una sórdida vegetación se entrelaza con un diminuto camino de tierra que serpentea alrededor de la miserable región de las afueras de Cosenza, en la Italia de principios del siglo VII[13]. En este camino de desesperanza se levantan humildes chozas, donde familias numerosas comparten la entrita[14] que alivia el hambre y la angustia de la pobreza.

De los escombros de un granero emerge la figura escrofulosa de un joven que lleva en sus manos un pequeño montón de paja para encender el fuego que pretende ahuyentar el intenso frío de las gélidas noches del invierno europeo. El escuálido Carlo de Vila di Rondi, casi arqueándose sobre sus flacas piernas, entra en la casa con el rostro satisfecho por la misión cumplida.

- ¿Ya regresaste, hijo mío? ¿Hace mucho frío hoy? Todavía no podía salir de esta cama...

- ¡Cálmate, mamá! La vida en este infierno no ha cambiado desde ayer.

Así que no te perdiste nada.

- ¡No hables así, Carlo! ¡Dios castiga!

- ¿Dios? ¿Qué clase de Dios es el que nos pone en este estado de miseria? Ahora, madre mía, no me hables más de religión, que solo sirve para llenar el estómago de ese cura

---

[13] Nota del autor material: Ducado de Benevento

[14] s.f.: papilla hecha con pan rallado; entrida.F.lat.Intrita.

madrileño. Como si la desgracia de Italia no fuera suficiente, incluso importaron un sacerdote del extranjero...

- ¡Basta! ¡No quiero escuchar una palabra más tuya por hoy! ¡Estoy decepcionada! Hago todo lo que puedo para ayudarte a mejorar, y nunca te devuelvo ningún gesto de gratitud.

Eustáquio había reencarnado en Cosenza en el año 600, en un pequeño pueblo rural, prácticamente abandonado y olvidado en el tiempo. Su madre, Giovanna, aun es joven, pero está enferma de debilidad física, resultado de una mala alimentación. Fue abandonada por su esposo poco después dar nacimiento al pequeño Carlo. Ella lucha con inmensa dificultad para cuidar sola del sustento y la supervivencia de ambos.

Carlo se convierte en un adolescente rebelde y majestuoso, extremadamente enojado con su situación social. En vano su madre trató de guiarlo, brindándole un ejemplo de resignación y fe. Todos los días se jura a sí mismo que avanzará a toda costa, dejando atrás toda esa desgracia.

En poco tiempo, el chico se hace conocido en su región por ser un ladrón empedernido. La madre, en este momento de su vida, llega al colmo de su sufrimiento.

- Oh, Dios mío, sé que no es de extrañar que hable con Carlo todas las mañanas, pero parece sordo a mis quejas. Me siento desesperada. ¿Qué más puedo hacer?

Sin ninguna perspectiva de progreso honesto, Carlo se casa con Ana, una pobre campesina como él, pero más ruda y bastante agresiva. Dueña de una belleza seductora, se ganó fácilmente el corazón de su esposo y comenzó a atormentarlo sin cesar, exigiendo mejoras en su vida a cualquier precio.

Adúltera desde el principio de su matrimonio, Ana recibe con extrema amabilidad a los viajeros que pasan por sus tierras olvidadas en uno de los rincones del sur de Italia. En una de estas ocasiones aparece frente a él Filipo, un muchacho alto y fuerte, espalda desnuda y bronceada, ojos claros y penetrantes que sensibilizan lo más profundo de su alma. La pasión los une abruptamente y el viajero se instala en la cabaña de Carlo, quien, harto de su esposa, finge no darse cuenta de su última relación extramatrimonial.

Poco a poco; sin embargo, Filipo se gana la amistad de su anfitrión y comienza a servirle en sus deshonestos tratos en el interior de la provincia. La esposa exultante sigue fomentando la ira de su marido, exigiéndole un rápido enriquecimiento, al mismo tiempo que se satisface sexualmente con su amante.

Sus jugadas de robo lo llevan a deber una gran suma a un granjero poderoso de la región: Don Antonio do Monte Nebrini.

Al no obtener nada de la producción de su pequeña granja, Carlo se ve obligado a trabajar para su acreedor, bajo pena de sufrir drásticas consecuencias. Enredado en las mallas de su propia traición, es prácticamente esclavizado por el sagaz noble calabrés. Ciega e inmovilizada en la cama, Giovanna permanece aislada y abandonada, languideciendo día tras día. De vez en cuando recibe feliz la visita de su único hijo y nunca se olvida de darle buenos consejos.

Presionado por su jefe y su esposa infiel, descontento con su miseria y sintiendo la muerte de su madre, Carlo se entrega a la adicción a la bebida y pasa sus días borracho, cayendo por los barrancos lodosos del pueblo. Zapatero por naturaleza, nada parece animarlo a trabajar.

En una ocasión, en estado de ebriedad, escuchó una ingeniosa propuesta de Filipo, pidiéndole servicios para ganar mucho dinero sin ningún esfuerzo. Aunque confundido por el alto contenido de alcohol que corre por sus venas, se despierta con la colusión. El plan implica la eliminación de Don Antonio a cambio de una cuantiosa recompensa. Sin pestañear, principalmente porque odia a su jefe, Carlo accede y propone hacerse cargo del asunto.

Los planes se elaboran en unas pocas horas y todo debe ejecutarse en dos días. Rebosante de alegría, regresa a casa con la intención de deslumbrar a la ambiciosa mujer con su último negocio, pero ni siquiera la encuentra en la cabaña.

Al otro lado del pueblo, Ana habla con Filipo.

- ¿Por qué involucraste a Carlo en nuestro plan? ¿Tendremos que compartir con él lo que podamos conseguir del viejo rico?

- ¡No, jamás! Él solo nos será útil como instrumento para nuestro robo. Mientras sigan acusando a Carlo de haber eliminado a Don Antonio, estaremos en Roma para disfrutar de todo el oro que podamos llevarnos.

- ¿Y cómo sucederá eso?

- Carlo se encargará de cuidar a Don Antonio mientras restamos lo que encontramos. Sin embargo, cuando tu patético esposo asesine al anciano, en lugar de protegerlo, lo denunciaremos a las autoridades. Mantendremos la riqueza y, al mismo tiempo, seremos libres de una carga en nuestras vidas.

- ¿No sospechará?

- Ahora, Carlo es lo suficientemente codicioso como para no cuestionar el plan que he propuesto. ¡No te preocupes, en dos días seremos ricos!

Previo a la culminación del ajuste, los mercenarios de Don Antonio descubren lo que Filipo había idealizado y lo conducen a la presencia del noble. Traidor y cobarde, incluso antes de ser presionado para decir lo que sabía, narra todo el plan, naturalmente responsabilizando a Carlo por completo.

Expulsado de la propiedad de Don Antonio, Filipo se ve obligado a desaparecer de Rondi, llevándose a Ana consigo, para escapar de la furia del comerciante. En lugar de correr la misma suerte con su empleado, lo llama a su casa y se revela insatisfecho con sus actitudes degradantes.

Ignorando la verdadera intención de Don Antonio, Carlo está dispuesto a enmendar su error y se pone a disposición del jefe para lo que sea necesario. Precisamente apoyándose en esta actitud, el noble le hace una nefasta propuesta de pagarle una fuerte suma de dinero para que Carlo pueda eliminar a su esposa. Sin salida, accede y promete volver más tarde, durante la noche, para cumplir el trato. El mismo día, después de la cena, el mercenario regresa a la morada del amo e, invadiendo la habitación de su víctima, unta de sangre sus viles manos, sellando su destino y privándolo de sus posibilidades de progreso moral. Mientras se prepara para huir, Don Antonio y sus secuaces se le acercan.

- Entonces, pobre lacayo, ¿crees que puedes escapar después de asesinar cruelmente a mi idolatrada esposa? ¡Arresten a este hombre!

Se siente traicionado frontalmente por el autor intelectual de su crimen y solo piensa en huir de allí, porque si lo arrestan, lo matarán sin piedad. Acelera el paso y, esquivando a los sirvientes de don Antonio, se adentra en la espesura en la noche oscura, imposibilitando cualquier intento de persecución. Sintiéndose como un verdadero descerebrado, se jura a sí mismo no volver a Cosenza hasta el final de su existencia. El aullido solitario de los perros salvajes que habitan el monte Nebrini son los únicos que se atreven a acompañarlo en su desesperada huida hasta que lo pierde por completo de vista.

CAPÍTULO X

EL ESCAPE

Traicionado por su esposa infiel y amigo más cercano, víctima de la traición de su jefe y agente de crímenes bárbaros, Carlo emprende una fuga sin rumbo por el sur de Italia.

Rencoroso y vengativo, odiando la humillante persecución a la que se vio expuesto y deseoso de construir una nueva vida lejos del lugar de sus desdichas, encuentra sitio en una modesta posada y se instala a pasar la noche.

Disimulando su verdadera identidad, Carlo intenta pasar desapercibido en la posada, aunque los viajeros ya han advertido su aparente nerviosismo y su insólita ansiedad. Atendido por Mirtes, y conducido a sus aposentos, después de atiborrarse de una comida preparada en pocos minutos.

Habían pasado algunas horas cuando alguien azotó la puerta de su dormitorio.

- ¿Qué quieres, niña?

- Me gustaría hablar... ¿Es posible?

- ¿Qué es lo qué quieres?

- Ya nos han presentado. Soy Mirtes, la hija del tabernero, y no quiero molestarte demasiado. Así que iré directo al grano. Sé que eres un fugitivo de Cosenza. Hace unos minutos, mercenarios estaban aquí buscándote.

- Debes estar equivocada...

- No, no estoy seguro de lo que estoy hablando. Podría entregarlo inmediatamente a los secuaces de Don Antonio, pero tal vez podamos llegar a un acuerdo.

Sin posibilidad de negar la obviedad de la revelación, Carlo está listo para negociar.

- ¿Cuál es tu propuesta?

- ¡Quiero dinero... mucho dinero! ¿Podemos conversar?

La ambición de la joven ciega su juicio y la coloca, expuesta e indefensa, frente al asesino más buscado de la región.

- Carlo, a su vez, sabe que no puede permitirse el lujo de ser chantajeado, ya que no ha recibido nada por el trabajo sucio que ha realizado. Irritado y vencido por la ira, agarra violentamente a la niña, colocando ambas manos en alrededor de su cuello, sin permitirle emitir un solo gemido. En pocos segundos, ante la furia del agresor, la viperina Mirtes cae inerte. Antes que se descubra otro de sus crímenes, vuelve a huir y desaparece con el cuerpo de la niña.

En dirección a Bari, Carlo reinicia sus pequeños hurtos, robando pertenencias de personas distraídas que circulan por las ferias locales. Acostumbrado a esta vida ingobernable, una vez se encontró con un ladrón que robaba del monedero de un comerciante. Perseguido por una pequeña multitud, el ladrón se esconde en un callejón. Al ir allí, se presenta al muchacho, con la intención de compartir con él las ganancias del robo.

- Puedo ayudarte a escapar, ya que puedo ver que eres nuevo aquí. A cambio, por supuesto, exijo saber su nombre y recibir parte del producto de tu audaz robo.

Mi nombre es Pirnílio y no soy un ladrón como él dice. Solo estaba cobrando una deuda vencida... Así que no compartiré nada contigo.

Puedo entregarte en cualquier momento y creo que tu víctima no piensa como tú. ¿Negociamos o no?

- No tengo otra opción... ¿Cómo te llamas, socio?

- Carlo, de Vila di Rondi, en Cosenza.

Saqueando tiendas, robando en ferias, fomentando el desorden en las tabernas y viviendo al margen, los dos amigos entablan estrecho contacto y, en poco tiempo, los lazos de amistad se fortalecen. Consciente de toda la trayectoria de fuga emprendida por Carlo, Pirnílio sugiere regresar a Cosenza para vengarse de quienes intentaron destruirlo. Animados por su pareja, ambos deciden volver a Vila di Rondi.

En el camino de regreso, Carlo no escatima esfuerzos para mostrarle a su amigo la suerte que tiene de haberlo encontrado. Siente que lo conoce desde hace mucho tiempo.

En el camino, son abordados por asaltantes enmascarados. - Danos todas tus pertenencias. Sin reacción... ¡Te lo advierto! Uno de los ladrones pronto es identificado por Carlo.

- Un gitano que se precie no es cobarde. ¿Estás dispuesto a luchar para conseguir lo que quieres?

Provocado, el líder del grupo responde:

- ¡Sin duda! No me asusto de una confrontación.

- Ambos con puñales, rodeados por la banda de mercenarios y bajo la atenta mirada de Pirnílio, luchan furiosamente.

- Peleas bien para un vago vagabundo.

- Lo mismo puede decirse de un ladrón común que pelea como una dama y fanfarronea como un caballero.

La contienda continúa parejamente, hasta que, exhaustos, ambos caen inertes, uno a cada lado.

- Basta - grita el gitano -. ¡Estoy satisfecho! Mereces conservar tus posesiones, porque eres valiente e intrépido. ¿Amigos?

La mano tendida pronto es aceptada por Carlo e intercambian saludos.

- ¡Me presento! Soy Neil, jefe de esta banda de necios. Hace tiempo estoy buscando a alguien con tu coraje. Podríamos unirnos y formar un grupo intrépido.

- Carlo da Vila di Rondi a su servicio. Este es mi amigo Pirnílio.

- ¡Sean bienvenidos! Esta noche ustedes dos son mis invitados para la fiesta de los gitanos. Vamos al campamento.

Un reencuentro histórico marca la celebración de la noche. Eustáquio vuelve a relacionarse con Razuk - el gitano Neil - y Gedión - el ladrón Pirnílio. Los tres charlan emocionados como si fueran viejos conocidos y cuentan sus hazañas personales a raíz de los crímenes que cometieron desde niños.

* * *

Se van juntos a Cosenza. La ciudad había crecido hasta convertirse en el centro de comercio de la región. Dos forasteros acompañados por un grupo de gitanos pronto se notan dondequiera que van. Buscando encontrar nuevamente a su esposa Ana, Carlo se acerca a Rondi. Incluso antes que pudieran acercarse al pueblo, Don António y sus mercenarios se les acercaron.

- ¡Bienvenido, Carlos! El buen hijo siempre llega a casa.

- ¿Don Antonio? ¿Cómo me encontraste?

- ¡Tu error, querido! Regresaste, solo, aquí. Estaba esperando el momento en que eso sucediera. Los seres tontos de tu calaña siempre cometen errores graves y lo tuyo era volver a este pueblo. ¡Desde aquí, ten la seguridad que nunca te irás!

Gritando, Carlo y sus amigos son llevados a las mazmorras de la ciudad, donde son encarcelados por separado. Sin juicio, Don Antonio ordena al preso terminar sus días en la peor celda que se pueda encontrar. Nunca vuelve a ver la luz del día y pasa su tiempo envuelto en la reflexión sobre su pasado y la desesperanza que rodea su futuro.

Nunca vuelve a ver a sus amigos. Sigue guardando en su corazón un sordo deseo de venganza y un odio latente que consume sus fuerzas. Una lepra oportunista domina su cuerpo físico, convirtiéndolo en una figura burlesca y lastimosa. Al marchitarse cada día, Carlo nunca puede entender realmente que está cosechando los frutos del árbol malvado que plantó con sus propias manos.

Desencarna en el 635, rodeado de un sufrimiento atroz y un inconformismo sin igual. Sin resignación, acompaña la descomposición de su cuerpo físico, arrojado a una fosa común de indigentes. Mientras las enzimas microbianas se atiborran de los restos de Carlo, Eustáquio derrama lágrimas amargas y desesperadas.

Se encoge de hombros con dificultad de su carne putrefacta y se arrastra a través de la corteza terrestre como un zombi, hasta que es encontrado por entidades inferiores que se acercan.

- ¡Mira, es ese miserable general!

- ¡Es verdad! Creo que podemos acercarnos a él, llevándolo prisionero con nosotros.

Monstruosas criaturas rodean a Eustáquio y éste comienza a agonizar ante tantas terribles vibraciones que se dirigen hacia él. Su sufrimiento dura días y pierde la conciencia de sus acciones, quedando en poder de entidades inferiores.

Desconectado de la realidad durante un largo período, acaba siendo acogido por un equipo de rescate de Nuevo Amanecer.

Luego de un internado obligatorio en cámaras de rectificación y sometido a procesos de rememoración de su pasado, Eustáquio recibe instrucciones del Departamento de Reencarnación de la colonia espiritual en el sentido que debe regresar a la materialidad, esta vez por determinismo, para expiar su errores graves del pasado y regenerarse espiritualmente. Su libre albedrío no pudo evitar el inmenso fracaso de vuestro último viaje a la corteza, llevándolo, por tanto, a volver sobre sus pasos en la misma región donde cargaba con sus mayores deudas. Cosenza, una vez más, debe recibirlo como a un hijo.

CAPÍTULO XI

LA REENCARNACIÓN COMO PIETRO

Pietro es un chico listo, inteligente y legendario. Imagina vivir en un palacio, rodeado de sirvientes, asistido por hermosas muchachas y repleto de los más finos dulces y manjares. Consigue pasar horas y horas en estos pensamientos que deambulan entre relatos ficticios, incluso alegóricos, y la crueldad de su miserable realidad. De vez en cuando, Adelia, su madre adoptiva, lo despierta.

- Pietro, inútil, ven aquí inmediatamente... ¡Tus tareas del día están atrasadas y te voy a arrancar la piel!

- ¡Voy, mamá, voy!

- Y no me llames mamá, que solo me importa tu supervivencia después que el vagabundo de tu padre desapareciera...

Intuido por los comentarios agresivos de Adélia, Pietro invariablemente dedica parte de su día a llorar en los rincones de la humilde choza que alberga a su familia adoptiva. El niño, a pesar de la falta de cariño, está enfermo, además de tener bronquitis crónica. Siempre maltratado y despreciado por la familia que el destino le ha dado, a la edad de ocho años, cuando recibe una violenta paliza de Adélia, se escapa de casa y parte a la vida mendicante en el centro de Cosenza. Nadie se atreve a buscarlo, ya que su ausencia espontánea del hogar alivia a la familia de acogida para darle cobijo.

Errante e indefenso, duerme debajo de puentes, detrás de ferias y realiza la única actividad que ya sabía hacer: mendigar. Se convierte en un adolescente débil y escuálido, ya que nunca ha comido bien. A pesar de la inteligencia mostrada en la infancia, la desnutrición le provoca retraso mental, lo que le incapacita para el razonamiento complejo.

En sus reflexiones aisladas busca sentir la razón de su existencia y la justicia de haber sido, desde temprana edad, puesto en la calle, privado de los cuidados básicos y del afecto materno o paterno. Sin respuesta, acaba por olvidarse del asunto y deambula servilmente entre ferias y tiendas.

Cuando cumplió los doce años, cansado de dormir a la intemperie, encontró un pequeño y abandonado cubículo, olvidado en la sucia trastienda de una taberna, y allí estableció su punto de referencia. De la calle y de la caridad de los demás sigue extrayendo su sustento.

Una vez, al final de un trabajo, sigue con entusiasmo las historias contadas por el vendedor del mercado más antiguo del lugar, un brodista calabrés que encanta a todos con sus extrañas hazañas. Riendo de una manera que la vida nunca le dio, llama la atención de una linda chica, que se acerca a conversar.

- ¡Oye, chico! ¿Cuál es tu nombre? ¿Vienes siempre aquí?

- Mi nombre es Pietro, tengo dieciséis años y vivo en la taberna de Culichio.

- ¡Encantada de conocerte! Soy Mirian y tengo ocho años. Tu risa me dio ganas de reír también... ¿Eres siempre así de feliz?

La pregunta sorprende a Pietro, porque, en realidad, la amargura y la introspección nunca lo abandonan en su vida cotidiana.

Es solo una alegría casual, estas historias deleitantes... De hecho, no tendría ninguna razón para sonreír.

- ¿Por qué no? Todos sonríen y expresan su alegría cuando quieren. ¿Sería diferente en tu caso?

- Soy pobre niña, realmente no entiendes...

- ¿Y porque eres pobre, no puedes sonreír? ¿Quién dijo eso? ¿Es alguna ley?

- Para ser una niña de ocho años, eres bastante entrometida e informada... ¿Quién te enseña estas cosas?

- Mi tío Plinio. Por cierto, ¿puedo visitarte? Nunca he conocido la casa de un pobre como tú.

Cautivadora y vivaz, Mirian se impone a Pietro y él no puede negarse a su petición.

- Cuando quieras.

Al día siguiente, la chica está en la puerta trasera de la taberna, esperando a que Pietro se despierte.

- ¿No me invitas a entrar?

- Pensé que no vendrías...

- Una dama nunca espera fuera de la casa...

- Está correcto. Ganaste. Estás invitada a unirte, pero recuerda, ¡solo hoy!

Después de unos meses de relación amistosa, la amistad entre los dos crece, hasta el punto que Pietro descubre que no puede hacer nada en su vida sin consultar primero a Mirian. Sentimentalmente, se siente conectado con la chica, ya que recibe cariño y atención de ella. Sin embargo, es un sentimiento familiar el que los involucra y Pietro, respetuoso, nunca abusa de la confianza que le brinda. En algunas ocasiones, le exige que cambie su comportamiento.

- Ahora, Pietro, ¿crees que solo la riqueza material puede traerte felicidad? ¡Disparates! Mi familia no tiene mucho dinero, pero vivimos cómodamente y estamos satisfechos con lo que gana mi padre. El tío Plínio nos dice que no debemos aspirar a lo que no podemos tener, incluso porque la felicidad no es de este mundo.

- Y si no es de aquí, ¿de dónde es?

- Realmente no sé eso... Pero mi tío dice que seremos eternamente felices, algún día, si ahora sabemos vivir resignados a no tener todo lo que nos gustaría.

Hermosas palabras para aquellos que nunca han tenido hambre y frío como yo. ¿Crees que la vida se me hace fácil, sobre todo teniendo que mendigar algún plato de comida o algún cambio?

- ¿Porque no trabajas?

- No consigo trabajo...

- ¡Mientes! Te has acostumbrado a la vida fácil de mendigar las sobras y vivir perezosamente.

- ¡Cállate la boca! ¿Qué entiendes de la vida?

Los dos amigos pelean sin cesar, pero con esto Pietro enriquece sus conocimientos y todo lo que Mirian aprende en casa corre a contarle, con entusiasmo.

Eres la única persona en el mundo que me entiende un poco. Si no fuera tan terca e insistente sería una amiga perfecta. A veces sigo pensando... ¿Por qué fui abandonado por mis padres? ¿Por qué no tengo una familia como tú? ¿Qué mal le he hecho a Dios?

Mirian, que ahora tiene diez años y está bien formada en su educación, puede responder fácilmente a estas preguntas.

- Pietro, tienes que entender... Todo esto es parte de la voluntad de Dios. Tenemos que aceptar si somos ricos o pobres. Si estamos resignados, en el futuro iremos al cielo y seremos muy felices.

- ¡Disparates! El cielo no existe y nunca podré ser feliz.

- ¿Por qué, entonces no puedo darte algo de alegría?

- No me refiero a ti. Quiero decir que nunca podría ser feliz como otras personas, que tienen un hogar y una familia.

- Eres impaciente e inconformista. De esa manera, de hecho, nunca habrá nada...

Cuando llegó a la edad de veinte años, Pietro, amargado y desilusionado, intentó suicidarse. Encontrado casi inconsciente por Mirian después de ingerir veneno, y ayudado y medicado. Su vida llega al colmo de sus males espirituales y él, mendaz y vagabundo, decide vender en el barrio unas medicinas fuertes que usaba cuando estaba convaleciente.

Una noche, Mirian decide visitarlo. Consigue salir de su casa, con el pretexto de llevar la solidaridad a una tía enferma. Sus padres, que desconocían su relación con Pietro, le dan permiso, pues ya tiene quince años y conoce a todos los vecinos de su barrio. Al llegar por sorpresa a la casa de su amiga, sigue perpleja la venta de esa droga a los vecinos del lugar.

Descubierto, Pietro guarda silencio ante la mirada censuradora de Mirian. Un amargo diálogo se produjo entre los dos.

- ¿Es así como vives hoy? Si no eres médico, no puedes vender medicinas. ¿Por qué, Pietro?

- No eres mi madre, ni tienes autoridad para exigir explicaciones. Hago lo que quiero con mi vida. ¿Entendiste?

-¡Es verdad! Debo haber estado perdiendo el tiempo durante años. Eres incorregible. Su pobreza no es solo material sino también moral. Pietro, eres un vagabundo porque te gusta y te quejas de la vida porque quieres. Así que ya estoy harto. ¡A partir de ahora no te volveré a ver!

La advertencia de la niña suena como un fuerte golpe en lo más profundo de su alma y comienza a llorar compulsivamente.

- ¡Por favor no me dejes! Hice mal y tienes razón cuando dices que soy un vagabundo. No puedo estar solo otra vez. ¿Qué haré con mi vida sin tus consejos?

- ¡Basta de excusas! No escuchas lo que digo. ¿Para qué me necesitas entonces?

- ¡Está correcto! No quiero disculparme. Simplemente no me dejes, porque me moriría de angustia. Dame otra oportunidad...

- Muy bien, Pietro, tienes derecho a una última oportunidad. Pero si no consigues un trabajo honesto dentro de una semana, nunca volveré aquí.

- ¡Está prometido! ¡Una semana!

Empleado como portero en una de las ferias centrales de la ciudad, conoce, por primera vez, la satisfacción de ganarse la vida honestamente. Mirian lo visita con orgullo cada vez que puede y disfruta alabando a su jefe mientras hace sus compras.

Ha pasado un año en paz desde la última pelea que tuvieron los amigos. Pietro parece haberse transformado y nunca más se ha quejado de su vida. Entusiasmado, sueña con abrir su propio negocio, siguiendo los consejos de su jefe al respecto.

Todo parece ir bien hasta que los padres de Mirian deciden cambiar de ciudad y se van a Roma. La decisión es irrevocable y la salida se produce en unos días. Casi desesperado, Pietro, tomado por sorpresa, ve partir a su única familia, la niña que ha estado encantando sus días desde los ocho años.

Al fallar, nuevamente, se rinde a su adicción a la bebida y deja su trabajo. Deambula por la ciudad, enojado y pesimista durante muchos años. Intoxicado la mayor parte del tiempo, comienza a tener muchas alucinaciones y se siente perseguido sin descanso por enemigos del Más Allá. Maldice cada minuto de su existencia quejándose de su pobreza y, insatisfecho, se aísla de todo buen pensamiento. Vuelve a mendigar ya sobrevivir de la caridad de los demás.

Agotado, desencarna en el año 750 y, inmediatamente rescatado por mensajeros de Nuevo Amanecer, por injerencia de Nívea, y llevado a la colonia espiritual para tratamiento de urgencia, para reencarnar, de nuevo, por determinismo. Su camino de expiación y pruebas incompletas, debe volver a la carne para continuar su camino regenerativo. Su sufrimiento en Cosenza, a lo largo de 58 años, sirvió para ayudar mentiroso en la relativa purificación de su espíritu tan ligado al materialismo, pero evidentemente no condujo a un avance decisivo en su camino.

Estuvo algún tiempo en la Colonia, creando las mínimas condiciones emocionales y de equilibrio espiritual para revivir la saga de Francia y las deudas que allí dejó.

En 770, regresa al plano físico, asumiendo la identidad del Conde Giscard D'Antoine.

CAPÍTULO XII

CONDE GISCARD D'ANTOINE

La opulencia, personaje notable del siglo VIII, presente en todas las elegantes tertulias organizadas por la corte francesa, deambula por los salones con un esplendor sin igual, corrompiendo los corazones, fomentando la ociosidad y buscando el placer insaciable del fútil sabor de la pompa y el esplendor de la vida, en sociedad, para regocijo de los nobles de la época. En el seno de esta maravillosa Corte crece el pequeño Giscard, el hijo mayor del Duque D'Antoine, un palaciego de primer orden y miembro del círculo íntimo de su majestad el Rey de Francia.

La familia del anciano noble y patriarca de los Antoine se reúne alrededor de una rica mesa, en una gran sala iluminada por candelabros de plata y realzada por pinturas de arte, que adornan las paredes enmarcadas con frescos antiguos, que representan toda la tradición de la nobleza áulica.

Giscard, feroz y astuto, compromete la tranquilidad de la comida haciendo constantemente chistes infames y agresivos, que provocan malestar y repulsión en la familia, pero sin sacudir al Duque, siempre dispuesto a apoyar a su primogénito en cualquier circunstancia. Mientras el joven crece sin la imposición de límites, se prepara para hacerse cargo del negocio de su padre, que ya está enfermo.

El Duque muere, dejando un vasto patrimonio a la familia y la administración de todos los bienes en manos de Giscard. Recibiendo el título de Conde, como proclamó en cada Corte que solo podía haber un Duque, que era su adorado padre, el chico gana la simpatía de los nobles y se vuelve muy bien considerado en la sociedad.

Bajo el reinado de Carlomagno, el Conde D'Antoine aumentó considerablemente su patrimonio personal al casarse con Constanza, una muchacha rica y única hija del duque de Soissons.

En una tarde soleada, al son de la famosa música florentina, los Antoine reciben a los invitados en los jardines de su castillo. Hermosas mujeres jóvenes rasguean suaves notas musicales en las arpas, mientras los violines encantan a todos los nobles presentes para celebrar el cumpleaños del Conde.

Trajes divinos, compuestos por finos y delicados tejidos, desfilan por los soberbios salones del palacio residencial de Giscard, ricamente decorados y preparados para el gran evento. Los pavos reales y otras aves raras componen el entorno bucólico de los jardines y se convierten en la alegría de los niños presentes. El Sol ilumina la pérgola principal, cuando aparece el mayordomo Gorot, imponente, anunciando la entrada triunfal del cumpleañero. Mientras tanto, Barón Villembert se prepara para honrar a su anfitrión.

Con los invitados reunidos en el salón principal, hubo un silencio casi total, solo roto por risas anónimas intercambiadas en pequeños círculos por las damas de sociedad y dirigidas a la Condesa que todos sabían era sistemáticamente traicionada por su esposo. Impasible, Constance permanece altiva y serena, aunque consciente de ser el blanco de las burlas.

- Amigos míos, tengo el inmenso honor de saludar al homenajeado de este acontecimiento, el Conde Giscard D'Antoine, a quien pido que dediquemos un caluroso aplauso.

Entre la ovación obligada y las miradas cobardes de los envidiosos, el ilustre anfitrión ingresa a la sala, acompañado de su esposa y de su única hija, Caroline, quien se encuentra en la plenitud de su juventud, dueña de hermosas trenzas doradas que encantan a todos.

Minutos después, cuando el barón comienza su discurso, se escuchan gritos en el salón principal del castillo.

- ¡Suéltame! ¡Libérame inmediatamente! Mi espada no descansará hasta que esté manchada con la sangre de la justicia.

Los guardias corretean, mientras un joven, de unos veinte años, piel pálida y ojos azul profundo, vestido con atuendo militar, que clama venganza, escapa y se esconde entre los invitados. Interviene el mayordomo.

- ¡Señores, no se preocupen! La situación está bajo control absoluto. Es un pequeño incidente que no se repetirá. Tenga la bondad de continuar en el homenaje.

Una vez más elogiado con una ronda de aplausos, el Conde D'Antoine se inclina con orgullo en señal de agradecimiento cuando siente que una hoja afilada le atraviesa la espalda. Como de la nada, el puñal es arrojado desde lejos por el certero golpe del joven intruso. Siente su visión nublarse y su cuerpo se estremece. Incapaz de gritar por el dolor, el tamaño y el odio que siente, cae postrado al suelo. El silencio sepulcral invade el ambiente. Finalmente dominado por los guardias, el atacante se identifica:

- Soy el capitán Ricardo Igor von Bilher, heredero del Duque de Estrasburgo. Ahora me vengo del señor Conde Giscard D'Antoine, el seductor sin escrúpulos de mi esposa Gabrielle y un noble que deshonró el nombre de mi familia cuando visitó nuestras tierras. Servido con hospitalidad, traicionó nuestra confianza. ¡Despreciable ser! Espero que mueras mordiendo tu traición.

- ¡Arréstenlo y hagan que se calle! - Grita Gorot.

En segundos, tras la orden del mayordomo, los soldados del castillo desaparecen con el muchacho de la vista de todos los presentes. Mientras los familiares del Conde le brindan ayuda, los invitados abandonan el palacio uno por uno. Aunque consternada por la agresión sufrida por la hueste, la opinión unánime acepta las razones del atacante y comprende su orgullo herido, sobre todo porque el noble Giscard es reconocido como conquistador.

El capitán Ricardo, hijo de nobles alemanes de la región de Estrasburgo, se casó con la heredera de una de las casas francesas más ricas de la región de Lorena. Durante las celebraciones de la boda, el Conde D'Antoine se alojó en el castillo de la familia Von Bilher y, sin ningún escrúpulo, sedujo a la inexperta Gabrielle, entonces de quince años, con quien mantuvo una relación sexual, abandonándola luego. Al enterarse del hecho, en su noche de bodas, el muchacho casi enloquece y jura vengarse del pérfido Conde.

Giscard, a pesar de ser atendido por los mejores médicos de la corte, empeora minuto a minuto su salud, motivo por el cual, superando a la propia Condesa, el mayordomo Gorot ordena el traslado del jefe a la Abadía de los Benedictinos, donde cree tiene mejores condiciones para curarlo. Al mismo lugar es arrastrado prisionero el joven Ricardo.

Conmocionada pero manteniendo la compostura, Constance busca calmar a su hija.

- Caroline, querida, no te entregues a sufrir así. Sabes muy bien que el ataque a tu padre puede ser fruto de la locura de algún envidioso. No creas todo lo que escuchas.

- Pero, madre mía, ¿no quieres ver la realidad? Papá incluso es capaz de actuar como dijo el capitán y si lo hizo, se merece el final que está teniendo. Ha traicionado nuestra confianza y no debe ser compadecido.

- ¡No digas eso! Mentiras infundadas lanzadas a la ligera por un joven desconocido. Tenemos que escuchar la versión de tu padre antes de juzgarlo.

- ¡Espero que sí! Cuando el padre esté mejor le preguntaremos al respecto, aunque personalmente no tengo dudas sobre su perfidia.

La Condesa, preocupada, decide hablar con el Capitán Von Bilher, pero no lo encuentra en el castillo. Al preguntarle a Gorot sobre su paradero, obtiene una vaga explicación que fue remitido para una confesión detallada a los monjes benedictinos.

Con incredulidad, Constance nuevamente se da cuenta que nunca se la escucha dentro de su propia casa por ninguna decisión importante que deba tomarse. Las órdenes de un mayordomo son más fuertes que las tuyas. Asqueada, regresa a la habitación de su hija.

- Caroline, creo que tienes razón. Mi vida ha sido una desgracia por parte de tu padre. No me respeta y nunca lo ha hecho. Gorot, dentro de esta casa, tiene más autoridad que yo. Todo esto se lleva a cabo bajo el consentimiento de Giscard. Además de ser agredido moralmente, soy víctima de las risas y burlas de toda la Corte. ¡Estoy harta!

- Dejemos el castillo, madre mía. Vamos a Italia, donde podemos buscar a tus familiares. ¡Abandonemos el pasado!

- ¡Tu padre nunca nos perdonará! Tendremos que vivir escondidas por el resto de nuestras vidas. Temo por la ira del Conde cuando se entere que nos hemos ido sin siquiera avisarle con antelación.

- ¡No me importa! Busquemos una vida digna, lejos del irrespeto y desprecio del padre.

- Ambas, cómplices de sus decisiones, abandonan la residencia de Antoine esa misma noche. Rumbo a Italia, acompañadas únicamente por fieles sirvientes, Constance y Caroline se despiden para siempre del suelo francés.

A lo lejos, escondida entre acantilados y fuertemente sacudida por los furiosos vientos de la montaña, se alza la abadía de los benedictinos.

- Más compresas y algo de esa medicina azul, que está en el segundo estante a la derecha. ¡Rápido!

- Inmediatamente, monje Eugenio.

- Mientras termino de vendar al Conde, comprueba que nuestro prisionero esté bien protegido.

Bajando unas inmensas escaleras, girando sobre su propio eje como un voluminoso caracol, el monje Gutus recorre los caminos sombríos de la abadía, en dirección a la "Sala de los

Pecados", lugar llamado así, irónicamente, por los mismos monjes en cara de las torturas practicadas allí.

- ¿Cómo está el joven capitán? - pregunta uno de los guardias.

- Ahora disfruta de la "rueda de los placeres"[15], hasta que se arrepienta del mal que ha hecho.

Después de dos días en la abadía, el Prior recibe al convaleciente Conde D'Antoine.

- ¡Estaba profundamente consternado por el episodio! Al verte rehabilitado, renuevo mi fe en Dios, creyendo que se hará justicia. No se preocupe, mi señor Conde, que su agresor está purificando su alma y seguro que se arrepentirá del mal que os ha hecho.

- Le agradezco su preocupación, mi querido Prior Meliandes. Me estoy recuperando lentamente y me gustaría irme a casa. Sé que el capitán obtendrá el final que se merece. Mi esposa y mi hija deben estar preocupadas por mi ausencia.

- Entonces, ¿todavía no lo sabes?

- ¿Saber qué?

- Tu esposa e hija han abandonado el castillo y se han ido en una dirección desconocida.

- Enojado y transfigurando la placidez de su semblante, el Conde se domina y pide ser llevado inmediatamente a la presencia de Ricardo.

- ¡Eres un pestilente descarado! Te atreviste a entrar en mis dominios para afrentar mi integridad en mi propia casa. Nunca saldrás vivo de Francia. Amargarás el día que te cruzaste en mi camino.

---

[15]Nota del autor espiritual: la "rueda del placer" es una máquina destinada a los presos que son tendidos lentamente, atados por los miembros superiores e inferiores, hasta morir en agonía por la ruptura de sus músculos y vértebras.

Bastante débil y abatido, el joven responde, entre palabras y carraspeos de sangre:

- Creo, señor Conde, que realmente merezco morir... No por el daño que te hice, sino precisamente porque no pude matarlo, como tú merecías. ¿Hablas de atrevimiento? Tu deslealtad nunca será olvidada por mi familia. Si no cumplo mi juramento de venganza, seguro que otro Von Bilher lo hará.

- ¡Sigues siendo un insolente, muchacho! La traición de la que hablas no existió, pues la ligereza de tu joven esposa cayó espontáneamente en mis brazos. Creo que fui seducido por ella...

- Solo tenía quince años... ¿Cómo puedes referirte a ella de una manera tan grotesca?

- ¡No tienes experiencia de vida, jovencito! En el futuro, quizás entiendas mejor mi posición. La relación sexual no significa nada. Ni siquiera recuerdo a la niña... El apellido, el honor y la tradición son solo conceptos. ¿Vale la pena morir por ellos?

- No eres un verdadero noble y no entiendes las virtudes de una familia digna. Moriría mil veces si fuera posible sostener estos valores.

- Bueno, estás en condiciones de morir, al menos una vez... ¡Adiós, valiente capitán! Nos veremos algún día, quién sabe, en el infierno... - risas.

Al salir de la mazmorra, de regreso a sus aposentos, se encuentra con su fiel mayordomo, que lo espera ansioso.

- ¿Qué quieres, Gorot? ¿No ves que todavía estoy enfermo?

- Señor Conde, la Condesa Constanza y su hija... -.

- ¡Ya sé! Huyeron ¡No te preocupes! El destino les había reservado una bienvenida.

- ¿Qué piensas hacer ahora, mi amo? Toda la Corte se ríe de tu desgracia.

- ¡No tengo otra opción, Gorot! Debo instalarme aquí en la abadía, ya que he sido deshonrado y abandonado por mi familia. Un gesto de desprendimiento, adoptando la vida sacerdotal, podrá rehabilitarme a los ojos de la sociedad.

Continuaré manejando mis asuntos con normalidad y tú serás mi apoderado. Además, la familia del Capitán von Bilher enviará fatalmente a otro mensajero de la muerte, trayendo consigo el estandarte de la venganza. Debo protegerme y no hay mejor lugar que los muros benedictinos. Hablé con el prudente abad Meliandes. Su buena disposición para recibirme y su regocijo en tenerme como monje me hizo otorgar a la orden una gran donación.

Convencido del plan de Giscard, el mayordomo abandona la abadía satisfecho y regresa al castillo y a los asuntos del Conde.

Tras la solemnidad de la consagración del noble Antoine como monje benedictino, el Prior Meliandes recibe al nuevo miembro de la orden para un ajuste de cuentas.

¡Soy consciente de sus intenciones, monje Victorius![16] ¿De dónde sacaste la ideade que debería ceder mi puesto a ti?

- Ahora, mi querida Meliandes, solo la fortuna que he destinado a los benedictinos justifica esta transición pacífica. Con mi prestigio y mis posesiones, así como con vuestra colaboración, conquistaremos nuevas fronteras y aumentaremos considerablemente nuestro tesoro, ahora común. Obviamente, puede que no estés de acuerdo con mi plan y, de ser así, le daré otro destino a mi oro...

- ¡No, no! Nunca permitiré que eso suceda. Tenemos todo el interés en compartir el mismo ideal. Solo necesito algo de tiempo para manejar la transferencia postal.

---

[16] Nota del autor del material: nombre utilizado por Giscard después de convertirse en monje benedictino.

- Bueno, mi querido abad, no tengo tanta prisa. Permanecerás en el cargo hasta el final de tus días, aunque cumplirás mis determinaciones desde el principio. Entonces me convertiré en el Prior.

- Ciertamente, querido conde. ¡Así se hará!

Una vez sellado el acuerdo que cambiaría por completo el rumbo de la vida de Giscard y la abadía benedictina, comenzó la saga del ascenso de Victorius, permeada por una incalculable serie de crímenes y desvíos de todo tipo. Su vida, a partir de entonces, estuvo regida por intrigas y artimañas, buscando aumentar su riqueza material, tal como lo había idealizado Eustáquio, aun en el plano espiritual. Su conexión con el pasado destructivo se renueva y, bajo su plena responsabilidad, se construye a partir de entonces todo su futuro.

CAPÍTULO XIII

LA ABADÍA DE LOS BENEDICTINOS

Tras semanas de intenso sufrimiento, provocado por continuas sesiones de tortura, el joven aristócrata Ricardo Igor von Bilher desencarna. Inmediatamente acogido por los mensajeros de lo Alto, se aleja de la furia de las entidades inferiores - aliadas de Giscard desde el otro plano de la vida - que se empeñaban en obsesionarlo. Sus deudas serán redimidas en otra oportunidad, a criterio de la sabiduría divina, aunque desde entonces está libre de la obsesiva sed de venganza de sus verdugos en el plano inmaterial.

Cumplido al conocer la noticia de la muerte de su enemigo declarado, el monje Victorius celebra la histórica fecha.

En la región de Estrasburgo nació Klaus Augusto von Bilher, hijo de Ricardo y Gabrielle, rodeado del cariño y la atención de sus abuelos paternos. A pesar de llevar el nombre de la familia von Bilher, el niño es, en realidad, hijo de Giscard y víctima de la traición que deshonró el matrimonio de sus padres.

Indignado por la cobarde muerte impuesta a su hijo mayor, en los dominios benedictinos, el duque von Bilher, un noble alemán, retira a su nieto Klaus de su cuidado materno a una edad temprana, con el objetivo de educarlo y criarlo bajo su guía directa. A pesar de sufrir un dolor enorme, Gabrielle, consciente de los errores que ha cometido, no pone ningún obstáculo en el camino de las intenciones de su abuelo.

El período de la infancia de Klaus transcurre en paz, aunque siempre fue educado para odiar a los franceses y, en particular, a los benedictinos que brutal y cobardemente le quitaron la vida a su padre. Conducido cruelmente por las manos rígidas del duque, el niño fue entrenado como soldado y, desde muy joven, se unió a las filas del ejército alemán de la sociedad de la época.

El abuelo planea, en detalle, la venganza que impondrá a Giscard, en el futuro, a través de la espada bien entrenada de su nieto Klaus, quien llega a la mayoría de edad endurecido espiritualmente y sin ninguna ternura en su corazón. El único objetivo de su vida es satisfacer el deseo de venganza del duque von Bilher. Recibe de su abuelo, uno de los nobles más ricos de la región, el ansiado título de comandante de las tropas del Ducado del Ruhr. A su lado, encuentra el apoyo del joven oficial Günther, quien le brinda una entrega servil y una admiración ejemplar, en una relación muy íntima, que, por momentos, llega a la consternación.

Informado por su abuelo de la suerte de Giscard, ahora prior de los benedictinos, con sede en Lyon, el joven puso en marcha el plan trazado muchos años atrás y comenzó a atacar las abadías francesas que bordeaban sus tierras, con el fin de debilitar la orden y, poco a poco, infunde miedo en tu enemigo jurado. Saqueando y quemando las fortalezas benedictinas, Klaus comienza a tejer la poderosa red de influencias creada por Victorius en toda Francia para sostener su ambición sin límites. Entronizado en su puesto, el Conde D'Antoine ignora por completo los primeros ataques a su organización.

Recuperando su prestigio, Giscard, en el año 816, después de tantas vidas destruidas y glorias conquistadas a merced de torpes manipulaciones políticas, se convierte en obispo de Lyon, ampliando considerablemente su poder de mando y dejando en su lugar, en el liderazgo de los benedictinos, el fiel servidor Gorot, que toma el nombre de Paulus.

* * *

En un magnífico templo, cuyas paredes están adornadas con ricas obras de arte y su mobiliario exhibe finas y valiosas piezas de oro y plata, con incrustaciones de brillantes piedras preciosas, es la sede del obispado de la ciudad de Lyon, residencia oficial de Victorius. Sus aposentos privados se encuentran entre los más lujosos de toda la aristocracia francesa, ya que combinan el arte sacro con el refinado gusto personal de Giscard.

En lo alto de un estrado, cuidadosamente dispuesto para albergar la suntuosa mesa del obispo, está Victorius, impasible y mecánico, mientras envía sus órdenes a todos los sirvientes.

- Estoy particularmente feliz hoy, mi querido Sinvral.

¿Y podríamos saber el motivo de tan singular y augusto momento de distensión de Vuestra Reverendísima?

- ¡Me llegan noticias de Italia! Sabía que mi venganza había sido saciada. Dos traidores del pasado han acabado con sus vidas y deben ser acogidos por la misericordia divina. Murieron, Sinvral, Caroline y Constance. El primero, pobrecito, víctima de la tuberculosis. ¡La otra, víctima de su propio descuido! - risas.

Estático y disfrutando del júbilo del obispo, el sirviente inclina la cabeza con condescendencia.

Cambiando repentinamente de tema, Victorius exige que le traigan las cuentas del obispado. Mientras hace el control habitual de sus ganancias, recibe la visita de uno de los guardias, quien anuncia la presencia de una anciana que dice ser su madre, Madame Debussons. Inquieto, Victorius la envía adentro.

- ¿Qué quiere aquí, señora? ¿No te he advertido ya que no quiero ningún contacto y que no eres bienvenida en este obispado?

Sigues siendo cruel, Giscard. Aunque no puedas soportar la idea, sigo siendo tu verdadera madre. ¿Has olvidado que fuiste adoptado de niño por el duque de Antoine? No eres un verdadero noble, como pretendes ser un sacerdote.

- ¿Has venido aquí a humillarme? Si eso es lo que quieres, te echaré de aquí sin pestañear.

- ¡Realmente puedes hacerlo! Mi error del pasado, vendiéndote al Duque D'Antoine, cuya esposa parecía no tener hijos, lo soportaré por el resto de mis días. Sin embargo, vengo ante ti para exigirte que dejes de pelear con tu hermano, el obispo de Orleans. No puedo verlos compitiendo por el amor de un mundano y eso los llevará a la muerte.

- Este engañoso hermano mío no significa nada para mí. Me considero hijo legítimo del duque de Antoine. No me importa lo que pienses de nosotros. El obispo de Orleans es su hijo, señora Debussons, por lo tanto, su responsabilidad. Mientras se cruce en mi camino, estaré dispuesto a destruirlo. Nada podrá detenerme, ni siquiera tus peticiones. Te sugiero que te vayas y no vuelvas delante de mí. No te considero mi madre, y nunca lo haré.

Con el corazón roto, deja el obispado y, por unos instantes, recuerda su pasado comprometedor. Madame Debussons tuvo dos hijos, Giscard y Marcel. El primogénito, aun a una edad temprana, fue vendido al duque D'Antoine, que había perdido a su primer hijo poco después del nacimiento de su esposa. Advertido por los médicos del riesgo de otro embarazo para la duquesa, decidió sustituir al niño por el pequeño Giscard. La ambiciosa señora Debussons, institutriz de la casa de Antoine, accedió a vender la casa por una gran suma de dinero.

Su primer hijo, también recién nacido y cuyo padre fue ignorado. Después de la transacción, la mujer desapareció, como se había acordado, para no volver a aparecer en la vida del poderoso duque.

En Orleans, a donde fue, tuvo otro hijo, Marcel, que nunca renunció cuando supo lo que había sucedido en el pasado. No admitiría ser pobre y plebeyo, mientras que su hermano Giscard se deleitaba con la protección del duque.

Los hermanos Debusson crecieron separados y, con la muerte del duque de Antoine, al leer una carta dejada por él, Giscard se dio cuenta de su verdadera condición. Sin desanimarse por la revelación, continuó cuidando a los empresarios con las manos heridas.

La familia y heredó, como deseaba el duque, la mayor parte de la fortuna de Antoine. En Orleans, sintiéndose despreciado por su rico y poderoso hermano, Marcel juró vengarse de él y ascendió a la carrera eclesiástica, la única posible para su miserable condición social. Después de muchos años de disputa, mientras Marcel se convirtió en obispo de Orleans, Giscard ocupó el obispado de Lyon. Una guerra silenciosa comenzó entre los dos, principalmente porque se enamoraron de la misma mujer feroz, Franchise, hija del duque de Orleans. La madre, la Sra. Debussons, descontenta con la disputa entre ellos, sintiéndose culpable, buscaba de vez en cuando a sus hijos, pidiéndoles una tregua.

No les facilitó la vida el ambicioso y obstinado Duprat, quien permitió que su hija Françoise tuviera contacto con los dos prelados, ya que logró amasar grandes cantidades de dinero.

Fomentando día tras día las fuerzas del odio que mueven la guerra sentimental librada entre los dos adversarios, el degenerado duque de Orleans se enriquece aun más. Su hija, no menos frívola, se divierte y se reparte entre los hermanos Giscard y Marcel, cultivando intrigas y aumentando la disputa entre los obispados.

Apuntando al cardenalato en Roma, Giscard exige una definición de Francoise.

- Ya no hay posibilidad de doble juego, querida. Hasta el día de hoy soporto tu inconstancia, pero creo que es hora de decidir de qué lado quieres estar. Incluso si sufro por nuestra separación, ya no pretendo admitir tu división... Debes elegir entre el obispo de Orleans y yo.

- ¡Oh, querido Giscard! No pude hacer esa elección. Te amo con igual intensidad. Tú sabes que para mí sería la muerte separarme de cualquiera...

- ¡Basta de esta charla inútil! Tienes una semana para hacer tu elección.

El obispo de Lyon no solo exige una solución al conflicto amoroso, Marcel está igualmente interesado en convertirse en cardenal. Ambos saben que, en este delicado momento de ascensión, cualquier desliz puede ser fatal. Ningún pendiente puede quedar entre los obispados, ni siquiera la Franquicia.

Presionada por una decisión, la chica, indecisa, consulta a su padre. El duque de Orleans, consciente del ataque de Klaus von Bilher contra las abadías controladas por Giscard, opta por el obispo de Orleans, creyendo que el obispo de Lyon pronto será derrotado.

Una vez establecido el pacto en Orleans entre el obispo y el duque, Giscard sintió con fuerza el golpe. La chica se aleja de Lyon y con ella toma documentos importantes del obispado, incluidos mapas y rutas de acceso a muchas abadías controladas por Antoine. Insatisfecho y buscando una venganza inmediata, el prelado ordena que Francoise sea asesinada. Sus órdenes se siguen al pie de la letra y dos días después se encuentra el cuerpo de la chica flotando a orillas del Sena, cerca de París. Su padre se asusta y se forma una triple alianza contra Giscard. Klaus carga desde el este y Orleans presiona a Lyon desde el oeste.

Insistente, Madame Debussons busca ahora a su hijo Marcel.

- Hijo mío, ¿pretendes con esta guerra contra tu hermano llevarme a la desesperación?

- Ya sabes, madre mía, que no hay que compadecerse de él. Traicionó nuestra confianza cuando podía habernos ayudado. Experimenté la miseria y el sufrimiento a causa de tu obstinado egoísmo.

- Sabes bien que no tenía otra opción. Fue mi propia codicia lo que lo metió en esa situación. No es necesario que te recuerde el pasado, Marcel... Sabes que fui yo quien provocó nuestra separación.

- ¡No me importan tus explicaciones! Sabía que éramos hermanos y nunca se acercó a mí... ¡Nunca lo hizo! Toda mi vida envidié su suerte. Ojalá hubiera sido yo el vendido al duque...

- ¡Qué tontería dices ahora! ¿No eres tú el majestuoso obispo de Orleans? ¿No obtuviste todo lo que querías? ¿Por qué mantener una pelea con tu hermano ahora?

- Lamento, madre mía, que mi odio hacia Giscard tenga un trasfondo más complejo y profundo que una simple disputa por los cargos de la Iglesia. Llevaré mi deseo de destruirlo hasta el final, incluso si tengo que molestarte para hacerlo.

- ¡Desprecias lo que dice tu madre! Ambos son idénticos en pensamiento y acción. Fríos y calculadores, ambiciosos y crueles. Estaré amargada todos los días de mi vida por haber creado dos verdaderos demonios, ahora vestidos de sacerdotes. Al día de hoy no tengo más hijos, ni soy tu madre.

- ¿Cómo quieras, señora...

Después que la conversación terminó abruptamente, la Sra. Debussons se fue a París e, insatisfecha, asumió toda la responsabilidad por la situación creada entre sus hijos. Enclaustrada en el remordimiento, la mujer desaparece por completo de la vida de los prelados de Lyon y Orleans y no acompaña el morboso final de aquella contienda.

En Italia, algún tiempo antes...

Una gran fiesta tiene lugar en el patio interior de un convento de la ciudad de Venecia. Las monjas se mueven de un lado a otro para recibir a los miembros de la sociedad local que hacen grandes contribuciones a las obras de la Iglesia. Durante el evento, animado por un conjunto florentino de música sacra, una novicia camina tranquilamente entre la multitud, mientras disfruta de los cantos y reflexiona sobre su propia existencia.

Constance, por entonces conocida solo como Sor Melina, se mimetiza cada vez más entre los presentes, casi olvidando la seriedad de su hábito.

El paseo es intransigente y hasta cierto punto descuidado, ya que no se da cuenta que la sigue el monje Peter, enviado desde Lyon para quitarle la vida. Tan pronto como descubrió el paradero de su ex esposa, Giscard envió a un esbirro para cumplir su promesa de muchos años antes. En fatal proximidad, un puñal se eleva repentinamente en el aire y, blandiendo el odio obligatorio de su señor, cierra para siempre los ojos de la bella Constanza.

La noticia recorre toda Europa y, en pocas horas, llega al obispo de Lyon, que celebra feliz la ocasión con su asistente Sinvral.

CAPÍTULO XIV
EL FIN DE GISCARD

El general Klaus Augusto von Bilher camina por una extensa pradera abrasada por el viento helado del crudo invierno europeo, acompañado de cerca por su inseparable amigo, el Barón Günther von Bavanhaun. Hablan del ataque final contra el obispo de Lyon y juntos esbozan el plan de ataque que pretenden lanzar contra Giscard.

Por otro lado, el obispo de Orleans y el duque Duprat, ambos asociados con Klaus, reciben instrucciones para actuar.

Envío cartas a Su Santidad el Papa y también a Su Majestad el Rey, narrando todas las atrocidades cometidas por el Obispado de Lyon y por la infame Abadía Benedictina que lo sostiene.

- ¡Sin duda, mi querido obispo, es el final de Giscard! Nada puede hacernos más plenos que enterrar definitivamente la arrogancia del Conde confirma el Duque.

Feroces caballeros, bien armados, invaden un denso bosque en la región de Lyon, en busca de la abadía. Al frente, al mando de la expedición, está el general von Bilher. Veloz como un relámpago, el grupo no se deja notar y hasta el trote fuerte y medido de los caballos pasa desapercibido para los centinelas de las murallas benedictinas.

Cuando comienza el ataque, los monjes, incrédulos, corren por los subterráneos de la abadía e inmediatamente envían un mensajero al obispado de Lyon.

En unos minutos; sin embargo, los soldados destruyen y queman el lugar, tratando de no dejar sobrevivientes. Una vez dominada la situación, el general Klaus entró en el recinto monástico, fuertemente escoltado.

Caminando por el interior de la fortaleza, se detiene frente a una puerta gigantesca, sintiendo que algo despierta en su interior. Determina el allanamiento de la inmensa guarnición de heridos que lo separa de la sala de destino. Unos veinte hombres, con una estaca de roble, lo depositaron.

Se encuentran cuerpos esparcidos por toda la cámara de tortura, la "Sala de los Pecados." El olor pútrido del lugar marea al general por unos instantes. Persistente, camina unos pasos dentro de la habitación. La repugnancia se vuelve general cuando se ven cadáveres en descomposición, aun atados a afilados grilletes y fierros.

Una diminuta habitación, ubicada en una de las esquinas de esa cámara, llama la atención de Klaus, quien se acerca con cautela.

Al entrar en el ambiente sofocante, se tambalea de nuevo ante el olor fétido que emana de las paredes. Al sentir el peligro, los roedores de todo tipo huyen desesperados, mientras los soldados agitan sus antorchas tratando de despejar el camino para el general. De repente, Klaus se da cuenta de la existencia de una campana de cristal, colocada encima de un montón de huesos humanos. Se acerca y se da cuenta de un anillo de oro pequeño, pero bien formado, que brilla en el suelo, se agacha y toma la joya en sus manos. En silencio, los guardias observan las actitudes del comandante.

Temblando, el general se vuelve hacia los soldados y les pide que acerquen las antorchas. Iluminado, el anillo resucita inmediatamente después de tantos años el símbolo de la familia von Bilher que fue enterrado en las profundidades más oscuras de la abadía benedictina. Al reconocer la joya que perteneció a su padre, Klaus se emociona y pide estar solo unos minutos.

- Padre mío, no tuve el honor de conocerte, ya que fuiste cobardemente asesinado por fuerzas siniestras. Hoy; sin embargo, cumplo el deseo de mi abuelo, tu querido padre, de regresar a este maldito lugar para rescatar tu memoria. El obispo de Lyon, responsable de tu muerte, no volverá a ver salir el sol... ¡Te lo juro!

Con lágrimas en los ojos y el pecho ardiendo, Klaus parte hacia Lyon con la intención de poner fin a su sed de venganza, sofocada durante tantos años.

* * *

En las habitaciones de Giscard reina esa noche una vibración diferente y angustiosa. Inquieto, el Conde llama a su jefe de guardia y le presta redoblada atención. Espíritus inferiores merodean ya por el lugar e intuitivamente transmiten al obispo el peligro inminente que acecha su palacio.

Gualberto, el chambelán, previamente instruido por Marcel, pone un somnífero en el cáliz de vino que le dan a Giscard. Dormido y cansado, el obispo se acuesta.

La guardia es cambiada a traición y los soldados fieles al prelado de Lyon son sometidos y amordazados. El camino está preparado y Klaus entra en la habitación de su enemigo mortal. Solo el rugido de unos murciélagos sacude el silencio de la noche.

- ¡Por fin nos encontramos, señor Conde Giscard D'Antoine, el asesino de mi padre! ¡Levántate, tenemos una cuenta pendiente! -Grita enérgico el general, ya con la espada en la mano.

Conducido al despertar por un hechizo maligno, el obispo abre los ojos y mira de cerca al altivo Klaus. Aceptando el desafío y sacando fuerzas de lo más profundo de su alma, se lanza al duelo fatal.

El repiqueteo de espadas son los únicos sonidos que se escuchan en el palacio episcopal, mientras los combatientes, sin pronunciar palabra, se concentran en el enfrentamiento que los había llevado a la muerte.

De hecho, padre e hijo se disputan en ese momento el derecho a la vida, en nombre de la venganza que les llevará a acumular muchas deudas en su camino regenerativo. Entidades inferiores acompañan el desenlace del choque y vierten una densa vibración negativa en el ambiente.

Experto en el manejo de la espada afilada, el obispo no le pone fácil el duelo a Klaus y, en un descuido del general, llega a rasgarle el brazo izquierdo a la altura del hombro. Cegado por la rabia y el dolor, el joven alemán redobla sus fuerzas y embiste con furia contra Giscard, ya cansado y deprimido por la fuerza del sedante que le administraran. En una fracción de segundo, una estocada violenta apuñala al C onde en el corazón con la última esperanza de sobrevivir al desafío. Siente el golpe, sus ojos se agrandan y se estremece. Klaus retira abruptamente la espada del cuerpo del obispo, quien cae inerte al suelo.

Giscard desencarna y, entumecido, es inmediatamente apresado por los espíritus malignos que esperan ansiosos el desenlace de la lucha.

Klaus se sienta en uno de los sillones de la habitación del obispo y llora convulsivamente. Su venganza se consume y el vacío llena su corazón.

Tras cumplir la promesa que le hizo a su abuelo de exterminar al obispo de Lyon, Klaus von Bilher pierde la razón de su vida y se siente profundamente angustiado. Se da cuenta, por supuesto, que la venganza no le aporta la ansiada paz mental y, por el contrario, lo convierte en un ser amargo y sombrío. El odio tiene el poder de vaciar todo el contenido positivo del corazón de un hombre.

Sin rumbo definido, se encierra en los recuerdos de su desastroso pasado y termina sus días en completa soledad.

El sabor de la venganza tampoco aplaca el espíritu atribulado del obispo de Orleans. Creyendo que estaba haciendo algún bien a la Iglesia, envió un expediente contra el obispo de Lyon al Papa y esperó, esperanzado, la llamada del Sumo Pontífice para convertirse en cardenal en Roma. En cambio, su participación en la muerte de Giscard se descubre en el Vaticano, y Marcel recibe como castigo la determinación papal de aislarse en una abadía en Rouen para expiar sus errores y confesar su culpa. En este lugar, confinado en el remordimiento, desencarna coronado por la insatisfacción.

El castigo por malas actitudes no siempre llega tan rápido como con el duque de Orleans. Después de la muerte de Giscard, Duprat se enriquece aun más, ya que saquea todo el oro que encuentra en el obispado de Lyon, tan pronto como el prelado es asesinado. Su contentamiento dura poco tiempo, pues una tuberculosis inoportuna lo hace marchitarse paulatina y lentamente hacia el fin de la vida material.

La ley de acción y reacción es inmutable e imposible de evitar. Se puede sentir en el plano material o en el mundo de los espíritus. En verdad; sin embargo, todos aquellos que cometen actos negativos recibirán un día una proporción igual del daño que han causado. Con esto, tendrán la oportunidad de aprender de sus errores y asegurar la evolución de sus espíritus. Giscard y sus enemigos hicieron uso de él estando aun en el plano físico, aunque tienen mucho que redimir en el Camino espiritual que les espera.

CAPÍTULO XV
EL PASADO BENEDICTINO

El Conde Giscard D'Antoine, que ascendió social, política y económicamente a costa de una poderosa red de corrupción y mezquinos intereses de todo tipo, perece en la oscuridad.

Como obispo de Lyon, dominó a militares vinculados al Rey, nobles y ricos mercaderes, garantizándole el control de varias rutas mercantiles que aportaban mucho oro a las arcas benedictinas.

En su escalada criminal, fue ayudado por un noble arruinado en las mesas de juego, Charles Bidet, ambicioso y sin escrúpulos, quien le proporcionó datos confidenciales sobre las fuentes de ingresos del Obispado de Orleans, su archienemigo.

Otro punto de apoyo para sus negocios fue la abadía benedictina de la región de Lyon, dirigida por el Prior Paulus, de completa confianza de Giscard. Internamente; sin embargo, la orden religiosa sufrió una metamorfosis en su estructura, ante la presencia de un joven novicio que revolucionó la forma de pensar y actuar de los monjes.

¡Giuseppe! ¡Giuseppe! ¿Dónde está este pobre desgraciado? - Gritó el abad a todo pulmón.

- No lo encuentro por ningún lado, señor. ¿Qué debemos hacer? - Respondió Eugenio, uno de los monjes de su personal.

Espera un momento... ¡Sé dónde está! Envía a Gutus a buscarlo a las orillas del lago interior. Debe estar predicando de nuevo a sus compañeros de noviciado.

Momentos después, cumplida su predicción, Giuseppe estaba en presencia del Prior.

- Joven, no puedes permanecer ajeno a las costumbres de esta Casa. Recuerde cumplir con las reglas de la abadía y que Dios desea la unión de sus corderos para que todo el rebaño prospere juntos. ¿No es así como aprendiste en tus cursos con el monje Verbasiano?

De hecho, amable líder, me atrevo a predicar a mis compañeros algunas enseñanzas de Cristo. Pero nunca pensé en perturbar la rutina de la orden...

Ahora, Giuseppe, deja la predicación para el momento adecuado, que son las lecciones en grupo. No tomes el lugar del Verbasiano.

- ¡Oh no! ¡Nunca tuve la intención de hacerte daño! Solo pensé que las enseñanzas de Jesús no se están abordando en las clases...

- ¡No es posible! ¿Verbasiano se está olvidando? - Pronuncia, irónicamente, el anterior. Te advierto que seas más considerado. Mientras tanto, deja de lado tu prédica personal, ¿de acuerdo?

Desde hacía algún tiempo, el joven inquietaba la dirección de la abadía a través de sus mensajes de desapego de los bienes materiales y su apego a la doctrina de Cristo, en realidad poco utilizada por los monjes benedictinos en ese momento.

El novicio accedió al pedido de Paulus y durante algún tiempo guardó silencio en sus conferencias, pero sin estar convencido de la corrección de su actitud. Después de todo, se dio cuenta con el paso de los días que nada había cambiado en la vida cotidiana de los monjes; es decir, no se ponía en práctica ningún gesto de aparente caridad, mientras que las arcas de la abadía seguían repletas de riquezas de todo tipo.

Durante el período en que estuvo bajo custodia, Giuseppe fue cuidadosamente observado por el Prior y también por el obispo de Lyon. Ambos conocieron la fuerza del joven idealista, convencido y cristiano, que buscaba transformar el modo de pensar y actuar de sus compañeros de noviciado.

CAPÍTULO XVI
LA VIDA DE GIUSEPPE

Don Genaro, un rico y próspero comerciante de Venecia, de sus once hijos prestó especial atención al más pequeño de todos, Giuseppe. Siempre servicial con los reclamos de la iglesia local, solía hacer generosas donaciones al sacerdote, especialmente desde que el más joven se convirtió en monaguillo. Orgulloso de la familia y mimado por su bondadosa madre, Bernarda, el niño creció expresando la intención de seguir una carrera eclesiástica.

Conociendo el deseo de los monjes benedictinos, especialmente su fascinación por el oro y otros metales preciosos, el comerciante ofreció una gran suma para recibir como aprendiz a su hijo Giusseppe Aceptando la oferta, la condición impuesta por la orden fue enviar al joven a Lyon, ya que los templos italianos no tenían interés en recibirlo. No por casualidad, allí comenzaron los difíciles pasos del principiante abnegado para afirmarse en el cristianismo, consolidando su fe.

De adolescente, Giuseppe solía dedicarse espontáneamente a la caridad y le gustaba ayudar a los pobres y visitar a los enfermos. Mantenía una relación con Lítia, una muchacha de buena familia, con quien don Genaro mantenía una excelente relación. En el amor, la pareja intercambió votos de amor y promesas de un futuro matrimonio.

Partió para Lyon, en compañía de su padre, apenas cumplió los 17 años e ingresó en el monasterio de la orden benedictina, como estaba previsto. Dejó atrás, desconsoladamente, a su novia que no aceptaba el determinismo de Giuseppe de abrazar la carrera clerical.

Pasó el tiempo y el muchacho, cada año, se volvió más astuto y erudito, estudiando varias horas de su día y comenzando a cuestionar los valores espirituales que le presentaban los monjes maestros. Interpretó de manera diferente el mensaje de Jesús y creía que el cristianismo estaba siendo manipulado por algunos sectores de la Iglesia con el propósito de enriquecimiento ilícito a través de la caridad y la buena fe de los demás. Insatisfecho, comenzó a predicar sus ideas al respecto a sus compañeros de noviciado, despertando la ira de los líderes benedictinos. Organizó, por cuenta propia, grupos de estudio y se reunió con los demás novicios a orillas del lago interior que bañaba la abadía, para exponer los valores derivados de los mensajes cristianos.

Giuseppe; sin embargo, siguió solo su camino idealista, ya que muchos principiantes, temiendo represalias de la dirección de la abadía, abandonaron los grupos antes de completar sus lecciones. Impertérrito, el muchacho persistió en su actividad paralela de discutir el Evangelio, sin asistir a las clases impartidas por el monje Verbasiano, el director doctrinario de los novicios.

Cautelosamente, el Prior trató de disuadir al muchacho de su postura obstinada y trató de mostrarle las ventajas de la riqueza material. Utilizando varios pasajes bíblicos a su manera, trató de convencer a Giuseppe que Cristo no predicó el voto de pobreza y que nunca condenó a los ricos. A pesar de comprender que la riqueza en sí misma no era un mal, el novicio contraargumentó que la ociosidad provocada por ella nunca podría ser aceptada. Paulus siempre terminaba estas conversaciones perdiendo la paciencia y creyendo que el chico estaba perdido. Debería ser expulsado de la orden antes que causara un caos significativo entre los demás monjes. Sin embargo, Giscard, obispo de Lyon, deseaba mantener al chico en su aprendizaje, ya que esto aportaba mucho oro a sus arcas, que don Genaro dejaba caer anualmente para pagar los estudios de su hijo.

Para desanimarlo, la dirección de la abadía envió a Giuseppe a tareas cada vez más arduas y comenzó a prohibirle la entrada a la biblioteca. Resignado, el novicio no se dio por vencido y prosiguió su peregrinación de fe.

Agresiones de todo tipo también comenzaron a perseguirlo constantemente, pero las soportó con paciencia inquebrantable. Poco a poco fue sintiendo emerger su mediumnidad, lo que le permitía comunicarse constantemente con sus mentores espirituales. Empoderado, Giuseppe obtuvo enseñanzas intuitivamente o por inspiración, y así continuó progresando en sus conferencias.

Después de un largo camino, algunos novicios comenzaron a adoptar plenamente las nuevas enseñanzas que les fueron transmitidas y comenzaron a rechazar cualquier medio de ostentación, incluso rechazando las fastuosas comidas que se servían a los monjes.

La desesperación se apoderó de los mayores y transfirió al Prior la responsabilidad de detener aquel estallido de rebelión e indisciplina.

- ¡No es posible! Ya hablé con este insumiso, le hablé de los intereses que están en juego con su padre, invoqué todos los mandamientos bíblicos, pedí ayuda a nuestros más preparados alquimistas, determiné su clausura, prohibí su predicación, disipé su seguidores, terminé su grupo de estudio, lo amenacé varias veces, sometí al chico a todas las privaciones posibles y ¿qué obtuve? ¡NADA, absolutamente nada! ¡No puedo creer su persistencia!

Observador, el obispo de Lyon advierte:

- ¡Cálmate, Paulo! El tipo está realmente decidido, pero ya hemos lidiado con algunos casos similares y no hemos sido derrotados. Un poco de malicia y tacto con Giuseppe y podremos silenciarlo definitivamente.

Pero, Reverencia, los otros monjes son rebeldes y exigen una acción inmediata...

- Me ocuparé personalmente del caso. Por ahora, es mi última palabra.

Mientras la dirección de la abadía se movía para silenciar al novicio, los amigos de Giuseppe se preocuparon por su seguridad y le advirtieron que abandonara el monasterio. Rezando en meditación, el chico solo discrepaba de sus compañeros moviendo la cabeza y, de vez en cuando, decía algunas palabras mostrando fe y diciendo que nada malo le pasaría.

En Venecia, preocupado por la paz de su hijo, don Genaro decide partir hacia Lyon para encontrarse con su hijo menor.

En la abadía, recibido por el Prior, lo llevaron a una entrevista con el novicio y trataron de convencerlo que volviera a casa, ya que llevaba muchos años enclaustrado y hasta esa fecha aun no se había hecho monje. Negando con vehemencia la propuesta de su padre, Giuseppe argumentó que tenía una misión que cumplir en ese lugar y nunca la dejaría antes de cumplirla. Continuaría su trayectoria de predicación hasta que se cambiara la filosofía del monasterio. Don Genaro, indignado, exigió al abad la consagración inmediata de su hijo, de lo contrario dejaría de enviar contribuciones para pagar su educación. Bajo presión, el prior informó a Giscard, en el obispado, de la posición vehemente del padre de Giuseppe.

Algún tiempo después, en una noche oscura, sin estrellas iluminando el cielo, solo la chimenea en el salón principal de la abadía crepitaba aisladamente. Ningún sonido más que ese se escuchó dentro del monasterio. Bajo tierra; sin embargo, los monjes se organizaron para su fiesta mensual. Por los sinuosos caminos que conducían a las murallas benedictinas, se podía ver el tránsito de algunas mulas, trayendo visitantes al lugar. Los monjes más jóvenes y los novicios estaban encerrados en sus aposentos.

Pasada la medianoche, comenzaba el evento y los benedictinos se entregaban a los placeres de la copiosa bebida y las orgías sexuales con prostitutas traídas de los pueblos cercanos.

Mientras tanto, en la habitación de Giuseppe, un grupo de novicios rezaba con fervor. De repente, una luz dorada se cernió sobre sus cabezas y, cada vez más fuerte, comenzó a invadir los pasillos de la abadía hasta llegar al subsuelo.

Atravesando las paredes y cegando a quienes la miraban directamente, la poderosa luz invadió todos los ambientes benedictinos y asustó a los invitados de los monjes. Cuando terminó la fiesta, cada uno buscó una explicación lógica para el surgimiento de ese foco de luz brillante. En unos minutos; sin embargo, todas las sospechas se dirigieron a Giuseppe. El joven, según los mayores, tenía conexiones demoníacas y, utilizando libros de magia negra, había estropeado la reunión mensual que alegraba las noches solitarias del monasterio. Fuertes quejas fueron dirigidas al priorato. Bajo nuevas presiones, el obispo de Lyon autorizó el exterminio del novicio que tanto malestar causaba en la abadía.

CAPÍTULO XVII

EL FIN DEL VIAJE

Antes de eliminar a Giuseppe, el prior envió al joven a Lyon para que el obispo pudiera conocerlo mejor, saciando así su curiosidad por una personalidad tan marcada en la vida benedictina. Durante su tiempo en el obispado, el novicio también quiso acercarse a Antoine para comprender el porqué de su comportamiento autoritario y materialista. Todavía esperaba inculcar en el corazón endurecido del prelado algún mensaje de amor cristiano.

Tanto los médiums como los de personalidad fuerte experimentaron numerosos enfrentamientos y cada uno de ellos buscan penetrar en el núcleo del antagonista para convencerlo de la corrección de sus posiciones personales. Sin efecto. El obispo permaneció atado a sus excesos y Giuseppe fue inquebrantable en su camino redentor.

Escéptico, Giscard aceptó el regreso del joven a la abadía, pero decidió que Gerard, su asistente directo, lo acompañaría. La misma noche de su regreso, el ayudante del obispo entró en la habitación del novicio y envenenó su agua. Luego se escondió detrás de la puerta para asegurarse de su muerte. Mientras esperaba, vio una figura brillante aparecer ante él, que tomó la forma de un hombre. Al darse cuenta que era un espíritu, Gerard se estremeció y trató de gritar, pero sus cuerdas vocales estaban petrificadas por el miedo. Quiso lanzarse contra ese ser sobrenatural que podía estropear sus planes, pero lo único que hizo fue romper el frasco donde había colocado el veneno. El ruido que provocó despertó a Giuseppe.

- ¿Quién está ahí? ¡Eres tú, Gerard! ¿Qué quieres en mis habitaciones a esta hora?

Lívido y molesto por la aparición de ese espíritu, el ayudante del obispo apenas pudo articular las palabras.

- Nada, no quiero nada! - tartamudeó –. ¡Déjame en paz, maldito mago!

Huyendo desesperado, confundió al propio Giuseppe, quien, después de todo, no sabía lo que había sucedido.

Esa materialización de su protector, por unos segundos; sin embargo, logró evitar el cruel final del novicio. Al día siguiente, alertado por sus compañeros, el chico descubrió las verdaderas intenciones del obispo, que eran eliminarlo. Cediendo a la presión de sus compañeros, abandonó la abadía y se escondió durante algún tiempo.

Perseguido furiosamente por mercenarios contratados por el obispado durante varios días, el joven acabó encarcelado y volvió de nuevo a la guarida benedictina. Conducido a la "Suela de los Pecados" fue torturado sin cesar hasta la muerte. Valientemente, resistió hasta el último segundo y nunca confesó estar equivocado en sus posiciones francamente idealistas y cercanas a las verdaderas enseñanzas de Cristo.

Entristecidos por la muerte de Giuseppe, los monjes estaban tomando una de sus comidas del día en completo silencio cuando se percibió la presencia espiritual del muchacho en la habitación. Una mezcla de miedo y alegría dominó a los presentes. Lentamente, el perfil del joven se dibujó en uno de los rincones del refectorio. Una suave luz dorada enmarcaba su perfil, y el verde brillante le servía de atuendo. Materializado, agradeció a todos la confianza depositada en él durante tantos años y no culpó a ninguno de los monjes por su prematuro desenlace de la vida física. Elogió la figura de Jesús y reafirmó su confianza en la construcción de un mundo mejor, diciendo a los benedictinos que eso dependerá del esfuerzo de cada uno. Los llamó, por tanto, a unirse y luchar, abandonando posturas inflexibles y materialistas.

Perdonó a quienes lo habían agraviado y desapareció por completo, dejando la habitación con un suave aroma a rosas.

Pocos días después de la muerte de Giuseppe, la abadía fue invadida por Klaus Auguste Von Bilher, el general germánico que impuso una contundente derrota al obispo de Lyon, costándole la vida.

Los monjes vinculados a la joven novela guardaron los buenos escritos de la biblioteca benedictina y dejaron allí el resto de los pérfidos instrumentos tratando de reducir a cenizas. La tragedia impuesta a la abadía por el deseo vengativo de Klaus hizo nacer un nuevo monasterio en Lyon, meses después, liderado por los herederos de las ideas de Giuseppe. Integrada en la práctica de la caridad y siguiendo fielmente las enseñanzas cristianas, una nueva orden se instaló en el corazón de Francia y naturalmente contó con la protección espiritual de su mentor, el novicio valiente e idealista.

CAPÍTULO XVIII
EL RETORNO A LA ESPIRITUALIDAD

¿Estás listo para iniciar la regresión, Eustáquio? - pregunta Hilário, director de la Coordinación de Triage de Nuevo Amanecer[17].

- ¡Sí, en realidad estoy deseando que llegue! Podemos empezar - responde el paciente, después de haber pasado 20 años internado en el Puesto de Socorro vinculado a la ciudad espiritual. Durante este período, se recuperaba en cámaras de sueño profundo y se utilizaba después de todos los tratamientos disponibles en la casa de reposo.

Un enorme panel frente a él se ilumina y comienza el proceso de recordar. Varios fotogramas se reflejan con una luz intensa, pero Eustáquio consigue absorberlos uno a uno. Lenta, pero progresivamente, la memoria del paciente se recupera casi por completo. Repasa todo su último viaje por la corteza terrestre, desde sus más pequeños aciertos hasta sus más graves desaciertos.

Se suspende la sesión por un receso, mientras Eustáquio se dirige al Departamento de Reencarnación. Recibido por Josemar - encargado de la selección de cartas - conoce algunos datos complementarios referentes a su reencarnación como Conde

---

[17] Nota del autor material: ver en el libro "*Nuevo Amanecer*" el capítulo "La descripción de nuestro árbol - IV - Coordinaciones Especializadas" y en el libro "*Conversando sobre Mediumnidade - Retratos de Nuevo Amanecer*" en su capítulo II, "Recepción del Espíritu en Nuevo Amanecer."

D'Antoine para integrar su recuerdo. Normalmente, la actividad de recuperación de la memoria es fatigosa y algunos detalles perdidos en la observación de las imágenes se complementan con la lectura de algunos datos archivados en el ordenador de la unidad competente.

De regreso al salón principal de la Coordinación de Triage, se reinicia el trabajo. En el proceso, derrama amargas lágrimas al revivir el momento de su asesinato en el duelo con Klaus.

- ¡Cálmate, Eustáquio! son solo recuerdos. Tu momento presente es diferente, recuérdalo - advierte Hilário.

- Está bien, trataré de mantener la calma a partir de ahora. Podemos continuar...

Al final de la sesión, el supervisor de obra propone una valoración conjunta de lo visto.

- ¿Qué puedo decirte aparte que estoy confundido? Ya no tengo un sentido claro del bien y del mal. No creo que pueda volver al plano material. Cometeré muchos otros errores.

- ¿Quieres quedarte aquí?

Sabes que eso es imposible, Eustáquio. La reencarnación es un medio indispensable para reparar sus deudas. Muchos se han visto perjudicados por tus acciones y esperan ansiosamente la oportunidad de volver a encontrarse contigo. La justicia divina hace esto posible. Tendrás que volver a crosta, pero antes de volver a Francia hará prácticas en otros lugares alejados del escenario de sus mayores y más graves desvíos.

- No, me niego a aceptar la idea de hacer Francia algún día, aunque sea en un futuro lejano...

- Eustáquio, acabas de caer en una de tus mayores desviaciones: la soberbia. En este momento, no estás en condiciones de elegir los caminos que quieres tomar. Sería mejor que estuvieras de acuerdo con nosotros, siguiendo el camino que te trazó la Unidad de la Elevación Divina.

- Pero, ¿dónde debo ir? ¿Bajo qué circunstancias reencarnaré? Necesito saber...

- Tendrás que partir hacia un continente lejano, lejos de Europa y te adentrarás en una vida dura y salvaje. Vivirás sin ninguna comodidad material, pero tendrás una oportunidad única de comprender el valor de la verdadera sencillez, reencontrándote con la Naturaleza. Será un lugar libre del acceso de sus mayores enemigos, especialmente aquellos en el plano espiritual. ¿Estás de acuerdo?

- Lo siento, Hilary, hay poca información. No puedo confiarles mi destino de esa manera. Prefiero quedarme aquí.

Una luz suave y brillante emana del centro de la pantalla frente a ti y llega a tu corazón. Se le administra un poderoso tranquilizante que hace cesar sus angustias y ansiedades. Eustáquio se duerme para despertar en Brasil[18], en el año 900, en la figura de un indio. La naturaleza será su testigo.

---

[18] Nota del autor espiritual: Brasil, como sabemos, en ese momento, no tenía ese nombre y era solo un continente salvaje, habitado por indios.

CAPÍTULO XIX

REVELANDO UN CONTINENTE SALVAJE

Criaturas aladas surcaron el claro cielo azul para aterrizar, poco después, sobre un árbol inmenso y frondoso, con ramas extensas y caídas, que ceden al peso de sus muchos años de existencia. Una abundante lluvia convive de manera amistosa con el esplendor del sol. Los animales se deleitan en los charcos de agua, lavándose en su baño diario, mientras las tranquilas aguas de un ancho río reflejan la sombría tranquilidad de la región.

En un claro inhóspito se levanta una taba con modestas tiendas. Desde lo alto de una escarpada roca, un indio anciano, todo adornado con baratijas, habla con entusiasmo ante una audiencia de cincuenta espectadores. Predicando la necesidad de cambiar el liderazgo de la tribu, el chamán Tatuí-Piaba insta a los indios a rebelarse contra el anciano cacique Petinguara.

A lo lejos, dos observadores espirituales de Nuevo Amanecer acompañan la escena y se comentan.

- ¡Ay, Eustáquio! Pasan los años y él persevera en su sed de poder esté donde esté. Es sorprendente el tiempo que tardan en corregirse las desviaciones arraigadas.

- ¡Es verdad! No en vano Agamenón se preocupó de designarnos observadores de su trayectoria. Solo debemos interferir si hay una concurrencia indebida de entidades inferiores provenientes de las zonas umbralinas.

Si Eustáquio continúa por este camino, puede atraer a viejos adversarios que lo perdieron de vista hace tiempo. Su vibración servirá de cebo para que estos espíritus se acerquen.

¡Por eso estamos aquí! Nuevo Amanecer busca garantizarte un territorio neutral para sus éxitos o fracasos.

Su capacidad para conmover a las multitudes con palabras bien escogidas y hábilmente colocadas es innegable. A los pocos días, el consejo tribal obliga a Petinguara a ceder su lugar a un jefe más joven, indicado por la sabiduría del chamán. El indio Arari-Tutoia asume el cargo.

Mientras el nuevo líder de los silvicultores sucumbe a los caprichos y órdenes del chamán Tatuí-Piaba, en realidad Eustáquio reencarnado y repitiendo sus errores del pasado, la paz reina pacíficamente en el pueblo. Desde el momento en que el cacique joven disputa al líder espiritual, comienzan las disputas y las muertes. Se producen asesinatos y enfrentamientos violentos entre ambas facciones.

Junto a su ambición descontrolada, el chamán guía amablemente a los indios que acuden a él en busca de consuelo espiritual. Al preparar medicinas extraídas de plantas y raíces, logra salvar muchas vidas y, de alguna manera, practicar la caridad. Envejeciendo en el sordo combate con Arari-Tutóia, terminó vencido por el cacique, mucho más joven y poderoso. Condenado al ostracismo, Tatuí-Piaba es reemplazado por otro indio en la pajelança y, asqueado, muere olvidado en la soledad total.

En posición de víctima, Eustáquio abandona el plano material y es rescatado por emisarios de la Colonia espiritual a la que está conectado, reiniciando de inmediato un lento pero necesario proceso de planificación de su próxima reencarnación, que será preparatoria. Después de computar sus éxitos y desviaciones, todavía queda un enorme saldo por redimir en el futuro.

CAPÍTULO XX

EN LA CASA DE REPOSO"

Con la ayuda de Nívea, Eustáquio es llevado de regreso a Nuevo Amanecer, donde se hace interno en la Casa de Reposo y, mediante un tratamiento, transforma su periespíritu, inicialmente en forma de indio, hasta que recupera su aspecto anterior.

La reencarnación, como ley universal de progreso de los seres, hace posible que los espíritus evolucionen gradualmente a través de innumerables pasajes en el plano físico. A veces por determinismo del plano superior, a veces por libre albedrío, el proceso de retorno a la materia nunca se detiene y la purificación lograda por el ente nunca retrocede, involucionando. A lo sumo puede producirse un estancamiento, que no deja de constituir una pérdida para el espíritu.

Tras un extenso recorrido por la colonia, estudiando, mejorando y aprendiendo, Eustáquio se prepara para volver a la carne, reiniciando su trayectoria en otro lugar alejado de Francia, escenario de sus mayores deudas.

Hay tres formas básicas de progresión espiritual con respecto a las reencarnaciones por las que pasa el espíritu.

Clave de Reencarnación: destinada a los rescates más grandes e importantes a los que se tenga que enfrentar. Las grandes deudas acumuladas por el Espíritu suelen estar concentradas en una determinada región del globo terrestre y están relacionadas con personalidades específicas. El reencarnado, en el escenario de sus más graves abusos, atraviesa una trayectoria de pruebas y expiaciones. Triunfando en el camino, alcanzará una alta purificación espiritual. Si falla, continuará en la misma etapa evolutiva y deberá continuar, en el futuro, en el camino expiatorio y regenerador. Para que este viaje de regreso tenga una mínima probabilidad de éxito, el espíritu debe primero pasar por reencarnaciones alternativas y preparatorias.

Alternativa-reencarnación: brinda apoyo al espíritu para que pueda desprenderse de su paso anterior por la materialidad. Una reencarnación clave que no trajo ningún progreso a la criatura no se olvidará fácilmente. Así, la alternativa-reencarnación, en un lugar alejado del escenario de sus arraigadas desviaciones y con otros seres, permite al ente en progreso desligarse de sus ataduras pasadas, abriendo su campo de acción para el futuro. Fue el caso de Eustáquio cuando se reencarnó en Brasil.

No siempre una sola reencarnación alternativa es suficiente para preparar a un espíritu para regresar a Crosta, en una reencarnación clave. Dependiendo, por tanto, del libre albedrío de cada uno y de su fuerza de voluntad para superar resignadamente los obstáculos, puede haber o no varias alternativas-reencarnaciones.

Reencarnación preparatoria (o estratégica): cumplida la etapa de la criatura en una o más reencarnaciones alternativas, el regreso a la corteza terrestre que debe preceder a una reencarnación clave se llama preparatoria. Lógicamente, el espíritu, apenas haciendo uso de su libre albedrío, podrá acumular tantas deudas en una reencarnación preparatoria, que no podrá volver, al poco tiempo, en una reencarnación clave. Sin embargo, por regla general, cuando la entidad alcanza la reencarnación preparatoria, significa haber alcanzado un nivel de evolución razonable, que le da derecho a un retorno decisivo.

No existe, por tanto, una regla absoluta en esta cadena, ya que la designación de cada reencarnación del espíritu depende de la concentración de cierto tipo de pruebas y expiaciones que se enfrentarán en la materialidad. Las reencarnaciones clave tienen un alto número de pruebas y un menor número de expiaciones.

En las reencarnaciones alternativas ocurre lo contrario - mayor número de expiaciones y menor número de pruebas. Las reencarnaciones preparatorias se equilibran con un número similar de pruebas y expiaciones, aunque con predominio de estas últimas.

Eustáquio recibe su próximo horario del Departamento de Reencarnación y, resignado pero aun no convencido, vuelve a la carne para cumplir, en la identidad de Samuel, una reencarnación preparatoria.

CAPÍTULO XXI
EXPIACIÓN EN ESLOVENIA

Asumiendo el cuerpo de Samuel, Eustáquio nació en el seno de una familia pobre en Eslovenia en el año 970. Sus padres son judíos itinerantes, David y Rachel, muy apegados a sus hijos y al trabajo del campo, pero incapaces de establecer una residencia y pasar la vida viajando el mundo. En aquella ocasión, establecidos en la región fronteriza entre el Ducado de Carintia y el Reino de Croacia, afrontaron dificultades materiales de todo tipo.

Samuel tiene una discapacidad física y un retraso mental, lo que no le impide pensar, pero lo ralentiza. Apoyado por su hermana mayor, Sara, el niño crece sin mayores problemas, aunque siempre entristecido y con el corazón inconforme en el pecho.

Solo cuando está desprendido del cuerpo físico, antes del camino que le proporciona el sueño, se regocija en el contacto con las entidades espirituales que lo rodean, sean buenas o malas. Se siente liberado de su limitado envoltorio carnal y, en innumerables ocasiones, desea no volver a su escenario en la Corteza, con la intención de no despertar nunca del sueño que lo envuelve. Sus mejores sensaciones; sin embargo, las experimenta cuando, en el desapego, se encuentra con su amada Nívea. En estas ocasiones rememoran juntos algunos aspectos de su pasado en Dijon, a excepción de la necesidad de volver a Francia para saldar sus deudas.

Largos años de reflexión y sufrimiento provocados por el encierro de su débil cuerpo material, lleno de amor familiar, lo habilitan para abogar por una reencarnación clave, en busca de la ansiada evolución espiritual.

Desencarna a los 60 años y atraviesa los portales dorados de Nuevo Amanecer, a la espera de su proyecto más ambicioso: revivir Francia y reconstruir su pasado a través de una conducta verdaderamente cristiana.

FIN DE LA PRIMERA FASE

SEGUNDA PARTE

EN REEDUCACIÓN

1080 - 1502

CAPÍTULO XXII
CALAIS

- Ah, el mar... Respira hondo, Melanio, y siente la fuerza que emana de sus aguas ardientes para combatir con ferocidad la inercia de las rocas. ¿Ves lo que te digo?

Indiferente a este monólogo sordo, el Melanio, un hermoso perro de origen británico, se mantiene fiel al lado de su dueño Patrick.

La tarde es oscura y con niebla. Calais y sus alrededores miran al mar y su comunidad vive bajo la influencia directa de las costumbres inglesas, a pesar de su ubicación en tierra firme.

Patrick, un joven caballerizo, con veinte años de idealismo y sueños, admira el mar y sus misterios como si allí se proyectara su propio pasado, escondido bajo la furia de las aguas.

- Sabes, Mel[19], si pudiera, viviría en Londres. No puedo soportar más esta vida miserable. ¿irías conmigo?

Ladridos agudos resuenan por el acantilado de acuerdo con el propietario.

El joven caballerizo de la región de Flandes trabaja para el duque de Talantois y participa en numerosos torneos al frente de los hermosos caballos del noble. La epilepsia - enfermedad que lo aqueja - amarga sus días y hace añicos sus esperanzas de progreso y ascenso social. En uno de los concursos organizados por el Ducado de Talantois, con la participación de numerosos nobles de la región, Patrick conoce a Clemence, dama de compañía de la

[19] Nota del autor espiritual: apodo cariñoso de Melanio

condesa du Carmier, y se enamora perdidamente de ella. A pesar de ser delgado, el chico tiene un brillo cautivador en los ojos, dibujando un aire ingenuo y frágil, pero escandalizado. La chica se siente profundamente unida a este hombre que acaba de conocer y horas después ambos intercambian los más sólidos votos de amor.

Unas semanas más tarde, se unen en matrimonio y comienzan a vivir cerca del castillo de Talantois. Durante dos años parecen vivir en absoluta felicidad, aunque Patrick siempre muestra su descontento por su precaria situación social. Clemence recibe entonces el nacimiento de Patrice, una niña de ojos tan verdes como las aguas del mar que acompañaba los sueños y reflexiones de su padre.

Una vez, Merkon, Barón de York y amigo personal del duque, aparece en Calais para una visita. Irónico y mordaz, el noble inglés pronto se burla del joven paje.

- Mi querido Duque, observo que sigues dando cobijo a este joven... ¿Cómo se llama?

- Patrick...

- Bueno... ¡Escuché que es un caballerizo alabado! - El duque asiente, sacudiendo la cabeza.

- ¡Difícil de creer! El niño es delgado y tiene un aire bastante tonto. ¿No te parece?

- ¡No digas eso, Merkon! El chico está cerca.

Engreído pero astuto, el noble inglés tiene un plan para provocar al desprevenido Patrick y también al ingenuo Duque.

- Pobrecito, está muy enfermo...

Se suelta la chispa final y Patrick, desprevenido, se siente herido en su orgullo e invade la conversación.

- ¡Lo siento, señores! ¿No debería yo, un simple paje, que cuida de los caballos, interferir en su conversación? Sin embargo, fui atacado en mi honor por el señor Barón de York. Quiero decirles que, a pesar de mi enfermedad, puedo atender perfectamente mi servicio...

El niño cuenta con la infinita amabilidad y paciencia del Duque al permitir que un sirviente se dirija a los nobles, especialmente a los visitantes, de esta manera.

- Nadie cuestiona tu valía, Patrick - dice el jefe.

- ¡Sí, cuestiono! Te reto a que me demuestres lo que hablas con tanta arrogancia en este momento - responde el noble inglés.

- Lo haré, señor Barón, mientras mi amo lo permita.

- ¿Qué quieres decir con eso, Merkon? - pregunta el Duque.

- Llévalo contigo a Inglaterra y haz que entrene a tus animales para el próximo torneo de York.

Asombrado, el duque de Talantois consulta al joven caballerizo.

- ¿Aceptas ir a las tierras del Barón, Patrick?

- ¡Sin duda, señor!

Lanza su suerte y el noble visitante logra su propósito, lesionando el orgullo del muchacho, logra sacarlo de Talantois para llevarlo a tus dominios para entrenar animales de pura raza.

Clemencia, insatisfecha, llora la partida del marido, pero acepta las líneas que el destino acababa de traer.

CAPÍTULO XXIII
PATRICK EN INGLATERRA

La noche avanza lentamente y durante horas sufre una violenta tormenta, mientras un barco cruza el Canal de la Mancha. La tripulación muestra un enorme cansancio, mientras el capitán del barco busca soluciones a los grandes daños sufridos. Una enorme niebla se levanta frente al barco simbolizando la llegada a Inglaterra. Sentimientos de angustia y arrepentimiento comienzan a brotar temprano en el espíritu de Patrick.

- "Nada puede vencerme" - piensa resignado.

Enojado, el barón ordena a todos los sirvientes que se preparen para desembarcar. Horas más tarde, la expedición se dirige hacia el castillo de York.

La Luna se esconde tras las nubes, dejando a los viajeros tensos y temerosos ante la profunda oscuridad de la noche. Atónitos, encienden varias antorchas para encontrar el camino. Los minutos se convierten en horas y éstas parecen alargarse como si fueran días.

Entran en un bosque denso y húmedo, donde diminutas criaturas nocturnas persiguen a los peregrinos con insistencia. De repente, un mareo controla a Patrick, que cae postrado al suelo. El Barón, sin admitir demoras, comienza a gritar:

- ¡Estúpida criatura! ¡Levántate inmediatamente!

Las groseras palabras de Merkon penetran en las entrañas de Patrick y éste regresa, por unos minutos, al pasado lejano, identificando el mismo tono de voz que una vez escuchó de Don Antonio, en Cosenza. Sin duda, el nexo entre ambas figuras se revela en su inconsciente, ya que el Barón es, en realidad, la reencarnación del pérfido Don Antonio do Monte Nebrini.

Delirante, el joven comienza a gritar:

- ¡No, por Dios, perdóname don Antonio! Ten piedad de...

Confundido y sin entender lo que sucede, el noble inglés ordena a los lacayos que lleven al caballerizo a la espalda.

- Le dije al Duque que este muchacho no vale nada... - se queja Merkon.

Las órdenes se cumplen al pie de la letra y el grupo prosigue el viaje hacia el castillo de York, llevándose inerte el cuerpo del paje.

A la mañana siguiente, Patrick abre los ojos y frente a él se encuentra una mujer gorda y fea, con las manos apoyadas en las caderas, que lo mira fijamente.

- ¿Quién eres tú? ¿Dónde estoy, señora?

- ¡Miren eso! Un auténtico idiota de hábitos refinados... - risas. Estamos en tierras de York y tú estás confinado en tus aposentos: el establo. ¡Soy Crismeia, el ama de llaves! Te aconsejo que te despierte de inmediato y comience inmediatamente su trabajo o de lo contrario te quedarás sin comida.

Antes que Patrick pueda reaccionar, la mujer le da la espalda y se va. Angustiado, vuelve sus pensamientos al Ducado de Talantois y recuerda la dulce imagen de Clemencia. A su lado, calmando su espíritu, está Nívea, su mentora.

Después de un mes de actividades agotadoras, el muchacho se da cuenta que el Barón no tiene intención de devolverlo a Flandes. Su aislamiento es casi total. No recibe cartas de su esposa ni de su amo. Entra en desesperación.

Al preguntarle a Crismeia, se entera de las acciones de Merkon. Le había escrito al Ducado, diciendo que Patrick se negaba a regresar y que se establecería permanentemente en Inglaterra. Sintiéndose prisionero, sabe que su familia creería en esta versión, pues siempre había querido residir en tierras británicas. Asqueado, decide vengarse de quienes lo mantienen prácticamente encarcelado en York. Inteligente, se aprovecha de la ignorancia de Crismeia y otros sirvientes, comenzando a intrigarlos entre sí.

En poco tiempo, el ama de llaves estaba en desacuerdo con la cocinera Margot y el conductor del carruaje, Malcolm. Estos, a su vez, creyendo en la trampa preparada por el caballerizo, también comienzan a pelear entre ellos.

Malicioso y usando todo su ingenio, Patrick se da cuenta que Crismeia tiene un amor platónico por el Barón. Aprovechando esto, la invita a una feroz conversación.

- (...) ¿Te enteraste del comentario que anda dando vueltas por el palacio?

- ¿Qué comentario?

- ¡Oh lo siento! Pensé que te habías enterado de los interludios del Barón... Lamento ser el autor de esta terrible noticia.

- ¿De qué estás hablando, Patrick? Me pones nerviosa así.

- La Baronesa está imponiendo su reemplazo... Creo que descubrió la traición.

- ¿Cómo? ¿Traición? ¡Que absurdo!

- Todo el mundo sabe que estás enamorada de tu amo, no lo niegues...

Patrick simplemente tira el anzuelo, no está seguro de lo que está hablando, pero Crismeia se traga el señuelo y entra en pánico. Sin terminar la conversación, el ama de llaves lanza un grito convulsivo y se encierra en sus habitaciones.

El Sol tropieza en su esquina, después de un día largo y cansado, escondiéndose detrás de la luna que se eleva en lo alto del cielo inglés, mientras un grito gutural resuena en la pradera. Asustados, los sirvientes del castillo ven el grito de terror proveniente de la biblioteca. Al entrar en la habitación, encuentran, entre fina porcelana inglesa hecha añicos en el suelo, el cuerpo inerte de Crismeia. En su mano todavía está la empuñadura de una daga, cuya hoja afilada está incrustada en su propio corazón.

La institutriz se había suicidado y, frente a ella, el Barón permanece lívido y estático.

- ¡Esta mujer se ha vuelto loca! Entró a la biblioteca llorando y, diciendo que se suicidaría si no la perdonaba, trató de agarrarme a la fuerza... La empujé con fuerza, con naturalidad. Incapaz de evitarlo, sacó una daga y la enterró violentamente en su pecho. ¡Nunca había visto una escena como esta en toda mi vida!

Incrédulo con los hechos que presenció, el Barón se explica a los sirvientes. El sentimiento de culpa se extiende entre todos los presentes, cada uno sintiendo que él, a su manera, había contribuido a este fatal desenlace. Tantas intrigas se han cultivado en el castillo en los últimos días que ninguna otra podría haber sido la consecuencia.

Una semana después de la muerte de Crismeia, varios sirvientes renuncian y abandonan las tierras de York. Patrick, regocijado, siente que ha dominado la situación. Luego, se llama la presencia de Merkon.

- No sé qué desgracia le sucedió a mi baronía... De repente, varios empleados que habían trabajado para mí durante años abandonaron sus puestos y desaparecieron. Parece que estoy viviendo una especie de maldición. Necesito que te hagas cargo de la dirección del palacio, contratando nuevos sirvientes.

- Señor Barón, me siento honrado por su confianza, sin embargo...

- ¿Qué quieres decir? ¿Eres reticente?

- Debo volver a Calais para volver a ver a mi familia. ¿Podría yo, con el debido permiso y sometiéndome a su ilustrado entendimiento, proponer un trato...

- ¿Un trato? ¿¡Quieres chantajearme cuando necesito tus servicios!?

- ¡De nada! Solo me gustaría ir a casa y con gusto le ayudaría en este difícil momento, contando con su colaboración para más adelante...

- ¡Está muy bien! Reconozco cuando no tengo elección. Podrás irte tan pronto como la situación se normalice en este castillo. ¡Vete fuera ahora! No quiero verte más frente a mí.

Patrick trabaja duro durante un mes y logra reemplazar a todos los empleados que han dejado sus puestos en la baronía. Reorganizada la vida en el palacio, vuelve la presencia del Barón.

- Señor, le pido humildemente permiso para salir de York y regresar a Flandes.

- ¡Permiso denegado! Continuarás ayudándome hasta los futuros juegos de Evesham.

- ¡Hubo un trato, señor! Insto, con todo respeto, a que se cumpla.

- Yo establezco las reglas en mis tierras, jovencito. Ajústate a ella o serás retenido en el establo de nuevo indefinidamente.

Enojado y sintiéndose vil traicionado, el novio saca una daga y, sin dudarlo, se la arroja al Barón, quien instintivamente la desvía. El arma cuerpo a cuerpo acaba golpeando a Sofía, Baronesa de York, que acaba de entrar casualmente en la biblioteca. Herida de muerte, la esposa de Merkon sucumbe frente a dos espectadores asombrados.

No es casualidad que se repita la misma situación del pasado lejano. Carlo había matado a la mujer de don Antonio. Ahora, de nuevo, su suerte la está asesinando. Colocados en una situación de riesgo, en lugar de rescatar deudas mutuas del pasado, terminan por aumentar sus deudas y, según la ley de acción y reacción, repararán el mal que levantan a su paso.

CAPÍTULO XXIV
DE VUELTA A FRANCIA

Después de correr, en vuelo, por los sinuosos y angostos senderos del inmenso bosque que rodea el castillo de York, Patrick tiene perros salvajes tras su rastro, seguidos por valientes mercenarios contratados por el Barón para exterminarlo. Consigue; sin embargo, llegar a Oxford y desde allí, asociándose con una banda de contrabandistas de productos orientales, cruza el Canal de la Mancha, llegando a Calais.

Finalmente, ingresa al Ducado de Talantois y pronto se reencuentra con su esposa e hija. Recibido con ternura por Clemence, Patrick se despliega explicando a todos, incluido el propio Duque. Perdonado por todos, pronto regresa a su antiguo trabajo.

La amargura acumulada en los dominios de York; sin embargo, da lugar a sentimientos desequilibrados en el muchacho, a veces de venganza, a veces de malicia. Después de tantas intrigas que promovió, ya no puede vivir sin entrometerse en la vida de los demás, provocando un profundo disgusto en su paciente esposa.

En poco tiempo, su relación conyugal se rompe y se entrega a las juergas y la embriaguez habitual. Se involucra sentimentalmente con varias mundanas de las posadas de Calais y ni siquiera las advertencias del Duque de Talantois se digna escuchar. Su camino ingobernable lo condena al ostracismo, abandonado por sus amigos, condenado por sus vecinos y reprendido por su jefe. La familia continúa apoyándolo, sin dejar que nunca se sienta abandonado. Aunque consigue en casa el amor que tanto necesita, Patrick se deja llevar por la forma de vida desequilibrada que adopta.

Cuando cumplió los treinta y cinco años de edad, lo invadió un ominoso remordimiento, aunque no sintió que tuviera fuerzas para cambiar el flagelo emocional en el que estaba envuelto. Desde entonces, sin esperanza de renovación interior, hasta el final de su trayectoria, no pudo desenredarse del meandro triste que traía a su propia existencia.

Desencarna en 1137, en los dominios de Talantois, en Calais, volviendo a la Espiritualidad con mucho trabajo por hacer.

CAPÍTULO XXV

DESENLACE EN CALAIS

La misma niebla densa del bosque de York, oscura, fría e impasible, recibe a Patrick en el mundo de los espíritus. Ciego y confundido, permanece inconsciente durante unas horas. El miedo domina su ser. Después de semanas en este estado letárgico, una voz metálica llama su atención.

- ¡Patrick! ¡Asesino! ¿Qué te hice para merecer tanto odio? ¿Qué males puedo pagarte para compensar mi sufrimiento?

- ¿Quién eres tú que no reconozco? ¿Dónde estoy?

- ¡Soy Minerva![20] La que por siglos ha sido atormentado y atacado por ti, levemente. Dos veces, Patrick, me quitaste la vida material. Ahora, me veo obligada a vagar por estos pantanos sofocantes únicamente por tu culpa.

- Es un error, señora, nunca la había visto antes...

¡Quizás no me habías visto de la forma en que me presento hoy! Pero una vez fui hermosa y rica. ¡Sí, poderosa e idolatrada! ¿Seguramente recuerdas a la Baronesa de York que asesinaste sin razón? ¿Todavía recuerdas a Cosenza, cuando me quitaste la vida de nuevo en el monte Nebrini?

- ¡No es posible! Tengo ganas de darle vueltas a mis recuerdos...A su debido tiempo tendrás que recordar. Hasta

[20] Nota del autor material: es común que los Espíritus cambien de nombre en la Espiritualidad, como se ve en el caso de Claudine/Giovanna, cuyo nombre en el mundo espiritual es Nívea. Minerva fue la esposa de Don Antonio y Sofía, la Baronesa de York, dos veces asesinada por tanto por Eustáquio. De ahí el origen de su odio por Patrick.

entonces, sígueme. Serás mi prisionero y haré que te arrepientas de los actos bárbaros que has cometido.

Dirigiéndose a sus aliados, Minerva ordena que se coloquen cadenas[21] alrededor del cuello de Patrick, sin poder mostrar ninguna reacción. La sabiduría divina permite tales expiaciones, ya que los verdugos y los prisioneros son víctimas de sus propias acciones pasadas. Mientras presenten periespíritus densificados, no son capaces de habitar mundos superiores. Se arrastran por zonas de sombra, chocando entre sí, hasta que pueden ser rescatados por mensajeros de alguna colonia espiritual.

Años de acoso continuo agotan el impulso vengativo de Minerva, que afloja sus lazos obsesivos y libera a Patrick.

Rescatado, entonces, por Nuevo Amanecer, vuelve al tratamiento.

- Qué bueno tenerte por aquí de nuevo, Eustáquio. ¿Recuerdas todo lo vivido? - Le pregunta Hilário, encargado de su orientación en la Colonia.

- ¡Seguramente! Comienzo a darme cuenta de la gravedad de mis errores. ¿Cuánto tiempo sufriré así?

- No puedo responderte esta pregunta, porque todo depende exclusivamente de tu libre albedrío. Debes promover una verdadera reforma interior para sentirte renovado espiritualmente.

- ¿Y tendré otra oportunidad de hacerlo?

- ¡Siempre mi amigo! La ley de la reencarnación nos permite volver a la carne, expiar los errores del pasado y someternos a nuevas pruebas, una y otra vez.

- ¿Debo encontrar a Minerva?

- Sí. Hay deudas entre los dos que merecen reparación. No fue un accidente que la atacaras dos veces en el pasado.

---

[21] Nota del autor material: estas no son corrientes materiales, sino formas de pensamiento que son construcciones mentales, ideoplásticas.

Anteriormente, ya habías sido atacado por ella. En lugar de perdonarla, aunque sea inconscientemente, terminaste vengándote. En Cosenza, la mataste porque quisiste. En York, por accidente, pero arriesgándose[22] a herir a tu prójimo, terminaste por asesinarla una vez más. Una regresión más amplia al pasado permite revisar lo que digo.

- ¿Se someterá ella al mismo proceso?

- Cuando sea posible, también recordará sus actos pasados.

Recuerda que lo mejor para ambos es el perdón mutuo.

Haciendo caso a las palabras de Hilário y dirigiéndose a la sesión de conmemoración, Eustáquio absorbe inequívocamente la lección que acaba de escuchar.

Durante cuatro años, Eustáquio fue interno en un Puesto de Socorro en Nuevo Amanecer, trabajando duro y preparándose para regresar a la Crosta.

Cercano al momento de la reencarnación, y advertido por Hilario.

- Sabes que habrás vivido una reencarnación clave. Aprovecha esta oportunidad única para rescatar tus errores. Una vez más, su programación será una cuna noble y cómoda, pero tus enemigos del pasado estarán allí para cobrar sus deudas. Saber tener la lucidez de perdonar y no dejarse llevar por influencias negativas. Un eventual fallo podría causarte un inmenso retraso en su trayectoria evolutiva.

- Escuchándote ahora, todo parece claro e incuestionable. Sin embargo, cuando reencarné, siempre me dejé llevar por intereses materialistas. Termino convirtiendo mi vida en un completo sinsentido. ¿Cómo puedo evitar este desequilibrio?

---

[22] Nota del autor del material: más detalles se encuentran en el libro *"Conversando sobre Mediumunidad - Retratos de Nuevo Amanecer"*, capítulo XIV (Teoría del Riesgo).

- ¡Con mucho esfuerzo y fe, Eustáquio! El progreso espiritual se logra gradualmente y por tu propia voluntad. Apóyate en el amor y la caridad y tendrás éxito.

La afectuosa despedida de Hilario le da fuerzas renovadas y, en el año 1147, en Dijon, nace el niño Carlos, hijo del respetado y temido Duque de Bogondier, iniciando un nuevo viaje por las peripecias de la vida terrena.

CAPÍTULO XXVI
CARLOS DE BOGONDIER

Las imponentes torres del majestuoso castillo del Ducado de Bogondier rasgan la claridad del cielo azul y encandilan a los viajeros que pasan por allí. Dijon no sería lo mismo si no fuera por los dominios del Duque, que marcan en gran medida la vida de los habitantes de la región.

En una de las habitaciones del palacio, varios invitados nobles se divierten burlándose del pequeño Carlos, un niño mimado de siete años. El austero Duque, en lugar de apoyarlo, participa del desprecio colectivo contra su hijo.

- ¡No seas débil, Charles! ¡Debes responder a las provocaciones como un hombre!

- Pero, padre mío, soy pequeño. Son más fuertes... no hay forma de enfrentarlos.

- ¡Qué absurdo! Ya tienes siete años. A esa edad acompañaba a mi padre en los duelos y le brindaba todo mi apoyo. No puedo permitir que te consideren un marica.

Incapaz de responder a la altanería de su padre, el niño ataca los presentes, en un gesto desesperado. Superado, termina herido y se va, llorando y humillado, a su habitación.

No hay cariño en el hogar, ni siquiera la atención de los padres, y Carlos crece infeliz y consolado solo por la inmensa riqueza material de su familia.

Educado en el ducado por el profesor parisino Paul de Sarcotian, el niño mostró, a una edad temprana, una inteligencia inusual y una extrema dedicación a sus estudios. Elige a su maestro como figura ejemplar, a quien atribuye las cualidades de educador y padre. Se dedica a las artes y a la literatura erudita desde que llega a la adolescencia.

Indiferente al progreso educativo de su hijo, el Duque, presionado por los nobles, decide interrumpir las clases y enviar al niño a París para que siga la carrera militar. Carlos rechaza rotundamente la determinación de su padre y lo confronta por primera vez en su vida. El Duque se sorprende por la posición contundente del joven. En poco tiempo, los rumores en la Corte cuestionan la virilidad del único hijo del noble más rico de Dijon. Lo consuela su maestro.

- ¡No te desanimes, Carlos! Tus padres están preocupados por tu futuro y el Duque no quiere hacerte daño.

- No me siento así, mi querido Paul. Cambiaría toda la fortuna que tengo por llamar la atención de mis padres.

- Tienes relativa razón. El amor es fundamental para la vida de los seres; sin embargo es importante que recuerdes nuestro efímero viaje por la materialidad. Llegará el momento de la liberación para ti y para todos nosotros, cuando seremos capaces de buscar, en su totalidad, el verdadero sentimiento, que es lo espiritual. El cuerpo que tenemos, en esta vida, obstaculiza nuestras sensaciones reales y, a veces, nos falta espacio para actuar como nos gustaría. Sin embargo, una vez liberados de la materia, viviremos el amor en plenitud.

- ¡Que mi padre nunca te escuche con estas ideas sobrenaturales! ¿Sabes que la brujería se castiga con la muerte?

- No es brujería. Tengo fe y creo en estos postulados. Por el momento, los científicos de la Corte no pueden probar la existencia de vida después de la muerte, pero Jesús nos enseñó que su Reino no es de este mundo. Confío, por tanto, en que algún día la humanidad tendrá esta prueba. Hasta entonces, mantengo mi convicción interior.

- Perdón profesor. Aprecio tus clases y elogio tu conocimiento, pero no creo en la vida después de la muerte y no me importa la religión. Pienso que las guerras, especialmente las Cruzadas, son fruto del fanatismo cristiano.

- ¡Absolutamente! No confundan el verdadero cristianismo con los que desprecian las palabras de Cristo y fomentan la guerra. Tampoco creo en la necesidad de ningún tipo de "guerra religiosa." Un acto de muerte, violencia y sufrimiento no puede ser imputado a Dios.

- Puede ser, Paul, pero sigue desacreditando este hermoso mundo del que tanto hablas después de la muerte.

- ¡No te preocupes por eso! En cambio, mantén altos valores morales y una vida honorable. ¿Todavía crees en estos postulados?

- ¡Seguramente! Nunca los olvidaré.

Cuando cumplió dieciséis años, Carlos fue víctima de las calumnias perjuras de los pérfidos amigos de su padre, quienes le lanzaron acusaciones frívolas, cuestionando su relación íntima con el profesor Sarcotian. Por haber rechazado la carrera militar, el muchacho es despreciado por los nobles y vilipendiado en su honor y sexualidad. Ante varios e insistentes rumores, el Duque está molesto, determinando la inmediata remoción de Paul de sus dominios.

Insatisfecho con la repentina ruptura de su amistad con el maestro Sarcotian, Carlos sucumbe a una profunda depresión que lo envía a la cama enfermo. Nadie puede acceder al niño, encerrado en su habitación durante días y noches seguidas, sin comida y asqueado, lleno de una rabia incontrolable. Debilitado, comienza a ser acosado por innumerables entidades inferiores que intentan obsesionarlo, convirtiéndolo en un títere de sus sensaciones animales. Sin fe y desacreditado en los valores cristianos que había aprendido a lo largo de su proceso educativo con Pablo, se convierte en presa fácil de los malos sentimientos y se embarca en el torcido camino de la ira y la rebelión. No satisfecho con la simple expulsión del profesor Sarcotian de sus tierras, el Duque decide exterminarlo, creyendo que es la única forma de contener los maliciosos rumores del temerario noble. enviar a su hijo a Londres, lo saca apresuradamente de Dijon y ordena a sus sirvientes que encuentren y encarcelen al antiguo tutor de Carlos.

Capturado, Paul se presenta al Duque.

- ¡Eres el profesor que apartó a mi hijo de la carrera militar, ganándose comentarios maliciosos en la Corte! ¡Eres tú la causa de la enfermedad actual de Carlos, casi irrecuperable después de haber sido liberado de tus garras! ¿Qué fin mereces, señor, sino la muerte?

- ¡Señor duque, te lo suplico! No creas en las calumnias de los demás. Tu hijo es inteligente y sensato, y nunca tuvo la intención de insultarte rehusando la vida militar. Tenía la intención de estudiar en París, perfeccionándose en la cultura de los libros, a pesar de respetar profundamente sus convicciones y su deseo. Le di lo mejor de mis valores a lo largo de nuestro tiempo juntos y nunca hubiera pensado que se pudieran levantar tantas mentiras sobre nosotros.

- Eres cobarde al no admitir tus errores. ¿Crees que escaparías a tu pena con tales justificaciones?

- Sé cuál será mi destino, no importa lo que diga. No pido nada para mí, señor Duque. ¡Le ruego por el chico! Él no tiene la culpa y nunca tuvo la intención de ofenderlo. Déjalo que siga su camino y le aseguro que no se arrepentirá.

- ¡Además, eres arrogante! ¿Quiere, señor, enseñarme a velar por los intereses de Carlos? ¿Yo, el Duque de Bogondier?

- Lejos de mí enfrentarte. Clamo por su sentido común y por su amor a Dios. Perdóneme si fallé en alguna oportunidad. Mis intenciones eran las mejores posibles. Siempre he considerado a Carlos como mi hijo.

- ¡Basta! No quiero saber más de ti. ¡Llévenselo!

Retirado del castillo, los guardias llevan al profesor a un bosque vecino, donde se aplica estrictamente la sentencia del Duque. Horas después regresa a su patria espiritual el mentor Genevaldo, quien deja su sobre carnal de Pablo de Sarcotian, acogido con alegría por sus compañeros de Nuevo Amanecer y recordando su misión secular en la guía y apoyo del obstinado Eustáquio.

CAPÍTULO XXVII

REVIVIENDO EN GRAN BRETAÑA

El año 1171 se eleva alto en el horizonte de la vida, haciendo florecer los cielos ingleses y fomentando la valentía de los caballeros y nobles de la región de Canterbury. Predicciones sombrías inquietan a Carlos, único heredero del Duque de Bogondier, a medida que se acerca la fecha de su regreso a Francia.

Vive en el próspero condado de su tío Heber Roithman y se está recuperando por completo de sus traumas pasados. Un hombre adulto, un caballero intrépido entrenado por la combatividad de los torneos británicos, se siente incómodo con la necesidad de dejar Inglaterra y regresar a Dijon. El viejo Duque, ya en su lecho de muerte, llama a su hijo para que se haga cargo de sus negocios.

- Tu padre convoca al futuro Duque para que asuma el cargo. ¿Estás dispuesto a hacerlo, Carlos?

- ¡Ciertamente mi tío! Lamento dejarte solo después de todos estos años de vivir juntos y ser amigos.

Sentados alrededor de una rica mesa, tallada con la madera más fina, servida por corteses sirvientes, los dos amigos continúan conversando.

- Por cierto, el Rey Enrique no está satisfecho con la posición de la Iglesia en Inglaterra al oponerse a la nueva Constitución. ¿Qué te parece que fijemos nuestra posición al lado de su majestad?

- ¿Cómo podemos oponernos a la Santa Iglesia? ¿En serio?

- Es solo una retirada estratégica. El Rey es sensible a los cambios. Podremos estar a tu lado de vez en cuando y luego volveremos a cortejar al obispo. Conseguiremos duplicidad de apoyo.

- ¿Qué nos traería de positivo y rentable una postura tan arriesgada como esta?

- ¡El gobierno de Irlanda! Inglaterra amplía sus fronteras.

- Tú puedes, mi tío, beneficiarse de la adquisición de nuevas tierras.

- ¡Eres un articulador brillante! Tu padre estaría orgulloso de tus obras.

- No me hables del Duque. Sabes que no lo considero un padre.

- ¡Olvida el pasado, Carlos! Estoy seguro que quería lo mejor para ti.

- Prefiero cambiar de tema. ¿Cómo estarás con mi partida?

- Muy sentido. Me aferré a su compañía y me entristece, aunque sigo abogando por que tome su puesto en Dijon.

Emocionado, el Conde Heber abraza fuertemente a su sobrino, quien no deja de responder al cariño recibido y, un mes después, se intercambia el último abrazo entre ambos ya con la partida de Carlos.

Durante siete años se sintieron felices e intercambiaron nuevas experiencias. Mientras el muchacho encontraba, por primera vez, a un pariente que lo respetaba y le demostraba amor, el solitario Conde encontró en el joven al hijo que nunca tuvo y que le dio la esperanza de seguir viviendo, nombrándolo su único heredero.

La experiencia vivida por Carlos en el condado de Canterbury le sirve de apoyo sentimental, debilitando un poco su aguerrido espíritu, aunque lo desvió del camino de las artes y la superación intelectual, impulsándolo de nuevo a las armas y los torneos, lo que, sin duda, hace que su camino sea más oscuro.

CAPÍTULO XXVIII

EN LA CORTE DEL REY FELIPE AUGUSTO

Un séquito portentoso acompaña al Duque de Bogondier y su familia al palacio real. Nadine, una mujer joven de piel pálida, rostro atravesado por el sufrimiento y ojos hundidos y tristes, vislumbra el paisaje tranquilo e inerte de las praderas. Un aire pesado sofoca el interior del carruaje y Carlos se siente cada vez más impulsado a poner fin al interesante matrimonio que lo unía a esta muchacha, la hija mayor del rico Conde de Blois. Los niños, Carlos II y Rubión , permanecen cabizbajos durante todo el viaje, seguros que su padre no toleraría ni una sola broma delante de sus ojos. De repente, las trompetas resuenan a través de los portales del castillo, anunciando la gloriosa llegada del Duque, esposa e hijos y preparando a los acólitos del Rey que recibiría a uno de los nobles más ricos de todo el reino.

En el gabinete real, Felipe Augusto convoca a su amigo Carlos a unirse a la próxima Cruzada que partiría hacia Oriente para convertir a los infieles.

- ¡Saludos, mi querido amigo! Llegaste a tiempo para compartir conmigo nuestra futura conquista de Constantinopla. ¿Estás listo para ir?

- ¡A su entera disposición, Su Majestad! Me halaga vuestra invitación por el bien de Francia y de los cristianos de Occidente.

El Rey organiza otra aventura militar, llamada Cruzada, hacia Tierra Santa. Mientras espera su partida, Carlos disfruta de los beneficios que le ofrece la Corte francesa.

Indiferentemente, la familia - olvidando el sufrimiento que vivió ante el desprecio de su propio padre - impone a sus hijos el mismo trato distante que tanto le sacudió en la infancia y la adolescencia. Sigue el amargo camino del desafecto. Su matrimonio fue el resultado exclusivo de la codicia - representando la unión de dos fortunas familiares - y su esposa Nadine vive distante y sola.

Se entrega a momentos de placer y comete toda clase de excesos, sin observar ningún respeto por su posición social ni por las advertencias de sus consejeros. Se deja influenciar por el acoso constante de criaturas desencarnadas que quieren subyugarlo. Se pierde en sí mismo.

Cansada de sufrir el desprecio de su marido y sentirse públicamente traicionada, Nadine decide poner fin a su situación conyugal.

- Señor Duque, creo que tenemos que hablar.

- ¡A su servicio, señora!

- Durante años arrastramos un matrimonio que estaba esencialmente en bancarrota y cuyo comienzo fue un lamentable error de nuestra parte. Partirás en la próxima Cruzada en el reino, y cuando eso suceda, regresaré, con nuestros hijos, al condado de mi padre.

- ¿El Conde de Blois está al tanto y está de acuerdo con tu decisión?

- Todavía no lo he consultado, pero mi decisión es inmutable. ¡Basta de sufrimiento y humillación! Tu comportamiento ofende nuestro honor y empaña el buen nombre de mis hijos.

- ¡Qué amargura mefítica siento en tus palabras! ¿No estás siendo un poco extrema, señora?

- Solo lamento no haberme separado antes. Nos hubiera ahorrado a todos mucho dolor, especialmente la vejación a la que estábamos expuestos en la Corte.

- Estos son solo rumores falsos... Sin embargo, no pondré ningún obstáculo en el camino de tus pretensiones. Cuando regreses del viaje, tramitaremos y formalizaremos el acta de separación.

- De alguna manera me siento conectado contigo... Noto en tus ojos un brillo secular que me encantó en el pasado, como si ya hubiéramos vivido situaciones idénticas... ¡Mis impresiones no importan! Espero, atentamente, que seas feliz, señor Duque de Bogondier. En cuanto a nosotros, te lo ruego, ¡olvídanos!

Nadine reavivó una verdadera impresión en su corazón. De hecho, en la lejana Francia del siglo VIII, al igual que Carolina, estaba muy unida a Carlos, por entonces su padre, el Conde Giscard D'Antoine. Las líneas del destino se superponen para que haya una oportunidad de reparación entre los seres endeudados. Sin embargo, no siempre se aprovechan las posibilidades de regeneración.

Terminando la desagradable conversación, el Duque concluye altivamente:

- ¡A su gusto, señora duquesa!

Nunca más se encontraron en esta existencia y pospusieron para el futuro la recuperación de las desviaciones del pasado.

CAPÍTULO XXIX
LA CRUZADA DE 1189

Constelados en una inmensa llanura verde, bajo un sol orgulloso cuyos dorados brillan en cada una de las miles de armaduras perfiladas una al lado de la otra, están los caballeros franceses que parten hacia los memorables enfrentamientos que brindan los enfrentamientos religiosos, librados en la Cruzada de 1189. fijan su presencia en los pechos de sus gloriosos nobles, esperando la confirmación del triunfo a ser alcanzado en Jerusalén y San Juan D'Acre.

Comienza la marcha de los vigorosos caballos, cuyas patas rompen palmo a palmo el suelo y brindan un camino seguro a los cruzados, orgullosos del aplauso recibido de los conciudadanos que quedan. El destino comienza a dibujar una página oscura en la historia de la humanidad, ya que los violentos combates entre cristianos y pueblos de Oriente nunca podrán ser considerados "guerras santas." La justicia divina no aprueba ningún tipo de lucha armada entre las naciones y las Cruzadas son fruto de la ignorancia de los hombres de entonces, que intentaron imponer una religión por la fuerza de las armas. Al llegar a Génova, después de un viaje agotador, los caballeros acampan al pie de una montaña serpiginosa. Reconstruyen sus fuerzas y renuevan sus energías. Mientras tanto, Carlos y algunos compañeros visitan la ciudad.

De repente, notan la presencia de un niño flaco corriendo detrás de los caballos.

- ¿Qué quieres, chico harapiento? - Pregunta el duque de Bogondier.

- ¡Señor, te traigo una advertencia!

- ¡¿Así que me conoces?!

Te sigo desde hace algún tiempo. Le prometí a mi abuelo que te encontraría.

- ¿Qué quieres de todos modos?

- ¿Prestarás atención a un extraño, Carlos?

- Quiero saber qué tiene que decir este chico, Alan. ¿Cuál es tu nombre, muchacho?

- Mi nombre es Max. Soy de Dijon. Me gustaría transmitirle una advertencia para que no continúe su viaje hacia el Este, señor Duque. Debes volver a Francia y abandonar la carrera militar, de la que nunca has disfrutado.

- ¿Cómo lo sabes? ¿Eres, por casualidad, un pequeño vidente? Insatisfecho con la atención prestada al niño, el Duque de Valmon y Chapelle interfiere nuevamente:

- ¡Por el amor de Dios, Carlos! ¿No ves que algún plebeyo se ríe de ti? ¡Fuera de aquí, niño descarado, o haré que te corten el cuello!

Los otros nobles apoyan la decisión de Alan y sacan a Carlos del lugar, dejando al niño solo.

De vuelta en el campamento, el Duque de Bogondier se da cuenta que Alan, el Duque de Valmon y Chapelle, no los ha acompañado en su camino de regreso.

- ¿Dónde está Alan? No lo veo por ahí...

- Ahora, Charles, ¿no sabes que él no deja asuntos pendientes? - concluye uno de los nobles, riendo.

- ¿Qué quieres decir con esto?

- Alan debió cuidar al niño como mejor le pareció para su audacia.

Desesperado, Carlos parte a toda prisa hacia el centro de Ginebra, donde había dejado al niño. Al llegar al lugar, pregunta a los habitantes por Max.

- ¿Estás buscando al chico que estaba hablando con los caballeros cruzados? - Pregunta un observador genovés.

- ¡Sí, sí!

- ¿Sabes dónde puedo encontrarlo?

- ¡Seguramente! El niño fue llevado a esa casa, a la derecha del pozo de la plaza.

Sin siquiera agradecerle, el Duque se dirige a la choza indicada y entra en el recinto. Encuentra al niño acostado en una cama, delirando y herido de muerte.

- ¿Qué sucedió? ¿Qué le hicieron a este chico?

- Fue atacado por la espada asesina de un caballero extranjero... explica el dueño de la casa.

- Alan... - piensa Charles. Acercándose al niño, le pregunta:

- ¿De cualquier manera, quién eres? ¿Por qué me seguiste?

- Señor Duque, es bueno verlo de nuevo. Como dije, mi nombre es Max. Max de Sarcotian.

El duque se estremece ante el familiar apellido del niño.

- Tengo mucho que (tos) decirte. Mi abuelo fue un gran admirador de tu coraje, inteligencia y sensibilidad. Te guio en el pasado y se sintió responsable de tu sufrimiento. Siempre quería explicarse y no tenía tiempo. Él fue asesinado. Mi madre juró que algún día, en su nombre, te daríamos estas explicaciones.

- ¿Cómo se llama tu abuelo?

- Paul de Sarcotian...

- ¿¡El viejo maestro Paul!?

- Siempre te ha apoyado en tu decisión de no entrar en la carrera militar. Mi madre solía decir que le gustaría verte abrazar las artes y la literatura. La guerra solo te traería sufrimiento y amargura.

- ¡Es verdad! Siempre hablaba de eso.

- Mi abuelo (tos) te consideraba un hijo y no estaba contento cuando se separó abruptamente de tu guía.

- Tenía ideas extrañas...

- ¿Te refieres a la vida después de la muerte?

- ¡Exactamente!

- ¿Así que ya lo sabes también?

- Y creo fielmente en las palabras del abuelo...

No es posible, estas leyendas y creencias pasan de generación en generación... Pensé que solo Paul creía de verdad en esas tonterías...

- Señor Duque, he cumplido con mi tarea. ¡Estoy satisfecho! Puedo irme en paz.

- ¡No, estarás bien! Enviaré por un buen médico.

- Lamento que ya no sea posible continuar... Pero no guardo rencor, ya que sabía que sería objeto de cualquier agresión de ese tipo al acercarme a ti.

- Pero no hice que sucediera.

- No importa quién es el responsable. No hay dolor, por lo tanto, no debe haber culpa.

Por respeto a la imagen de su antiguo maestro Paul de Sarcotian, Carlos permanece junto a la cama de Max, acompañándolo con sus últimas palabras. Rezando, el niño cierra los ojos por última vez. Sus fuerzas se agotan y se desprende definitivamente del cuerpo material. Patricia - en el pasado esposa del General Eustáquio Alexandre Rouanet - regresa a su patria espiritual, recibida fraternalmente por su mentor Genevaldo.

- ¡Bienvenida, querida Patricia! ¡No temas! Estoy aquí para apoyarte en este momento de reintegración a tu entorno.

- ¡Genevaldo, mi buen amigo! En mis sueños siempre estábamos juntos y ahora puedo verlo mejor. ¡Gracias a Dios! Me siento aliviado.

Necesitas descansar. Volvamos a Nuevo Amanecer. Tu misión ha sido cumplida.

La deuda que Patricia asumió en el pasado, ante su traición conyugal, termina siendo reparada por la fuerza del amor y la perseverancia.

Un destello azulado acompaña la partida de los dos hacia la Colonia espiritual, dejando atrás, confundido y reticente, a Carlos de Bogondier, aun envuelto en el camino del error, pero regenerando lentamente sus sentimientos.

CAPÍTULO XXX
DESTRUCCIÓN EN TIERRA SANTA

Noble y galardonado, Eustáquio se dejó llevar por las armas del materialismo en su paso por la corteza terrestre en el siglo XII. Dijon es su lugar de nacimiento y el Ducado de Bogondier su cargo. Tiene una crianza refinada y amparada con todos los cuidados posibles por la perfecta formación intelectual de un noble franco, aunque desvinculada de la ética y los valores morales. A pesar de ello, evoluciona paulatinamente, pero aun aprisionado por sentimientos menos dignos.

Sangrientos enfrentamientos destrozan las aldeas de San Juan D'Acre, mientras pérfidos soldados abrazan sin piedad a los seres sobrevivientes tendidos bajo las patas lanceoladas de sus imponentes caballos, como si fueran sátiros que sorbían la esencia de sus vidas. Los tropés agitan las filas del sultanato, denunciando los males de un pueblo inculto aun en los preceptos cristianos, pero no menos digno y respetable que los inhóspitos invasores, dominando y doblegando al enemigo por la fuerza de la espada, mientras pronunció descaradamente justificaciones divinas para tales actos nefastos. La guerra religiosa compone un escenario grotesco, ajeno a cualquier enseñanza de Cristo, nunca aceptado por la superioridad divina y entregado a los rescates seculares, conduciendo a innumerables criaturas a peregrinajes que ascienden por generaciones.

Los nobles de Francia, asociados a la bravuconería inglesa, impusieron una estrepitosa derrota al sultán Saladino, que firmó un armisticio poniendo fin a la batalla. Carlos, uno de los vencedores, comanda parte del ejército de Felipe Augusto.

Silenciosos y envilecidos, he aquí, los cielos ondulados de Tierra Santa no aplauden la masacre.

Aprovechando la victoria, el Duque de Bogondier decide, por su cuenta, en asociación con mercenarios locales, atacar y saquear el templo de San Juan D'Acre.

Mirna, la nefasta reencarnación de Anne de la lejana Cosenza del año 600, ayuda a Charles en su acto criminal. Para ello, el sirviente del templo contrata al vil Rocco, otro peregrino que vuelve a cruzarse en el camino del Duque.

Los tres ladrones, al mando de un grupo de hombres bien armados, invaden el templo y se llevan el esperado botín.

El ansia de riqueza fácil pone en riesgo la evolución de miles de encarnados cada día en el orbe terrestre. Del oro parece emanar una luz oscura e hipnótica que ciega a los incautos y ambiciosos. En busca del metal precioso y de las resplandecientes piedras del poder y la gloria, los hombres se matan unos a otros, profanan templos, saquean ciudades, humillan naciones y asestan un profundo golpe a sus propios caminos de progreso.

- ¡Hombres! ¡Cuidado! Según el plano trazado, cada uno deberá preocuparse por su sección y luego de realizado el servicio, el punto de encuentro será el salón principal de las piedras de corona.

Nadie discute a la autoritaria Mirna e incluso el Duque guarda silencio ante una figura tan arrogante.

Los ladrones recogen lo que encuentran frente a ellos y la reunión en el salón se produce minutos después. Llega Rocco, al frente de una parte del grupo primero, secundado por Carlos, y finalmente, Mirna entra al recinto, sola y cubierta de joyas.

- ¿Crees que eres la reina del Nilo, Mirna? - Pregunta irónicamente el feroz Rocco.

- ¡Cállate la boca! Guardaré estas joyas para mí, ya que el plan no hubiera tenido éxito sin mi participación.

- ¡Esa no era el acuerdo! No admitiré una división desigual. Carlos observa con aprensión la discusión entre los dos y el brillo de una estrella desde lo alto del cielo alcanza una diminuta ventana, en la parte superior de la pared principal de la habitación donde se encontraban, penetrando la habitación e iluminando sus rostros. De repente, como hipnotizado, ve reaparecer ante él la imagen de Ana y Filipo, los dos amantes que en el pasado lo traicionaron. Sobresaltado, el Duque se frota los ojos y vuelve a mirarlos. Se le muestra la misma imagen.

Conmocionado, el noble francés decide irse de inmediato, dejando atrás todo lo que había acumulado. Insatisfechos, los mercenarios comienzan a pelear entre ellos por las riquezas, atrayendo la atención de los guardias del templo que invaden el lugar.

Algunas joyas son sustraídas en la precipitada huida de los torpes ladrones, aunque la mayor parte de los bienes permanecen en su lugar.

Al abandonar la escena del crimen, una flecha perdida alcanza en la espalda al Duque de Bogondier, quien termina bañado en sangre y cae inconsciente en el desierto.

La sabiduría árabe enseña que hasta en el oasis más solitario, confiando en Alá, puede surgir la mano salvadora para sanar las heridas y saciar la sed de los moribundos. Rescatado por Shalek-Al-Mair, un comerciante cercano, llevado a una tienda de campaña, Carlos recibe tratamiento y cuidados para recuperarse.

La familia que lo recibe ora a su Dios, esperando la pronta recuperación del paciente que Alá les encomendó. Los emisarios espirituales de Nuevo Amanecer, valiéndose de las vibraciones positivas que envían los sensibles corazones de los árabes que velan por el Duque, logran reanimarlo y recuperar la conciencia.

- Quiero agradecerte por el cuidado que tuviste conmigo y quiero recompensarte con la cantidad que quieras.

Shalek, sonriente, niega la oferta y justifica el servicio.

- Los pueblos cristianos de Occidente invaden nuestras tierras para convertirnos a vuestro Dios ya vuestra religión, aunque muchos de vuestros soldados no tienen la fe que tiene el pueblo árabe. Rechazamos tu recompensa porque tratamos a cualquier herido que se nos presente por un deber de solidaridad y fraternidad que los pueblos del desierto aprenden, desde temprana edad, a cultivar. Eres un invasor noble y rico y no deberías recibir ninguna consideración de nuestra parte. Sin embargo, también eres un ser humano y por lo tanto mereces nuestra ayuda.

- ¡Eres bueno e inteligente! ¿Cómo puedo llamarte?

- Soy Shalek, el comerciante.

- Entonces, ¿aun no has podido vislumbrar el bien que la Santa Iglesia busca hacer por tu pueblo?

- ¡Estás ciego, caballero! De nada sirve destruir pueblos enteros y matar a nuestra gente. No hay religión en el mundo que merezca sustentarse en tantas muertes inútiles. Solo la paz universal entre los pueblos puede hacer más fraterno el mundo en que vivimos. Esa es la voluntad de Alá y, creo, también de vuestro Dios.

En silencio, Carlos escucha las lecciones de Shalek, basadas en la sabiduría de las naciones árabes peregrinas que habitan el desierto de San Juan D'Acre.

- Estoy agradecido por sus servicios y debo irme. Mantengo mis posiciones, pero reflexionaré sobre lo que me has dicho. ¡Quizás tengas razón!

- Extranjero, no debes esperar el momento de tu muerte para descubrir la verdad de lo que te digo. Haz tu corazón más complaciente y simpático con tu prójimo, antes que sea demasiado tarde para tu espíritu cansado.

Shalek habla con la autoridad de quien conoce a Eustáquio desde hace muchos años, aunque no es menos cierto que en su camino se acababa de cruzar uno de los mensajeros de Nuevo Amanecer, que se reencarna en una misión de amor en las desiertas tierras orientales. Ciertamente inspirado por los mentores presentes, el árabe transmite a Carlos exactamente el mensaje que su Colonia espiritual quiere que escuche y comprenda.

Un afectuoso abrazo marca la despedida de los dos y el duque nunca olvida al amigo que le salvó la vida en la lejana San Juan D'Acre.

De regreso a Francia, medita las palabras fraternales que escuchó de Shalek y comienza a reflexionar sobre su propia existencia, tan vacía y a veces mezquina y superficial.

CAPÍTULO XXXI

FINALIZACIÓN DEL VIAJE DECISIVO

El resplandor de una gigantesca araña de cristal llena toda la imponente sala principal del castillo ducal de Bogondier. Finos terciopelos bretones, a la sombra del vino de Burdeos, cubren los ricos muebles, tallados en maderas nobles y tratados por respetados artesanos. Cada pieza decorativa del castillo representa una parte de la historia de Francia y tiene un valor histórico incalculable. Un leopardo de granito, símbolo de la valentía y el poder de la familia, reina, absoluto, entre la riqueza del entorno y puntal del escudo de platino del clan secular del ducado incrustado en su pecho e izado por cadenas de plata. A su lado, dos lanzas con punta de oro sostienen un banderín doble que representa los títulos del Condado de Canterbury, heredados del viejo tío Heber Roithman.

En el centro de estas valiosísimas reliquias se encuentra el Duque de Bogondier, pensativo, absorto en reminiscencias. Aislado del mundo, lleva semanas postrado en uno de los sillones frente a la chimenea, sin ningún contacto con el mundo exterior. Desde hace algunos años, ya no participa en la vida frívola de la Corte, ni se involucra en los asuntos políticos del reino.

El viento agita las banderas frondosas y onduladas que flotan en el ambiente, simbolizando las glorias de una carrera construida sobre intereses materialistas. Tantas luchas y vidas minadas, tanto dolor y la angustia del fracaso espiritual le provocan el miedo inconsciente de enfrentar el juicio divino sobre su patética existencia. La depresión invade su interior e intensifica la inquietud de su conciencia. Hace diez años había renunciado a las armas.

Carlos vive de recuerdos, recordando su participación activa en una de las Cruzadas más importantes enviadas por Occidente a Tierra Santa. Había participado en la conquista de San Juan D'Acre y se ganó el respeto y la admiración de los soldados. Regresó a su país para recibir los laureles de su fama. Envidiado, se descuidó de sus enemigos y, en poco tiempo, comienza su declive.

En la época en que los Reyes Felipe Augusto de Francia y Juan de Inglaterra se disputaban cuestiones territoriales y fronterizas, en el siglo XIII, el Duque de Bogondier, que también había heredado el condado de Canterbury, en Gran Bretaña, decidió apoyar a las dos partes para la disputa. Los delatores de la corte francesa se ocuparon de intrigarlo con Felipe Augusto y la amistad de muchos años se arruinó.

En 1214, derrotado en la batalla de Bouvines, el Rey inglés perdió el condado de Poitou y el ducado de Guyena, enfrentándose a graves problemas internos en su país, que le llevaron a capitular ante la Carta Magna, impuesta por los Barones en 1215. Ocasión, cegado por la furia, el Barón de Windsor expulsó a todos los sirvientes del castillo de Carlos, en el condado de Canterbury, y acabó usurpando sus dominios. Su acuerdo con el debilitado Rey Juan fue inútil y ni siquiera la fuerza del soberano francés le sirvió, he aquí que se disgustó con su doble postura durante la disputa.

El ostracismo le cierra las puertas y sus amigos más cercanos ya no lo buscan. Su nombre ha sido olvidado por el Rey y su castillo en Bogondier es su único refugio.

Poco a poco, Charles se obsesiona con las criaturas de la oscuridad y termina dominado por sus torturadores del pasado. Habla solo y pasa horas deambulando por la casa sin sentido del tiempo. Se olvida de sus hijos y que una vez tuvo una vida gloriosa.

Alcanza las líneas de sometimiento y, lenta pero paulatinamente, se entrega a los intentos de las entidades obsesivas que planean llevarlo al suicidio. Poniendo fin a su propia vida, sería arrastrado a las zonas más profundas de oscuridad y quedaría a merced de espíritus crueles, lejos de la protección y amparo de los mentores de Nuevo Amanecer.

En 1216, Eustáquio Alexandre Rouanet, con el estómago ardiendo al rojo vivo, desencarna por la fuerza devastadora de un poderoso veneno, despojándose de sus títulos y riquezas para abrazar insólitas y decrépitas vestimentas, propias de los ignorantes del destino y vagabundos del camino del bien.

CAPÍTULO XXXII

DE LAS CONSECUENCIAS DEL SUICIDIO

En el oscuro abismo de los suicidas se escuchan todo el tiempo aullidos guturales y huraños, mientras son frecuentes las variaciones entre el calor y el frío, que angustian a los habitantes de la región. Las entidades no pueden ver ninguna luz y experimentan una sensación de caída constante a través del tiempo y el espacio. El aire se siente viciado y pútrido. Figuras horribles y deformes deambulan por la oscuridad, sin rumbo y sin esperanza. De repente, las más grotescas llamas de fuego se encienden, transformando la guarida en un enorme horno, casi sin condiciones de sustentación. Aun así, la oscuridad permanece y el sufrimiento es inevitable. Poco después, un frío glacial invade el ambiente, sin brindar un minuto de paz a los seres que se instalan en cuevas para intentar descansar, prácticamente imposible en esta región.

Las criaturas infelices se ríen de su propia desgracia, escenificando un cuadro pesimista y deprimente. Aquí está la representación más cercana del llanto y el crujir de dientes.

En este ambiente inhóspito, Eustáquio se encuentra, entre suicidas y dementes, deambulando sin rumbo fijo por los fétidos rincones de la despiadada oscuridad de los fosos umbralinos. Se regenera en la convivencia obligada con seres del mismo estado vibratorio. Sufre como nunca antes lo había experimentado, pero poco a poco limpia su periespíritu enfermo. Día tras día, durante

70 largos años, el otrora noble y famoso suicida expía los graves errores de su oscuro pasado.

Después de una extensa pasantía en las zonas abisales torcidas, Eustáquio comienza a vivir en un valle similar al cráter de un volcán inactivo, rodeado de montañas rocosas y sin vegetación. Ya se puede visualizar alguna luz para ánimo de unos y temor de otros que se han acostumbrado a la ceguera. El ambiente es árido y el clima se mantiene más constante y caluroso, prevaleciendo el aire enrarecido pero estable, aunque desagradable. La falta de noción sobre el tiempo y el espacio permanece. Los espíritus deambulan en un estado latente de letargo y somnolencia, que culmina en un malestar generalizado y perenne. Los suicidas abarrotan estas montañas sin ninguna organización ni liderazgo. No hay construcciones o proyecciones mentales que simulan ciudades. En profunda agonía, caminan en la zambullida a la que fueron arrojados por el mal uso de su libre albedrío, llevados hasta las últimas consecuencias. Tienen sensaciones de hambre y sed, como si estuvieran encarnados, lo que agrava su estado de ansiedad e insatisfacción.

De fisonomía enferma, un poco más consciente, aunque asqueado, Eustáquio inicia una retrospectiva de su pasado. A su lado, deambulan personas despreocupadas, suicidas, que se dejan aprisionar en una envoltura periespiritual deforme y monstruosa, formando un universo dantesco. Su llanto y su tristeza, en esta región, son parte del paisaje, por lo que sus gritos no son escuchados por criatura alguna.

Pasan los años en este proceso, cuando la vena activa del remordimiento aparece en su conciencia, iluminando algunas ideas y debilitando su corazón. Sin embargo, sigue sintiéndose agraviado.

Fatigado por el arrepentimiento, aun albergando pensamientos morbosos, se siente incapaz de cambiar su precaria situación.

Avanzando en sus reflexiones, se da cuenta que ha experimentado sensaciones terribles similares en su pasado y concluye que está siendo castigado por los actos precipitados que ha cometido. Comienza a regenerarse.

Eustáquio, después de siete décadas, cansado de sus sufrimientos, recuperado de parte de su inconformismo, eleva su pensamiento por unos minutos a quien, un día, le sirvió de ejemplo y apoyo, en su infancia y adolescencia en Dijon y recuerda el tema y figura amorosa de Jesús, retratado fielmente por las fecundas enseñanzas de su maestro Paulo. La oración es sencilla, pero sincera. Puede establecer comunicación con el mundo exterior.

Ayudado por un grupo de oración de la ciudad de Lyon, que suele reunirse en una antigua iglesia para discutir las bellas lecciones del Evangelio, Eustáquio consigue liberarse de las oscuras ataduras del Umbral. Un camino de luz invade las tinieblas de su corazón, mientras los encarnados ruegan a Jesús por las almas errantes y los hermanos que sufren. mentores de su ciudad espiritual obtienen autorización para rescatar a Eustáquio. Se va, feliz, al Puesto de Socorro Nuevo Amanecer.[23]

En un ambiente inquieto, despierta de un profundo sueño e inmediatamente recibe la agradable visita de una enfermera.

- Eustáquio, mi buen amigo, ¿cómo te sientes hoy?

- ¿Rosana? ¿Cuánto tiempo que no te veo? Solo me parecen unas pocas horas...

- Podemos decir con seguridad que han pasado algunos siglos desde nuestro último encuentro. Fuiste rescatado en 1286. Según tus antecedentes, el caso era grave y tu sufrimiento bastante intenso. Es por eso que ha estado aquí con nosotros durante cinco años. Solo ahora hubo autorización para sacarlo de la cámara.

---

[23] Nota del autor del material: además de los rescates directos que actualmente se realizan en las reuniones espíritas de todo el mundo -ostensiblemente y a través del mecanismo de incorporación - existen rescates indirectos que a veces ocurren con el apoyo de oraciones y vibraciones sinceras que pueden ser dirigidas a lo Alto, en cualquier culto, y que representan uno de los aspectos importantes de la interacción entre los dos planos de la vida.

Observa que tu preparación ha mejorado y tu capacidad de recordar y comprender es más aguda.

- Estoy contento de estar de vuelta.

Entra en la habitación con el Dr. André, médico del Puesto de Primeros Auxilios número 5.

- ¡Eustáquio! Me doy cuenta que la presencia de Rosana sirve de bálsamo... ¿Caminamos juntos un rato? Necesitamos conversar.

Instalado en una silla magnética flotante, suspendida a unos veinte centímetros del suelo, Eustáquio es conducido a una habitación y colocado frente a la inmensa ventana desde donde se divisa todo el hermoso jardín del Puesto.

- No he visto una obra tan magnífica de la Naturaleza en tantos años. ¡Las coloridas flores y las hojas verdes son impresionantes! Lástima que no las apreciemos cuando las tenemos en nuestras manos.

- Recuerda que todavía estamos en una zona umbral densa, aunque en un puesto avanzado de nuestra Colonia. En Nuevo Amanecer los colores son más vivos y brillantes y se respira un aire más puro y vigorizante.

- ¡Es verdad! ¿Cuándo puedo continuar mi viaje a la ciudad?

- No hay posibilidad de volver a Colonia, Eustáquio. Debes reencarnar inmediatamente, partiendo de aquí en busca de una nueva vida, para regenerar. Recuerda que tus errores fueron muy graves en tu última existencia.

- No me siento preparado para volver, Dr. Andrés. Creo que será innecesario. No tengo la misma manera.

- ¡No hables así, Eustáquio! Ninguna criatura de Dios está irremediablemente equivocada. Todos tienen la posibilidad de recuperarse, solo aprovechando la oportunidad que brinda la reencarnación.

- Pero no puedo cambiar mi comportamiento. Cuando vuelvo al plano material me siento atado a mis adicciones habituales.

- ¡Cálmate, amigo mío! La sabiduría divina a menudo nos prepara un escenario apropiado para nuestras pretensiones y nos ayuda a cometer menos errores.

- ¿Cómo así?

- Volverás a la carne, Eustáquio, aunque esta vez lejos de la riqueza y el poder, tus fuentes de mayor desviación. Tendrás menos posibilidades de cometer errores y podrás ejercer mejor su libre albedrío.

* * *

Unos meses antes de su reencarnación, Eustáquio asiste a conferencias en el auditorio del Puesto de Socorro, con Rosana y Anita, dos enfermeras que lo acompañan durante su tratamiento, a su lado. El tema de la reunión es el suicidio. Los espíritus presentes escuchan atentamente las informaciones dadas por los consejeros. Al final, cada uno de los participantes - todos ellos dejaron los lazos de la carne poniendo fin a sus propias vidas - recibe una diminuta cajita de cristal, que contiene, en su interior, una nota del tiempo que faltaba en la Corteza para el desencarnación natural que fue frustrado por el suicidio. Asombrado, Eustáquio constató que, en su caso, le faltaban ocho meses para abandonar el plano material. Llora y es apoyado por Anita, saliendo del auditorio. Recuerda el inmenso sufrimiento que vivió en el Umbral y se promete a sí mismo no volver nunca más a esa angustiosa situación en las zonas oscuras.

Se siente cada vez más preparado para salir del plano espiritual, abrazando el camino que le espera. En 1291, vigorizado espiritualmente, reencarna consciente de la responsabilidad de iniciar una reencarnación alternativa.

CAPÍTULO XXXIII
REDIMIENDO TU PASADO

Una joven esbelta, de catorce años, de cuerpo flacucho y piernas esbeltas, rostro moreno y abatido por los intensos rayos del sol de San Juan D'Acre, vestida con ropa harapienta y sucia, se arregla el pelo negro y ralo mientras camina por la orilla de un arroyo, suspirando y llorando de vez en cuando al ver tanta miseria y sufrimiento. Siguiendo el curso de las aguas, se acerca a la ciudad donde debe encontrarse con su padre, un vendedor ambulante, ladrón y de mal carácter, que tiene la perversa costumbre de intentar seducir a su propia hija.

Eustáquio, ahora viviendo en el cuerpo material de la niña Adila, vive una peregrinación de rescates, que va contra los males causados en el pasado contra muchos habitantes de la ciudad de San Juan D'Acre. Se siente agraviada por el destino; de hecho, un sentimiento común a la mayoría de los encarnados que aun no son capaces de llevar con resignación el camino que sabiamente les ha trazado el plano superior.

En busca de su padre, atraviesa los estrechos pasillos del centro urbano y advierte, a sus espaldas, una manada de caballos que asoma en el horizonte. Se produce un clamor desesperado y las familias reúnen a sus hijos, mientras los mercenarios del desierto avanzan por la ciudad. Aterrorizada, Adila intenta esconderse dentro de los enormes jarrones de un puesto del mercado, pero uno de los caballeros ya la ha visto. El turco, lanzando su espada contra su escondite, rompe el jarrón y se lleva consigo a la niña, apoyada en la grupa del caballo. Rápidamente abandonan la ciudad saqueada y se dirigen al desierto para contar las riquezas que lograron robar.

Por la noche, alrededor de una hoguera, se reúnen los ladrones, presentando al patriarca y líder del grupo, Khalik, los valores que han atesorado. En concreto, los tres hermanos, Nabul, Abdul y Chakar se reparten el botín del botín y se disputan a la niña Adila, ahora convertida en esclava. El vencedor pasaría la noche con ella.

- ¡Yo era el mejor saqueador de la ciudad! tengo derecho a elegir... ja...ja... ja...

- Cállate, Abdel. Nuestro padre, el sabio Khalik, podrá ver en la riquezas y en las joyas que traje el mejor triunfo de la misión. Depende de mí mantener a la chica.

- ¡Ni Nabul ni Abdul! Traje la mayor parte de la comida y los artículos que adornan tu riqueza, padre mío.

Mientras el viejo turco observa pelear a los tres hijos, la aterrorizada niña Adila cuenta los minutos en los que será entregada a uno de los mercenarios.

Abdul gana el concurso y se va con la chica a su tienda. Violada por el secuestrador, Adila no puede ni gritar, el tamaño y el odio que le penetra el corazón. Tumbada en la cama, pierde el conocimiento.

Horas después, el segundo de los hermanos, Nabul, la utiliza. La violencia de los seductores le causa heridas por todo el cuerpo. Desmayada, casi al amanecer, y recogida en sus brazos por Chakar, quien decide no violarla. Castigada por la brutalidad de los hermanos, el menor de los turcos se lleva a la chica de vuelta a la ciudad, abandonándola en un callejón del centro.

Meses después, se da cuenta que ha quedado embarazada, víctima de la violación que sufrió. Enloquecida, busca apoyo familiar, pero solo encuentra desprecio y agresividad por parte del padre viudo resentido. Los hermanos la castigan, aislándola, ya que no creen en la versión del secuestro. Así es como se lleva a cabo el embarazo.

Sola, a orillas de uno de los ríos más hermosos de la región, mientras se ocupa de sus quehaceres domésticos, siente violentas contracciones y se desmaya. Se recupera momentos después y se da cuenta que ya está en proceso de dar a luz. Asombrada y angustiada, se agachó y se apretó el vientre con las manos. Recibiendo la ayuda de la naturaleza divina, unos minutos después, se coloca a sus pies un niño llorando con los ojos muy abiertos, que necesita cuidados maternales. Al tomarlo en sus brazos, Adila se siente, por primera vez en su vida, feliz.

En su casa; sin embargo, todos la repudian y maltratan a su hijo, casi llevándola a la locura. Agredida y ofendida, la niña no puede resistir y termina donando el niño a un comerciante de San Juan D'Acre.

Asfixiada dentro de la casa, Adila es acosada sexualmente por su propio padre a la edad de dieciocho años. Al refutarlo, despierta la ira del progenitor, quien termina vendiéndola a traficantes de esclavos. Encarcelada y encadenada, la niña deambula, durante varios años, sin rumbo definido.

Pasando por numerosos propietarios, va a parar a la residencia de una pareja de tejedores, cuya esposa, Mariala, siente un gran cariño por la esclava recién adquirida. Tus años empiezan a mejorar.

- No deberías guardar tanto rencor en tu corazón, Adila. A tu lado está el espíritu del bien, que se encargará de proteger tus pasos. Es mejor perdonar a los que te han hecho mal que sentir odio por ellos. La ira angustia y sofoca el corazón.

- Señora, usted es buena conmigo. Sin embargo, poco me queda en esta vida sino el odio que alberga mi corazón, perenne e inmortal. Me siento protegida solo por mi rencor. No puedo tener otra idea de mi destino.

- ¡Estás equivocada, hija mía! Amar a nuestros semejantes es la mejor lección que podemos aprender de los libros sagrados del Islam. Mi espíritu siempre está preparado para sufrir la injusticia porque creo que esta vida es pasajera. Un día, seremos libres.

- Hablas como si fueras una esclava como yo. Nada es peor que una vida solitaria y humillante como la mía.

- Ya me he encargado de eso, Adila. Mi esposo te liberará en breve. Puedes ir por el camino que quieras.

- Eres muy amable conmigo, señora. Nunca podré agradecerte.

Cumplida la promesa, la niña se da cuenta que, aun sin las cadenas de la esclavitud, lo mejor para su vida es permanecer al lado de su patrona Mariala. Solo cuando muere su ama, dejándola sin el apoyo amoroso de las palabras fraternas, decide dejar San Juan D'Acre y fijar su residencia en Jerusalén.

Un promontorio empinado sirve como paisaje permanente para un pueblo en las afueras de la ciudad. Llena de culpas que expiar y heridas que sanar, Adila se instala en una pequeña choza, construyendo allí una vida solitaria y amarga, y ayudando a las familias de la región con las pequeñas tareas del hogar. Las alfombras que aprendió a hacer con Mariala son el ingreso que le permite sobrevivir. Veintinueve años, marcada por el odio, rechaza cualquier tipo de relación romántica.

Los años se arrastran lenta y sosegadamente como si la vida fuera atemporal. Su corazón determina una reacción diaria contra la languidez de tus sentimientos, aunque tu fuerza de voluntad es prácticamente reducida a cero. Cada amanecer se da cuenta de cuánto extraña a su hijo y se arrepiente de haberlo entregado, de bebé, a extraños. El único consuelo para su espíritu es recordar los buenos momentos con su ama Mariala, quien le daba buenos y optimistas mensajes sobre la vida.

A medida que madura, comienza a ocupar su tiempo con pequeñas ayudas para sus vecinos, cuidando a sus hijos cuando salen de viaje o trabajan. Amalgamado con el dolor; sin embargo, no hace buena compañía a los niños, a pesar de intentar ser agradable y dedicada.

A los cuarenta y dos años, enferma y permanentemente sola, deja Jerusalén por el mundo de los espíritus, dejando tras de sí una vida de expiación.

CAPÍTULO XXXIV
EN TRANSICIÓN

Eustáquio, aun en la forma periespiritual de Adila, reposa en las cámaras de rectificación del Puesto de Socorro número 5. Ante su estado de rebelión e inconsciencia, alcanzado durante su última existencia material, se siente mejor en la conservación de este cuerpo, utilizando el fuerza de su mente para dar forma al periespíritu.

Vive una etapa determinada por la Coordinación General y el nuevo programa de reencarnación comienza a tratarse independientemente de su voluntad. Interfiriendo por él, su mentor Genevaldo.

- ¡Agamenón, nuestro querido líder! Vengo a tu presencia para obtener autorización para remitir el caso de Eustáquio a la Unidad de Elevación Divina. Hablé con nuestros compañeros del Departamento de Reencarnación y también dieron su opinión sobre la consulta. Después de todo, su último paso por la Corteza, a pesar de tantas expiaciones, tuvo pocos éxitos en su progreso espiritual.

Tienes razón, Genevaldo. Como responsable del acompañamiento del hermano Eustáquio, debes buscar toda la ayuda posible para guiarlo en este camino tan importante para su evolución. Además, de hecho, consultaríamos con la Unidad y, a petición suya, acortaremos este tiempo.

Cada programa de reencarnación recibe la guía final de la Unidad de Elevación Divina y Nuevo Amanecer, a través de su

Departamento de Reencarnación, siguiendo siempre los designios superiores.

Cuando el Espíritu está preparado para elegir el camino que pretende tomar, participa en este proceso selectivo y, ejerciendo su libre albedrío, adopta un camino que desarrollará en la corteza terrestre. No siempre podrá hacerlo y, como ahora sucede con Eustáquio, recibe un horario determinado por lo Alto, volviendo a la carne para cumplirlo.

La consulta realizada a los emisarios del plano mayor, a través de la Unidad de Elevación Divina, indica una reencarnación preparatoria, pues Eustáquio ya podría, en un futuro no muy lejano, volver a experimentar una reencarnación clave.

- ¡Agamenón, he vuelto! Había una respuesta a nuestra pregunta. Eustáquio volverá todavía en cuerpo de mujer y de nuevo en una situación económica precaria. Formará una familia en el sur de Italia y tendrá como hijos a sus torturadores del pasado. Estaremos listos para apoyarlo en lo que necesite.

¡Que el deseo del Altísimo se cumpla al pie de la letra! Nos encargaremos de todo. Pregúntale al Dr. Euclides para preparar la incompatibilidad de Eustáquio desde las cámaras del sueño profundo. Comencemos el proceso de reencarnación.

CAPÍTULO XXXV

REEDUCÁNDOSE

En 1339, Eustáquio vuelve al plano material. La niña Mirandela nació en un hogar conflictivo, en la ciudad de Palermo, en Sicilia, al sur de Italia. Es la séptima hija de una pareja grosera y materialista, aunque miserable.

Áspero en el trato mutuo, sus padres Francesco y Carmen no se entienden y descargan sobre los niños la ira y la rabia que uno tiene contra el otro. Todavía amamantando, Mirandela ya vive las peleas entre los dos, observando todo en silencio, en el regazo de su madre. El cariño y el amor son sentimientos raros en la familia y solo Eunice, la hermana mayor, logra contagiar a todos una sonrisa permanente, acariciando el corazón de los hermanos pequeños.

Pasan los años y Mirandela pronto se convierte en una adolescente astuta y dueña de una hermosura de crisálida, que aun no ha florecido. Esclava del autoritarismo de sus padres, trabaja incesantemente en la granja, pero se instala, por ejemplo, con la entregada Eunice, que aun encuentra tiempo para experimentar una religión y complacer a sus padres.

- Mamá y papá estarán felices hoy. Somos capaces de cosechar todo lo que prometemos. Estoy muy contenta, porque todavía tengo tiempo para ir a misa. ¿Me acompañas, Mirandela?

- ¡Vaya, Eunice, eres realmente una santa! Después de tanto trabajo tengo muchas ganas de irme a la cama. ¿Por qué orar? El padre Antonio no había podido calmar su cansancio.

- ¡Estoy físicamente agotado, hermana mía! Espiritualmente, me enfrento a cualquier trabajo.

- ¿Y hay alguna diferencia?

- ¡Claro, Miranda! El cuerpo es independiente del alma. Cuando morimos, nuestro espíritu se libera y nunca se cansa. Es orgulloso y guapo, listo para ir al Reino de Dios.

- ¡Eres buena, Eunice! Realmente crees en los sermones del sacerdote. Mejor así... No sufres con nuestra miseria y nuestro sufrimiento.

- El sufrimiento no debería existir. Nuestra vida aquí es fugaz. Solo estamos construyendo nuestro futuro. Me siento muy feliz de tenerte como hermana y no me siento enojada con nuestros padres. Ellos hacen lo que pueden por nosotros.

- ¡Disparates! Son flojos y han tenido hijos solo para esclavizarnos.

- ¡No digas eso! ¡Dios castiga! Debemos respetar y honrar a nuestros padres. Pero, Mirandela, te vuelvo a preguntar, ¿vamos a misa?

- Realmente no puedo negarte nada. ¡Está bien! Yo voy.

Su aprendizaje con su hermana mayor y experimentada guarda momentos de profundo respeto y desapego. Ambas viven juntos desde hace mucho tiempo y cuidan de los otros cinco varones de la familia rota. Cada vez más vinculada a la Iglesia local, Eunice también se dedica a la caridad con los habitantes de la región, dejando a su familia en los momentos de descanso.

- ¡Eunice, por el amor de Dios, deja de lado las tareas que has estado abrazando! ¡Te estás consumiendo a simple vista! Además de cuidar nuestra casa, ahora ha decidido invertir en caridad para extraños. Tu salud es precaria.

- Ahora, Deliña[24], ¡detente! Estoy acostumbrada. Dios nos manda a practicar la caridad y me siento muy bien cumpliendo sus designios. ¡No pasará nada malo, créeme!

---

[24] Apodo cariñoso de Mirandela

A mediados de 1357, en una sofocante tarde de verano, cuando el sol brilla abrasador en los cielos despejados de Palermo, un aviso llega a la familia de Mirandela, reunida en torno a la mesa del almuerzo.

- Padre Antonio, ¡qué agradable sorpresa! ¿Has venido de visita?

- Lo siento, Mirandela, pero estoy aquí por Eunice. Se desmayó en la parroquia esta mañana y está enferma bajo nuestro cuidado. Mientras delira, pide verte.

Los padres, muy enfermos, se quedan en casa y los hermanos salen a la iglesia para ver a Eunice.

- Mi querida hermana, soy yo, Mirandela... (llorando). Sabía que esto pasaría. Llevas meses enferma y no te cuidas.

Al escuchar la voz suave de su hermana menor, Eunice abre los ojos.

- Que lindo verlos unidos a mi alrededor, mis hermanos. Estoy un poco débil, pero mejoraré. Me gustaría pedirles que cuiden bien de nuestros padres en caso que me pase algo.

- ¡No hables así! Mejorarás y pronto estarás en casa con nosotros.

- ¡Quizás! Sin embargo, si ya no puedo superar este obstáculo, quiero que cuides personalmente a todos en nuestra familia. ¿Lo prometes, Delina?

- ¡Sí, por supuesto que lo prometo! Pero descansa ahora. Pronto estaremos juntos de nuevo.

Bajo el llanto emotivo de su familia, entregada a la divina providencia, Eunice deja su cuerpo físico para emprender un viaje, sin retorno, a su patria espiritual.

Los años son severos con Mirandela y sus padres envejecen día a día con la lentitud inversa de su anhelo de liberación. A veces cree que se le acabarán las fuerzas y la promesa que le hizo a Eunice en su lecho de muerte y será olvidada. En un torrente de elevados pensamientos, se resigna y vuelve a la razón, cuidando con entrega a su padre ebrio y a su madre flaca y enferma, ya corroída por la peste, pero aun empeñada en las calumnias de la vida cotidiana, manteniéndose siempre apegada a su vida.

A los treinta y un años, dejó a la familia, mientras enterraba a sus padres, la última de las cruces que creía llevar, dejando en el camino a sus hermanos, ya casados y con sus propios trabajos.

Cree tranquilizarse en su intranquila trayectoria, cuando conoce a Malamud, un vendedor ambulante, del lejano oriente, cautivador y coqueto, que conquista el corazón roto de la ingenua italiana. Se casan y la felicidad parece haber llegado finalmente a sus vidas. Nació su primer hijo, llamado Eugênio. Pasan los meses y Mirandela, feliz, sigue asistiendo a la misa del padre Antonio, como solía hacer con Eunice.

En poco tiempo, los hijos gemelos Enrico y Giacomo llenan el hogar. Su alegría podría ser completa si no fuera por los problemas que empiezan a poner a prueba su capacidad de resistencia.

Descubre la doble vida de Malamud, que tiene otra mujer e hijos, además de un número considerable de amantes. Los niños son rebeldes y agresivos, pero la razón del destino es invariable. Reencarnados bajo el manto protector de Mirandela, sus tres perversos verdugos del pasado, Chakar - el hijo mayor Eugenio -, Abdul y Nabul - los gemelos Enrico y Giacomo.

Agredida por su marido y sus hijos, Mirandela se ve obligada a recordar las sabias lecciones de Eunice y acaba confiando en la buena guía del anciano párroco Antonio, todavía activo en la iglesia. Luego se da cuenta de lo feliz que estaba con sus padres y hermanos y siente que nunca debería haber criticado su hogar y su familia. Resignada, se entrega a los llamados que le hace su corazón roto y reparte amor a su familia, venciendo su limitación racional y buscando fuerza en los buenos fluidos que recibe de Nuevo Amanecer.

CAPÍTULO XXXVI

LA DESCARGA EN PALERMO

La vida continúa tristemente en Palermo, especialmente después que Malamud se fue de casa. Mirandela se cuida sola, pero nunca es capaz de complacer a sus hijos. El mayor, Eugenio, es más atento a su madre, mientras que los mellizos aterrorizan sus días, llenándola de preocupación.

Las dificultades tienen sus puntos positivos y acaban uniendo a la familia en torno a la lucha por la supervivencia. Redimiendo profundas heridas del pasado, Mirandela aprende a amar a sus hijos y, con ello, perdona los actos crueles que la victimizaron en su última existencia.

En el décimo cumpleaños de Eugenio, Malamud regresa a casa. Acogido con alegría por los mellizos y con frialdad por la madre y el hijo mayor, decide instalarse nuevamente en Palermo.

Retomando el control de la casa, emborrachándose con frecuencia, el Turco emprende un diario camino de agresiones físicas y morales contra Mirandela y sus hijos. La inconformidad se generaliza y los chicos comienzan a cuestionar las razones que llevaron a su madre a aceptar de nuevo a Malamud. Incapaz de actuar contra su esposo, ya que vive en una sociedad patriarcal italiana profundamente arraigada, se conforma y continúa enredándose en oraciones para sostener su tristeza.

En sus momentos de profunda reflexión, siente la mano amable y tierna de su mentor Genevaldo apoyada en su hombro. Atribuyendo el sentimiento de bienestar a la presencia espiritual de su hermana Eunice, se deja envolver por los pases reconfortantes que recibe.

A los cuarenta y cinco años, obligada por su marido, vuelve a quedar embarazada. Siente el peso de un embarazo de alto riesgo, principalmente por el estado inquieto y turbulento de su vida. Pidiendo a Dios protección durante los meses en que lleva en su seno a un ser divino - como llamaba su hermana Eunice a los niños en formación en el vientre materno - y acompañada de Righetto, médico de Nuevo Amanecer, asignado para atenderla.

El cariño que la rodea es vital para el desarrollo de su hija menor que, de hecho, representa el regreso de aquel niño que Adila abandonó en San Juan D'Acre poco después de nacer. Tendrá la oportunidad de reconstruir sus lazos familiares, destruidos por la irresponsabilidad del pasado.

Asesorada en el momento del parto, da a luz a Saphira, una hermosa y saludable niña.

Después de cinco años, la familia comienza a ver en la encantadora niña una inteligencia inusual, así como una alegría que a todos les encanta. Siempre con buenos ejemplos que transmitir, se hace querer y admirar por sus hermanos mayores.

Saphira crece rápido y disfruta ayudando a su familia en el arduo día a día, especialmente a su madre, que ya está cansada y enferma. Es la última en comer en la casa y solo se alegra cuando se da cuenta que no hay nadie insatisfecho en el hogar. A la edad de ocho años, convence a su madre para que adopte a unos niños del pueblo, completamente abandonados por sus padres y que no tienen esperanza de sobrevivir si se quedan solos. Entre ellos se encuentra un inválido, totalmente rechazado por todos en el pueblo y que despierta en la niña un sentimiento maternal precoz.

El padre vuelve a abandonar a la familia y nunca más regresa, desencarnando en la lejana isla de Chipre, a donde fue en busca de aventuras. Mirandela, a los cincuenta y tres años, tuerta y bastante cansada, sintiendo sobre sus hombros el peso del continuo sufrimiento al que siempre ha estado expuesta, encuentra en su hija menor la única alegría para seguir viva. Los descendientes varones mejoran su forma de ver la vida, frente a los ejemplos dados por su hermana menor, pero no hasta el punto de cambiar su comportamiento. Eugenio se va de casa y se casa, dejando a su madre y hermanos a su suerte. Giacomo parte hacia Roma en busca de riqueza y fama, pero no tiene otro fin que el olvido. Enrico se despide de todos los que se van a Cosenza y, como es el más rebelde de los niños, parece no volver nunca más. Sin embargo, fue en su corazón donde florecieron nobles sentimientos a lo largo de su niñez y adolescencia. Termina volviendo a la familia para acompañar - con los hermanos adoptivos y con Saphira- la desencarnación de la madre.

La misma plaga que se llevó a sus padres cae sobre Mirandela. Siempre al cuidado de su hija menor, rodeada del amor sincero de los niños que adoptó, logra languidecer feliz junto a los miembros de su familia. Una gran alegría golpea su pecho con el regreso de Enrico, dispuesto a ayudar a Saphira a cargo de la casa. Oremos a Dios en agradecimiento por la hermosa familia que un día recibió de él para criar y educar. Ningún sufrimiento es capaz de arrebatarle ahora la fe y la resignación. A su lado, como un centinela, Genevaldo reza y vibra de esperanza.

- Señor, confiando en Tu infinita fuerza y misericordia, te suplico que ilumines a la querida Mirandela en estos últimos momentos de su existencia material. Permanezco imperturbable a su lado y te agradezco esta maravillosa oportunidad de acompañar a Eustáquio en esta peregrinación de amor durante tantos años. Hágase tu voluntad, Señor. Que así sea.

Una tenue luz plateada, brillante y solitaria en una oscura noche de invierno, aparece frente a Mirandela para llevarla al mundo espiritual. Sintiendo que se acerca el final de su trayectoria, se calma y en silencio dice una oración. Oye, a lo lejos, el canto maravilloso de un coro de voces límpidas y suaves, con el timbre de Eunice, feliz, Mirandela se duerme para siempre y Eustáquio renace, una vez más, al plano de la verdadera vida. Su viaje cesa en 1393.

CAPÍTULO XXXVII

EN LA CASA DE LA SUBLIME JUSTICIA

Tras una etapa crucial en su recuperación, tras sucesivos tratamientos en la Casa de Reposo, Mirandela recupera la conciencia y revierte su periespíritu a la forma de Eustáquio, que marca su camino de regeneración.

- Es bueno verte rehabilitado, Eustáquio. ¿Estás preparado para presentarte a Agamenón? El coordinador quiere verte.

- ¡Ciertamente Anita! ¿Cuándo vamos a ir?

- ¡Inmediatamente! Estoy esperando la liberación de un vehículo que nos lleve al Edificio Central.

Minutos más tarde, ambos parten en el *flap* 54, uno de los vehículos pequeños de Nuevo Amanecer, destinado a pequeños desplazamientos. Tiene cuatro lugares, y se abre completamente y se desliza sobre un colchón de aire que se forma bajo ondas magnéticas[25].

Asombrado por el paseo, Eustáquio interroga a la enfermera Anita al respecto. Ella explica que muchos de los equipos utilizados en Nuevo Amanecer todavía serán, algún día, "inventados" por los encarnados. El avance de la tecnología en el

---

[25] Nota del autor material: para más información sobre los vehículos utilizados por Nuevo Amanecer, ver en el libro del mismo nombre el capítulo "*La descripción de nuestro árbol - III*" - "*Núcleo de Desarrollo*" (Núcleo de Desarrollo de Servicios Generales).

mundo material tiene lugar a través de la guía y el apoyo de las diversas colonias espirituales que rodean el globo.

- Permíteme hacerte otra pregunta, Anita... ¿Volverás alguna vez al plano físico?

- ¿Por qué esta pregunta, Eustáquio?

Con tanto conocimiento sobre cómo funciona esta ciudad, me parece que ya estás lo suficientemente evolucionada como para no volver a la Corteza como lo hice yo.

- ¡No es verdad! Pasé más tiempo que tú aquí en Colonia y aprendí a usar sus recursos. Esto no quiere decir que no volveré a la materialidad. Por el contrario, debo irme pronto, ya que necesito continuar mi viaje evolutivo como tú.

- ¡Pero ¿eres enfermera aquí?!

- No hacemos distinción entre nuestras actividades en este plano de la vida, amigo mío. Elegí este rol porque me gusta tratar a los enfermos y me siento bien en la Casa de Reposo. Podría ser en cualquier otra actividad y el resultado sería el mismo.

Los dos compañeros se incorporan a la Coordinación General. De buen humor, Eustáquio es llevado a la presencia del líder de la Ciudad Espiritual.

- ¡Paz en Jesús, Eustáquio! ¡Sé bienvenido! Sigo tu progreso, hijo mío. Sé que ya estás preparado para regresar a la Crosta. Esta vez, sabes que puedes enfrentarte a una reencarnación clave, decisiva en tu camino evolutivo... ¿Eres consciente de los riesgos que implica?

- ¡Lo soy, Agamenón! Puede confiar en que haré todo lo posible para evitar un desgaste grave en mi viaje. Creo que todo el sufrimiento sufrido en Italia durante muchos años me hizo ver un lado positivo en la pobreza material. No deseo, pues, convertirme en cuna de la nobleza. ¿Es posible tal elección?

- Sí. Hemos consultado con la Unidad de Elevación Divina y podrás participar en la elección de tu futuro horario. Antes de eso; sin embargo, debe pasar por una evaluación en la Casa da Justicia Sublime[26].

Eustáquio tiene méritos suficientes para someterse a este análisis. Solo son enviados allí los espíritus preparados para comprender la obra de amor que se realiza en esta casa. Los reticentes y los recalcitrantes, por regla general, reciben horarios obligatorios a seguir. El autoanálisis, junto a los jueces de esta Unidad Nuevo Amanecer, hace crecer en la criatura un sentimiento muy positivo de justicia y autocrítica.

Una inmensa sala, envuelta en una suave luz azulada y rodeada de tonos plateados y blancos, sirve de escenario al encuentro de Eustáquio con los jueces de la Casa da Justicia Sublime. Todos vestidos con túnicas blancas, rodeados de los efluvios positivos del plano superior, conversan fraternalmente sobre la suerte de otro hermano en el camino de la reencarnación.

– ¡Mis queridos amigos! Luego de tocar la vibración de apertura de nuestras obras, conducidas por el corazón sensible de nuestro hermano Humberto, estamos listos para escuchar las palabras de nuestro orador, Mateo.

– Hermanos, ¡paz en Jesús! ¡Que Dios ilumine nuestro trabajo hoy! Recibí instrucciones de la Coordinación General para analizar los pasos de nuestro hermano Eustáquio en sus últimas reencarnaciones en el plano material. Después de consultar con la Coordinación de Evaluación y la Coordinación de Programas, revisé los archivos del Departamento de Reencarnación y el Archivo General, ahora presento mi informe. A pesar de los errores y desvíos cometidos por Adila y Mirandela, me parece que los aciertos superaron las expectativas, en especial la postura resignada de Adila, luego de la violencia sexual que sufrió, sin clamar venganza ni ejecutar tal intento. Cierto es que el odio adornó su corazón hasta desencarnarlo, pero dada su etapa

---

[26] Nota del autor Material: ver en el libro "*Nuevo Amanecer*" el capítulo "La descripción de nuestro árbol - XII" y en el libro "*Conversando sobre Mediunidad - Retratos de Nuevo Amanecer*" el capítulo XIII ("La justicia en la espiritualidad").

evolutiva, su actitud no podía ser otra. Obsérvese que ella recibió de niña, en la siguiente reencarnación, tres causantes de su más profundo dolor. Supo desempeñar bien su papel de madre, acercándose a los mandamientos del Evangelio, siguiendo los consejos de espíritus más preparados.

- Permítame hermano Mateo, una pregunta...

- Sí, hermano Antonino.

- Veo en tu informe que Adila dio al hijo tan pronto como él nació. ¿Cuáles son las consecuencias de este acto?

- En vista de su agitada agenda, este desvío no fue el más relevante, aun porque tuvo la oportunidad de reparar su deuda, recibiendo en la próxima reencarnación, como hijo, el mismo espíritu que antes había abandonado. Antes rechazado por su madre, acabó ganándose, en el futuro, su corazón. Además, este acto irreflexivo de ella sonó como un revés y el arrepentimiento le costó momentos de profunda tristeza al final de sus días como Adila.

- ¿Hubo otros fracasos por delante?

- ¡Sí, Antonino! Ninguna madre pudo disponer así de su hijo y aun con el perdón obtenido del espíritu que fue abandonado, tuvo que enfrentarse en la próxima reencarnación con su propio rechazo por parte de sus hijos Eugenio, Enrico y Giacomo. No ha habido una reparación completa y hay otras deudas aun pendientes. Precisamente por eso, creo que Eustáquio está en condiciones de seleccionar el mejor camino a seguir.

- ¿Qué tiene que decir nuestro polemista, hermano Paulo?

- ¡Mis hermanos! Subrayo que Eustáquio, tras una minuciosa verificación de sus méritos, se separó de sus antiguos aliados, aun persistentes en el camino del mal. A pesar de no estar ligado definitivamente al camino de Luz, se libró de muchos acosos de entidades inferiores cuando estuvo en Palermo en el sobre carnal de Mirandela. Además, otro aspecto relevante fue su reparto de amor a los niños necesitados, que acabó adoptando. Los sentimientos positivos predominaron sobre los negativos en la exteriorización de sus voluntades, aunque los menos dignos permanecieron en su núcleo, apoyando su creencia y mentalización. Estoy a favor de una amplia libertad de elección, en la línea propuesta por mi hermano Mateo.

Mientras que el expositor destaca los aspectos positivos y negativos de la trayectoria, con algunos matices personales, en comparación con el programa idealizado por el plan superior, el polemista solo valora las vibraciones y sentimientos que acompañaron al espíritu en las reencarnaciones bajo análisis, trazando un cuadro relacionado con su purificación y sobre todo con su mérito personal. Ambos expresan sus opiniones sobre el caso en estudio. Estas apreciaciones pueden o no coincidir; es decir, expositor y polemista pueden tener el mismo análisis del hecho o no. Transmiten sus impresiones, que adquirieron con el estudio del caso, a la espera del pronunciamiento de los jueces.

- Hermano Mateo, ¿está de acuerdo con la evaluación del polemista Paulo?

- ¡Sí, hermano Gaspar! Sigo plenamente su análisis.

- Bueno, mis amados compañeros, todos tienen ejemplares de los trabajos del expositor y del polemista. Escucharemos ahora a Eustáquio, antes de decidir, bajo inspiración superior, el programa a trazar. ¡Aquí estamos para escucharte, mi querido hermano!

- Queridos hermanos de la Casa de la Justicia Sublime, les agradezco esta oportunidad de estar presente para expresar mi deseo sobre el camino que debo seguir. Todavía tengo mucha dificultad para expresarme dentro de las Leyes Divinas. Mi fe en la fuerza del Señor todavía es inestable y vacilante. A pesar de muchos años vividos, con algunos avances e innumerables estancamientos, noten que tengo muchos males que reparar en la corteza terrestre. Mi sentido de la orientación y mi juicio se estremecen demasiado cada vez que me pongo el sobre de carne. Sin embargo, en vista de mi agenda de regreso en breve, me gustaría pedir otra etapa en la pobreza material más completa, ya que tengo verdadero terror de enfrentar la opulencia y la abundancia de riquezas materiales. Estoy confundido acerca de mi destino. Tengo queridos amigos en este plano, pero también los tengo en el plano inferior. No sé si está mal, pero termino albergando fuertes sentimientos por los compañeros que dejé en la oscuridad. Por otra parte, amigos, por no tener todavía una fe sólida en mi corazón, termino cediendo a los fáciles llamamientos de la venganza y del odio cuando me provocan durante la etapa en el plano físico. Mi deseo, entonces, es caminar enfrentando la prueba de la pobreza que, ciertamente, restringiendo mis pasos en esa dirección y podré progresar, quién sabe, como deseo.

- Admiramos tu sinceridad, Eustáquio. La luz azul se hizo más fuerte en el ambiente, demostrando su franqueza y su confianza en nuestro amor y amistad. Haremos todo lo posible para diseñar el mejor programa posible para tu próxima reencarnación.

- Gracias, hermano Gaspar, por tus conmovedoras y amables palabras. ¡Estaré esperando confiadamente!

En espera de la decisión sobre su futuro hacia la materialidad, Eustáquio vive días agradables en la Colonia. En Recinto de la Paz[27], animado por Anita y Rosana, comenzó a estudiar y meditar sobre temas relevantes del Evangelio, participando activamente en los grupos de la casa. Todavía siente que la amargura brota de su pecho cuando reconoce sus errores del pasado, a veces se siente incapaz de superar las barreras de sus desviaciones más graves. Con una serenata de los pacientes que lo acompañan, se da cuenta de la relevancia de su viaje en la Corteza y mantiene vivas sus esperanzas nuevamente.

Cuando entra en un proceso de profunda depresión, regresa a la Casa de Reposo para ser atendido de emergencia. En estas ocasiones experimenta un rápido recuerdo de su pasado y también, a través de viajes imaginarios en el tiempo, logra volver

---

[27]Nota del autor material: ver en el libro *"Nuevo Amanecer"* el capítulo "La descripción de nuestro árbol - Parte X."

al tiempo de Cristo, siguiendo la vida y obra del Misionero Mayor, tranquilizándose y adquiriendo esperanza de continuar[28].

Recuperándose de sus crisis, asiste al Centro de Aprendizaje de Luz Divina[29], donde asiste a conferencias de mentores, quienes comentan, a través de casos concretos, sobre la Justicia de Dios en las reencarnaciones. Angustiado y ansioso por su rumbo futuro, nunca estuvo tan lúcido para evaluar sus errores y deudas. Se siente empoderado para afrontar la decisión sobre su reencarnación. En esta etapa de esclarecimiento, se convierte en la Casa de la Justicia Sublime.

- Estimado hermano Eustáquio, hemos llegado a una conclusión respecto a su programa. Aprobado por superioridad divina, Luego de la consulta que realizamos, creemos que se puede atender parte de su pretensión. Saldrás inmediatamente, pero no vivirás en una situación de pobreza material absoluto como se desee. Una trayectoria equilibrada, en una familia de medianas posesiones, será la más adecuada. Usa tus grandes dotes de liderazgo para construir un proyecto de vida positivo. Durante tu viaje, está programado para vivir con un espíritu de luz, que estará en misión en la Corteza. Aprovecha esta oportunidad para extraer un buen aprendizaje de los ejemplos que presenciarás. Se pueden obtener más detalles del Departamento de Reencarnación, que se encargará de su devolución. Dios te bendiga mi hermano. ¡Que así sea!

Aceptando, resignado, la decisión de sus compañeros más experimentados, Eustáquio se prepara para el viaje de regreso.

Antes; sin embargo, acompañado de Anita, traza sus últimos contactos con Nuevo Amanecer. Camina por la Plaza

---

[28] Nota del autor material: ver en el libro "*Nuevo Amanecer*" el capítulo "La descripción de nuestro árbol - I" ("Suela de Recuperación Mental", ubicada en el último piso de la Casa de Reposo), pág. 98.

[29] Nota del autor material: ver en el libro "*Nuevo Amanecer*" el capítulo "La descripción de nuestro árbol - XII" y en el libro "*Hablando de Mediumnidad - Retratos de Nuevo Amanecer*" capítulo II, ítem "Estudio."

Central[30], siente los altos efluvios del Bosque de la Naturaleza Divina[31] y se sensibiliza por la exuberancia de la hermosa cascada que esparce aguas cristalinas y plateadas, agradeciendo al Creador por este contacto tonificante.

Anita y Rosana le brindan las últimas pautas y le interesa saber el motivo de no recordar, al encarnar, su internado en la Colonia. Fraternalmente explican que la pérdida de la memoria es solo temporal, mientras dure la etapa en el plano físico, además de ser necesaria para preservar la libertad de acción y los encuentros y reencuentros con antiguos enemigos del pasado. A veces, el adversario más acérrimo reencarna en la misma familia - como padre, hijo o hermano - exigiendo una trayectoria neutra y exenta. De esta forma, los espíritus, al regresar a Crosta, pierden la conciencia de sus actos pasados y de su verdadera identidad.

Los días tranquilos terminan en Nuevo Amanecer y, antes de partir, Eustáquio aun tiene la oportunidad de visitar y conocer las Moradas del Sol y las Estrellas[32]. Espiritualmente rejuvenecido, regresa a la corteza terrestre, arrullado en la esperanza de sus amigos que lo esperan en el reino de la vida.

---

[30] Nota del autor material: ver en el libro "*Nuevo Amanecer*" el capítulo "La descripción de nuestro árbol - III."

[31] Nota del autor del material: ídem, capítulo "La descripción de nuestro árbol - IX."

[32] Nota del autor del material: ídem, capítulos "La descripción de nuestro árbol - IX y X", páginas 158 y 164.

CAPÍTULO XXXVIII

EN BUSCA DEL TIEMPO PERDIDO

Los vientos de la ribera soplan, envolviendo un atractivo arroyo que serpentea a través de una llamativa pradera en las afueras de Orleans. Un niño de ocho años, flaco e inquieto, camina por las orillas con una caña de pescar, maldiciendo constantemente su mala suerte y queriendo poner sus manos sobre el primer pez somnoliento y nervioso que emerge de las profundidades. Su entretenimiento lúdico consiste en vagar por los campos esperando el anochecer. Lúcidamente, el sol finalmente se hunde en el horizonte, lo que obliga a Jean Paul a regresar a casa. El niño echa a correr con avidez, soñando con saciar su hambre con el apetitoso caldo de hierbas que le prepara su madre.

- ¡Por fin estás aquí, Jean! Estaba preocupada. Después que tu padre nos abandonó, vivo con miedo que uno de mis hijos me deje.

- ¡Eso nunca pasará, mamá! No repitamos el error de papá.

- ¡Dios te escuche, hijito mío! Llama a tus hermanos, porque estoy sirviendo la cena.

La tranquila Adele comenzó a cuidar sola del hogar, tan pronto como su marido - el Capitán Millier -, con el pretexto de viajar en una misión militar, abandonó a la familia y se fue a vivir a París. Bohemio y desaliñado, nunca más volvió a tener noticias de casa.

La vida se volvió dura para los tres hijos de la pareja, quienes ya no contaban con la protección y el apoyo material de su padre, lo que los obligó a reducir y controlar los gastos. El mayor, Jean Paul, nunca aceptó el hecho que estaba preso en Orleans y le gustaría vivir con su padre en París, no lo hacía para evitar lastimar a su amable madre.

Arnaud y Claude, los más jóvenes, siguen las opiniones de Jean y también quieren algún día dejar la ciudad definitivamente, lo que provoca miedo en Adele, previendo para ella una vida aislada y solitaria.

Después de la cena, cuando la madre se acuesta, los tres hablan emocionados sobre el futuro.

- Hagamos un pacto, hermanos míos - insta el mayor.

- ¿Qué tipo de pacto?

- ¡Muy sencillo, Arnaud! Cuando podamos permitírnoslo, iremos a París a buscar a papá. Allí seremos muy ricos y volveremos a buscar a nuestra madre. ¿Qué tal?

- ¿Y cómo nos haremos ricos? - Pregunta el pequeño Claude.

- Bueno, solo necesitamos encontrar algún negocio, o tal vez papá pueda ayudarnos a unirnos al ejército.

- ¿Y quién te dijo que el ejército gana dinero, Jean?

- Nadie me lo dijo, solo lo sé.

- Si eso fuera cierto, nuestro padre no nos dejaría en la miseria y se iría a otra ciudad - contraargumenta el más joven.

Mientras discuten, Arnaud está pensando.

- Para ganar dinero, solo dar un golpe

- ¿Qué es golpe?

- ¡Vaya, Claude, todos sabemos lo que es! Esta es una forma rápida de ganar dinero sin mucho esfuerzo. Papá siempre decía que si no estuviera en el ejército, daría un golpe, se haría rico y nos llevaría con él a París.

- No me gustaría enriquecerme robando... - interfiere Jean.

- ¿Y quién dijo robar? Dije golpear... ¿Me escuchaste bien?

- Pero, Arnaud, hacerse rico sin esfuerzo es robarle a alguien, y eso no está bien.

- ¡Disparates! Haré cualquier cosa para mejorar mi vida. ¿Me acompañas, Claude?

- ¡Sin duda!

Entonces dejaremos a Jean Paul con su orgullo y nos iremos solos a París.

La simple conversación entre los tres ya refleja el cambio en el comportamiento de Jean, quien está descontento por haber sido invitado de alguna manera a practicar un acto anticristiano.

El pacto entre Arnaud y Claude se concretó más tarde y ambos abandonaron la casa de su madre en la adolescencia y partieron hacia París en busca de su padre. Jean, entristecido, se queda un poco más, aunque acaba enrolándose en las filas del ejército y se ve obligado a abandonar Orleans. La predicción de Adele termina por consumarse y ella pone fin a su viaje solitaria e infeliz.

Cuando viaja por Francia acompañando a las tropas, Jean Paul se convierte en el blanco favorito del regimiento, por ser tímido y cerrado. Los soldados pasan su tiempo atormentándolo y generalmente hacen apuestas para ver quién podrá obtener una reacción del joven, ya sea positiva o negativa. Siempre parece estar inerte y no tiene emociones.

Los meses pasan rápido, los años corren y Jean se da cuenta que la ruptura de su familia es la mayor fuente de angustia en su vida. Apenas conoció a su padre, dejó sola a su madre y nunca más volvió a ver a sus hermanos. Su núcleo; sin embargo, anuncia la llegada de un personaje a su existencia, que puede cambiar el rumbo de su camino. Le queda a él confiar en Dios.

CAPÍTULO XXXIX

EL ENCUENTRO CON JOANA D'ARC

Un orgulloso destacamento del ejército francés marcha hacia Orleans para liberar la ciudad del yugo inglés, comandado por la joven y bella guerrera Joana D'Arc. Las tropas fueron enviadas por el rey Carlos VII en un intento de revertir la Guerra de los Cien Años[33] a favor de Francia.

Cuando se acercan a la ciudad sitiada, son recibidos por una gran lluvia de flechas incendiarias disparadas por el enemigo, que derriba a varios hombres. Sin desanimarse, Joana ordena una retirada estratégica para delinear su plan de invasión.

---

[33] Nota del autor material: la Guerra de los Cien Años, entre Francia e Inglaterra, de 1337 a 1453, se inició con la rivalidad entre Felipe de Valois, proclamado Rey de Francia tras la muerte de Carlos IV, último Capeto directo, y Eduardo III, de Inglaterra, quien afirmó tener derecho a la corona por parte de su madre. Duró hasta el reinado de Carlos VII. Los ingleses obtuvieron la victoria en Crecy (1346) y en Poitiers (1356). En el reinado de Carlos V, gracias a Du Guesclin, la fortuna de las armas favoreció a Francia, pero, en el reinado de Carlos VI, la batalla de Agincourt (1415) y una nueva victoria inglesa. Cuando Carlos VII asciende al trono, los ingleses ocupan casi toda Francia. Sin embargo, aparece Joana D'Arc, que despierta el patriotismo francés, levanta el sitio de Orleans y consagra al rey en Remos. Cae; sin embargo, prisionera en Compienha y es quemada en Rudo (1431). El impulso; sin embargo, está dado; los ingleses, vencidos en Formigny (1450) y Castillon (1453), fueron expulsados de Francia, excepto Calais, que no les fue arrebatada hasta 1558. (Diccionario práctico ilustrado Lello - pg. 1508/1509).

Rehechos, los franceses invirtieron nuevamente contra el asedio inglés y comenzó la feroz batalla. Mortalmente heridos, muchos soldados caen y nunca regresan a la escena del combate.

Tras tres agotadores días de enfrentamiento, Joana lidera el ataque final.

Se libran nuevos enfrentamientos y horas después se estampa en el rostro de cada luchador la victoria francesa. La alegría estalla en Orleans y el comandante de la misión es elogiado por los gritos de agradecimiento de los habitantes.

- ¡*Viva Jeanne!* ¡*Vive la France!*[34]

Encarcelado durante el combate, el general británico Talbot es presentado a Joana D'Arc.

- Nunca admitiré haber sido derrotado por un ejército comandado por una mujer.

- Su arrogancia, General, no lo salvó de la derrota y quiero decirle que aun será juzgado por sus actos de guerra. Somos conscientes de nuestro papel en la liberación de nuestro pueblo del yugo extranjero. Los ingleses deben vivir en Inglaterra. Francia es para los franceses.

- ¡Eres realmente valiente! La batalla que ganaste no acaba con la guerra.

- ¡Ya veremos, general! Mientras tanto, celebremos nuestra libertad.

Los soldados quieren eliminar al general encarcelado y se oponen enérgicamente a Joana, que preserva la dignidad del enfrentamiento, respetando la integridad física de los vencidos.

La superioridad moral de la Virgen de Domremy tranquiliza a los militares y sus bellos ejemplos siguen fascinando a los franceses. Jean Paul, encargado de velar por la seguridad del

---

[34] Nota del autor espiritual: "¡Viva Joana! ¡Viva Francia!"

comandante, inicia su relación con este misionero que solo le transmite una auténtica lección de vida.

Observado de cerca por su mentora Nívea, la trayectoria de Jean se vuelve prometedora, especialmente cuando siente crecer su admiración por Joana D'Arc.

El ejército parte de Orleans hacia Troyes. Acampado a orillas de un ancho río, junto a un cañón, Jean comienza a notar un creciente malestar entre los soldados, hambrientos y con mucho frío. Se acerca a Joana, presintiendo que algo malo le puede pasar. Le disputa, en este punto, al oficial Gualberto, la primacía del cuidado del líder. Ambos no se entienden y parecen tener una aversión natural.

Durante una de las noches que pasan en el campamento, uno de los soldados intenta agredir a la comandante, acosándola sexualmente. Con la atención inmediata de Jean, el militar indómito es encarcelado y no puede hacer daño. Agradecida, la Virgen de Domremy encuentra en su protector un amigo sincero y un soldado devoto.

Desesperado y celoso, Gualberto rompe relaciones con Jean Paul y en sus noches de insomnio tiende al delirio y al recuerdo del pasado:

- ¡Cobarde, miserable, la Franchise es mía! Nada me había alejado de mi amada. Vete, Giscard, que en los dominios de Orleans soy la voz de la Iglesia. Deja mi Franchise en paz...

Varias veces lo despiertan con un balde de agua, ya que los otros soldados no soportan sus manifestaciones durante la noche. De hecho, sus delirios tienen razón de ser, porque junto a Eustáquio - en el mismo batallón - reencarna Marcel, el obispo de Orleans.

Buscando apaciguar a los dos adversarios, inconscientemente pero inspirada, Joana se esfuerza para que ambos sean amigos y caminen juntos a su lado, fieles y devotos.

A partir de la intromisión personal del líder de la tropa, Gualberto y Jean Paul fuerzan una convivencia armoniosa. Cesa la hostilidad gratuita existente entre ambos.

Mientras Francia exige todo a sus soldados, los enemigos del pasado se unen en el presente para el inicio de una reconciliación regeneradora.

CAPÍTULO XL
EL JUICIO DE ROUEN

Al mando de su ejército, Joana D'Arc despierta el sentimiento patriótico de los franceses y por donde pasa atrae la atención de todos, provocando la ira arraigada en los enemigos ingleses. A su lado, inquebrantable, renovando su espíritu, está Jean Paul.

A lo largo de su viaje, la ferviente Pucela comete errores y acaba encarcelada por los ingleses. Conducida a un juicio parcial en la ciudad de Rouen, deja perplejos a sus seguidores y admiradores incondicionales. En esta ocasión, ningún compatriota puede defender públicamente a la que lideró gran parte de la unificación del reino de Francia.

Incrédulo, Jean sigue el escenario de farsa creado para decidir el destino de Joana, donde los protagonistas ni siquiera logran una apariencia de justicia.

Indefensa frente a sesenta verdugos, llamados jueces y teniendo como acusador al temerario y altivo Juan d'Estivet, escucha en silencio la pieza acusatoria. Mirando el juicio desde la distancia, unidos en un mismo sufrimiento, Gualberto y Jean quedan al servicio del gran líder.

El temible tribunal de la Inquisición formado por doctores en teología es pagado por los ingleses para condenar a una valerosa defensora de la unidad de Francia, los ideales de un pueblo y la lealtad a Dios. Ninguno de los presentes en este sórdido acto defiende a Joana y ni siquiera Jean se atreve a hacerlo.

Sometida a interrogatorios interminables en busca de una capitulación humillante ante la Iglesia, entregada a la tortura venal hasta perder las fuerzas, Joana D'Arc se enfrenta a su proceso mefistofélico de condena predestinada. El obispo de Beauvais, descontento, presiona sin descanso a la joven prisionera para que confiese su traición. Inútil. Sigue siendo una parte integral de la Virgen de Domremy. Su sentencia sigue, imponiendo la muerte por fuego.

El 30 de mayo de 1431, Joana D'Arc desencarna y con ella sigue las esperanzas de sus leales soldados, tomando como únicas las promesas hechas por Jean Paul, que quiere cumplir el juramento hecho a Pucela de continuar, junto a los franceses, hasta el último de sus hombres, la Guerra de los Cien Años.

La fifia de los pájaros más atrevidos acaba por molestar la meditación de Jean Paul en las serenas orillas de un lago de aguas cristalinas y azules, que envuelve felizmente toda la belleza de la llanura de Orleans. La perpetuidad de su placidez ennoblece el pensamiento de quienes allí se dedican a reflexionar, bajo el tibio calor del sol invernal.

Planificando en silencio, Jean rememora sus momentos cruciales con su familia, recordando, aun, sus mejores deseos, acompañados, a veces, de abusos sin sentido. Repasa la ambición de los hermanos que abandonaron a su madre, haciendo alarde de apoyo a su irresponsable padre y se siente culpable por no haber apoyado a Adele hasta su último día de vida. Las hermosas lecciones de Joana llenan su memoria de alegría y cada camino que ha recorrido vuelve a su mente. Mira su pasado reflejado en la superficie del lago.

Ve en estas aguas claras el reflejo de su vida. Hace un repaso de sus aciertos y de sus fracasos durante los cuarenta y cinco años de existencia y tal vez concluya con su fracaso. Termino el viaje solo y ya no siente fuerzas para aguantar el día siguiente. Está enfermo y no cree que vuelva a ver el verano en su querida Orleans.

- ¡Oh Dios! Perdóname tanto dolor y poca esperanza. Te agradezco la oportunidad que tuve de convivir con Joana, aprendiendo tan bellos ejemplos. Como había prometido, seguí el desarrollo de la guerra y, hoy, con las naciones pacificadas, tengo un conflicto interior que resolver...

Jean Paul llega a la cima de su viaje y siente que el final está cerca. Evaluando pasos pasados y acostumbrado a ser riguroso en sus conclusiones, extrae apresurados cierres amargos para su vida.

- ¡Dios, oh Dios! A tu lado estaba mi santa madre y también la dulce y suave Joana. Yo también busco encontrarte, pero no puedo. No puedo prescindir de Tu apoyo y Tu misericordia. ¡Escúchame, Señor!

Se duerme sobre la hierba blanda y se deja envolver por la tarde. La noche llega trayendo consigo una furiosa tormenta de nieve, símbolo de la llegada del invierno europeo que elige un momento especial para hacerse notar en Francia. Los copos blancos y amistosos, pero fríos por naturaleza, enredan a Jean Paul que, en la cuna de la pradera de Orleans, nunca más despierta.

Los cristales de hielo se enamoran de las hermosas aguas azules del deslumbrante lago y congelan su superficie. Las conversaciones y meditaciones de Jean llegan a su fin con sus aguas, pero así como el invierno representa una nueva vestidura para Orleans, llevándole nieve y frío, al cabo de unos meses volverá a brillar en el cielo el sol de verano que transformó el paisaje y la vegetación se había quemado. Lo mismo sucede con el mecanismo de la reencarnación. El espíritu pasa por varias etapas y conoce innumerables sensaciones, purificándose hacia la perfección.

Eustáquio renace con la esperanza y, despidiéndose de las túnicas de Jean Paul, acompañado de Genevaldo y Nívea, se dirige hacia los portales dorados de Nuevo Amanecer.

FIN DE LA SEGUNDA FASE

TERCERA PARTE

EN CAMINO DE LA REGENERACIÓN

1502 - 1945

CAPÍTULO XLI

LA ABADÍA DE FLORENCIA

¡Mis queridos hermanos! Los hombres a menudo recorren caminos ya recorridos. Y un hombre que se considera prudente debe cuidarse de seguir los pasos de los grandes hombres, imitándolos. Si no le es posible hacerlo, al menos debe imitarlos en sus virtudes, porque mucho se usa. Si quieren llegar a un punto lejano, deben hacerlo como los exploradores, que son conscientes de la capacidad del área y apuntan a un lugar más alto de lo que realmente apuntan. Mediante este artificio, pueden llegar al objetivo con precisión. Hermanos, noten la desvitrificación de nuestros caminos y estudios a través de las ideas creativas y perfectibles de Nicolás Maquiavelo... - aplausos entusiastas -. ¡Un momento, un momento, permítanme continuar! Muchos seres mediocres y despreciables se perpetúan en el poder, no por cualidades insólitas y peculiares, sino porque siguieron las ideas de grandes líderes del pasado o incluso hoy. Hay príncipes[35]; sin

---

[35]Nota del autor espiritual: la referencia a los príncipes y la forma en que Maximiliano hizo llegar las ideas de Maquiavelo a los benedictinos, para justificar y demostrar que el poder, en sí mismo, no es un mal y puede ejercerse bien, incluso desde un punto de vista religioso. En ese momento, cuando la unificación italiana comenzaba a tomar contornos más vigorosos, era importante que la orden benedictina participara en el proceso político que se gestaba, sin perder el espacio político y social conquistado hasta entonces y adaptándose al nuevo orden que estaba a punto de ser instalado. La proximidad al Vaticano les obligaba a reciclar constantemente direcciones e ideales, para nunca entrar en conflicto con el Papa y con el objetivo de paliar posibles crisis de conciencia que tenían algunos religiosos ante tal disparidad entre las

embargo, que son príncipes por sus propios valores, sin tener ninguna fortuna. Permítanme citar a Moisés, Giro, Teseo y Rómulo. Cabe señalar, como bien lo señaló Maquiavelo, que Moisés fue un mero ejecutor de las órdenes de Dios; sin embargo, merece ser admirado porque se hizo digno de hablar con el Creador. Y, aprovechándose de la esclavitud del pueblo oprimido de Israel en Egipto, logró que estuvieran dispuestos a seguirlo. Así, queridos hermanos, buscar la virtud de un líder debe ser el objetivo de esta orden; convertirse en príncipe, quién sabe, de un vasto reino de conciencias y aplicar los mandamientos divinos para guiar a estos pueblos en su camino hacia el rejuvenecimiento de las ideas. Nuestra congregación no puede bifurcarse; deben permanecer unidos y firmes en el propósito de compartir con el príncipe la rara oportunidad de unificar y dirigir a un pueblo. - Aplausos delirantes.

Señores - continúa el monje benedictino Maximiliano - No pretendo ser un pañalero, pero es necesario recoger otros aspectos de nuestras ideas. Tengan en cuenta que aprender a ser malvado es uno de los objetivos de cualquier príncipe para permanecer en el poder. Algunos son muy liberales, otros miserables, se abstienen de usar sus posesiones, y otros son pródigos, rapaces, crueles o piadosos. Algunos otros son perjuros o leales, pueden ser afeminados y hasta cobardes; truculento o enérgico;

---

enseñanzas cristianas más puras y la realidad que experimentan. El príncipe era el símbolo del poder en la época y Maximiliano, estudioso del tema, utilizó esta imagen para retratar a los benedictinos la simbología de dominación y articulaciones que la Iglesia en general tenía en sus manos. Así, hizo comparaciones entre el príncipe y el Papa, así como entre el primero y su orden religiosa. Cuando menciona la figura del "príncipe" en sus conferencias, pretende retratar a veces al Papa, a veces a la orden benedictina, a veces al Príncipe mismo. Maquiavelo fue secretario de la Cancillería en Florencia y dedicó su obra maestra al Magnífico Lorenzo, hijo de Piero de Medici. Maximiliano tuvo acceso a la obra, aun no publicada y difundida oficialmente, a través de los numerosos contactos que la orden tenía en la sociedad y en la clase dirigente florentina. El propio Lorenzo abandonó el mundo material sin siquiera conocer, en profundidad, la obra maestra que le fue dedicada.

humanitario o soberbio. Hay quienes son lascivos o lujuriosos; tonto o astuto; tibio o incluso enérgico; serio o frívolo; religiosos o ateos. Al principio el príncipe debe tener solo buenas cualidades, pero la naturaleza humana es tal que no le permite tener posesión completa de ellas. Lo más importante es saber ser prudente para evitar los defectos que le pueden quitar al gobierno. Defectos y virtudes necesitan ser manipulados con sagaz ingenio para servir al poder y pueden incluso traer bienestar y tranquilidad al príncipe. [36] [37] Finalmente, queridos hermanos, ¿quién no tiene defectos? ¿Adicciones? ¡Todos las tenemos! Dentro de los límites de nuestra orden podemos admitirlos, pero esta dolorosa confesión nunca debe llegar al mundo exterior. Ordenemos nuestras ideas según la realidad, ya que la ficción solo sirve para instruir a los incautos. Podemos ser considerados, *interna corporis*, a veces crueles, truculentos, arrogantes, astutos, enérgicos y hasta lascivos. Para los fieles; sin embargo, seremos siempre castos, religiosos, liberales, piadosos, leales y, tal vez, pródigos. ¡Somos

---

[36] Nota del autor espiritual: bien se puede notar, a la vista del discurso expuesto por Maquiavelo en 1513, con su obra "*El Príncipe*", de donde surgieron los términos "maquiavélico" y "maquiavelismo", referidos a la mala fe, la perfidia, así como el principio político que fines y objetivos deben siempre justificar los medios empleados para alcanzarlos. En esta ocasión, estudioso de las obras políticas en general, Eustáquio adquiere una mayor conciencia de los valores del espíritu, en contraposición a la filosofía de los hombres. Aprende a discernir con mayor precisión entre el bien y el mal. Se equilibra sobre una tenue y sutil línea divisoria entre los lados antagónicos que se circunscribían frente a ella: la práctica de las enseñanzas cristianas en su esencia o el ejercicio maquiavélico de estas enseñanzas. Aun con 23 años, joven, inexperto, tiende a seguir las ideas de su entonces ídolo Niccolo Machiavelli. A partir de esta reencarnación en la corteza terrestre se evidencia una continua evolución de sus conocimientos. Crece su cultura y desarrollo intelectual, acompañándolo, todavía tímido, pero seguro, en el campo moral.

[37] Los extractos del libro "*El Príncipe*" ("*De Principatibus*") de Niccolò Machiavelli contenidos en esta obra pueden ubicarse por el lector en sus capítulos VI ("De los nuevos principados que se vencen con las armas y con nobleza") y XV ("De las razones por las cuales se alaba y denigra a los hombres, y sobre todo a los príncipes").

los amigos del pueblo! ¡Somos sus hermanos! ¡Los verdaderos agentes de Dios! Según la necesidad del momento, podemos incluso asumir algunos de nuestros defectos hasta ponerlos en práctica. Pero una imagen de integridad debe ser el fundamento de nuestra orden religiosa, como auténtico liderazgo entre los florentinos.

Antes de terminar su discurso, dada la relevancia del tema presentado, Maximiliano es interrumpido por el Prior.

- ¿Y cuándo sería el momento adecuado para admitir nuestros... errores?

- Siempre que el interés lo dicte. Me explico mejor. Cuando haya necesidad de ser malos - recordemos a Maquiavelo y sus sabias enseñanzas - lo seremos. Los defectos, querido hermano, nos traen muchos resultados satisfactorios y positivos. No se puede actuar solo dentro de la virtud, pues perderíamos una parte considerable del poder. Podría ser la ruina de nuestros dominios. Ser malvado; sin embargo, exige cautela. En última instancia, sabremos cuándo lo estamos haciendo y qué ganancia estamos obteniendo. Otros, ajenos a nuestra congregación, ciertamente no tienen esta noción práctica de sacar provecho de sus propios excesos. ¡Compartamos nuestras propias faltas! Si las tenemos, debemos usarlas bien, después de todo, no todos somos virtudes. Por lo tanto, necesitamos construir nuestras ideas dentro de estándares reales. Conocer los escritos de Maquiavelo será sumamente positivo para nosotros. Necesitamos saber lidiar con nuestros defectos, camuflarlos aunque sea - si es esencial -, continuando con nuestros ideales cristianos de manera virtuosa y para un buen propósito, que es alcanzar la perfección del espíritu y conquistar un lugar junto a la Creador. ¿Qué importan los medios a emplear si los fines - nobles por cierto - los justificarán? Algunas desviaciones, frutos de la realidad humana, experimentadas incluso por el príncipe, son inherentes a nuestro espíritu. Entendiendo esta verdad y manipulándola para el bien común, ofreceremos tranquilidad y quietud a nuestros fieles.

De nuevo interrumpido, Maximiliano se enfrenta a las preguntas de Vidal, uno de los monjes presentes.

- ¡No creo que sea la postura correcta! Estaríamos subrayando y alentando nuestros defectos en nombre de un ideal discutible como el que presenta el cohermano en su conferencia...

Antes que pudiera continuar, interviene el Prior y dice:

- De hecho, querido compañero Vidal, no hay contraste entre las ideas expuestas por nuestro erudito Maximiliano y los postulados de esta orden, unificada por San Benito hace tantos años. Debemos entender que el estudio de las ideas de Nicolás Maquiavelo representa un develamiento de nuestros métodos arcaicos y mezquinos de penetración en la comunidad y en la organización política. Hoy, ciertamente, el manuscrito de este diplomático no tiene la repercusión que merece. Pero la Iglesia necesita - véase el ejemplo del Sumo Pontífice - penetrar en el corazón de todos sus fieles, conquistando espacios e imponiéndose a príncipes y reyes, antes que otros aventureros. Estos ciertamente pueden hacerlo sin la aquiescencia divina, que no es nuestro caso. Me parece interesante la tesis presentada por nuestro ponente: el fin justifica los medios... ¡Adelante, Maximiliano!

- Bien, mis queridos compañeros, el sufrimiento de las personas es a veces parte de su redención futura. Recordemos el ejemplo de Moisés y los esclavos en Egipto. Un liderazgo se construye en un momento de dificultad para ciertas personas y se consolida después, cuando se produce el renacimiento de las esperanzas. De la misma manera que el príncipe debe buscar ser querido por su pueblo, nuestra orden necesita, a toda costa, mantener su posición prestigiosa en la sociedad florentina. Permanezcamos unidos, conscientes de nuestros pasos y aceptemos nuestras debilidades cuando sea conveniente, pero nunca exponiéndolas al mundo. Dirijamos nuestro rumbo hacia la consolidación de nuestra fuerza política y sentemos las bases para el futuro, asociados con los grandes líderes y buscando la unificación del Estado florentino[38]. Encabecemos la aspiración del príncipe: *quod nihil illi deerat ad regnandum praeter regnum.*[39] ¡A la conquista, hermanos!

Una vibrante ovación corona el discurso de Maxilimiliano, uno de los monjes más jóvenes y estudiosos de la abadía, que queda encantado con la obra maestra de Maquiavelo.

El prior admira su obra y decide enviarlo a Roma para continuar su aprendizaje e impartir sus conocimientos de política y filosofía. La sombra de su pasado lejano, cuando estuvo al frente de una abadía del siglo VIII, se dibuja en su perfil ambicioso y sectario.

---

[38] Nota del autor espiritual: Era esencial, en ese momento, defender un Estado cuyo centro sería Florencia, frente a la feroz disputa existente entre ciudades italianas, como Milán, Nápoles, Venecia y Roma.

[39] Nota del autor espiritual: "No le faltaba ser rey siendo un reino."

CAPÍTULO XLII

CULTURA HUMANISTA

Regresa a Florencia en 1502. Eustáquio reencarna bajo el manto protector de una familia modesta y sencilla, recibiendo el nombre de Maximiliano.

Se desarrolla rodeado de amor y lleno de comprensión y apoyo. El núcleo familiar, a pesar de la sencillez de la vida, permite un crecimiento sano, con posibilidades de estudio. Desde temprana edad, Maximiliano acompaña a su padre en las actividades del campo, la cosecha y la siembra, de forma cíclica y rutinaria, buscando en su corazón cuándo surgiría una oportunidad de progreso social y económico.

Buscando lograr su objetivo de mejorar el nivel de vida, frecuenta todos los días el pequeño negocio del "maestro" Jacob, como llama cariñosamente al anciano que vende libros y baratijas en general en el centro de la ciudad. El rabino le ayuda en su aprendizaje, proporcionándole todo el material necesario para componer los amplios conocimientos que requería la sociedad intelectualizada de la época, inmersa en el Humanismo[40] y el Renacimiento[41].

---

[40] Nota del autor material: El humanismo fue la doctrina y el movimiento de los humanistas del Renacimiento que resucitaron el culto a las lenguas y literaturas grecolatinas (Nuevo Diccionario Aurélio de la Lengua Portuguesa).

[41] Nota del autor material: el nombre *Renascenqa* se le da a la renovación literaria, artística y científica, que operó en Europa en los siglos XV y XVI, especialmente bajo la influencia de la cultura antigua entonces en boga (Dicionário Prático Ilustrado Lello, pg.1844).

Apasionado por la agudeza mental y la inteligencia fuera de lo común del muchacho, Jacob, soltero y solitario, se entrega a él como si fuera un hijo, exigiéndole postura y entrega. Sin defraudar al viejo librero, Maximiliano asciende día tras día en la escala intelectual y los dos se hacen cada vez más amigos.

Gran centro del Humanismo, Florencia brinda a los jóvenes una fuente inagotable de obras literarias de alto nivel, lo que permite al Maestro Jacob seleccionar los mejores textos para sus clases. El anciano - sacerdote del judaísmo - había desarrollado su infancia en constantes estudios, en la finca ribereña que poseía su padre en la región francesa de Troyers, de donde emigró.

Unidos por un ideal común, se inspiraron en las grandes obras de su época, dedicándose a profundas y agotadoras discusiones sobre la obra de Francesco Petrarca, con especial énfasis en la Canzoniere y, por sugerencia particular de Maximiliano, los poemas *Yo triunfo*. Las obras de Boccaccio - Decameron y la biografía comentada de Dante Alighieri no pasan desapercibidas.

Es imposible contener el acalorado debate entre los dos, cuando comentan, con entusiasmo y embriaguez, la obra de Dante Comédia[42]. Un curioso interés por Maximiliano suscita el pasaje descrito por el autor florentino - en los cantos que cuidan el Paraíso - que trata del estallido de san Benito cuestionando las desviaciones a las que se enfrenta la Orden que él idealizaba - los benedictinos[43].

---

[42] Nota del autor espiritual: Inicialmente la obra maestra de Dante Alighieri se llamó *Comedia*. Solo después de 1560 se la conoció como la "*Divina Comedia*."

[43] Nota del autor espiritual: Dante Alighieri retrata en uno de los rincones de su gran obra un encuentro que habría tenido con San Benito, en el Paraíso, cuando escuchó los lamentos del fundador de la Orden Benedictina por los caminos recorridos por sus seguidores, diferentes a los recomendados por él. Hay pasajes, atribuidos a la manifestación de San Benito en esta obra literaria, que mencionan que las abadías se habrían transformado en "barrios marginales" y la capilla monástica

Lógicamente, dados los contrastes teológicos que existen entre el maestro y el aprendiz, ambos están más en sintonía con la discusión de los cantos relacionados con el Infierno y el Purgatorio, pero divergen en relación al Paraíso. La parte relativa a los benedictinos suscita una excesiva curiosidad por parte de Maximiliano, quien, a partir de ese momento, muestra un peculiar interés por esta orden religiosa, con miras a integrarla en el futuro.

Su asesor en estudios comienza a comprobar que el muchacho, al tomar conciencia de cualquier tema, en poco tiempo domina el lenguaje del autor y revela su intención al escribir la obra, demostrando un acceso ágil a la interpretación del texto. También aprecia la pintura y el arte del dibujo en general, mejorando su sensibilidad en el campo cultural y artístico.

En una ocasión, cuando comenta, en latín clásico, uno de los poemas que acaba de leer, tiene como oyente a un atento monje benedictino, asiduo del taller del maestro Jacob, que se interesa por la capacidad intelectual del joven y busca para llegar a conocerlo mejor.

A los dieciséis años, prodigioso y culto, hizo importantes consideraciones sobre las obras góticas que conoció y se dedicó al estudio del diseño geométrico, utilizando como apoyo los cálculos matemáticos.

Una vez hizo un dibujo de un lugar que nunca había visto antes. Es, de hecho, una abadía de orden benedictina fielmente retratada. Posiblemente inspirado por las conexiones del tiempo pasado en la construcción de la imagen, termina obteniendo el permiso para mudarse al monasterio benedictino, ubicado en

---

estaría haciendo bolsas para "harina mala." También lucha contra el amor desmesurado por las riquezas que "enloquecía el corazón de los monjes." En esa ocasión, el fundador de la Orden criticaba el materialismo que dominaba muchas abadías benedictinas en ese momento. Se trata ciertamente de una ficción creada por Dante, aunque en el libro se esboza su sentimiento personal, lo que confirma la imagen que muchos florentinos tenían de los benedictinos.

Nota del autor del material: El citado extracto se encuentra en la obra "La *Divina Comedia*", de Dante Alighieri, Canto XXII, ítem 61.

Florencia, para completar y mejorar sus estudios. Su corazón se embelesa por la invitación que le hace personalmente el Prior a sus padres y, creyendo en un futuro promisorio, se desliga de su familia y de su maestro, partiendo hacia su nuevo horizonte.

Se despide del querido maestro, derramando lágrimas anhelantes pero necesarias. Se deshace de su apego a la tierra, al campo y a la sencillez y se dedica, desde entonces, a una vida austera, pero cómoda dentro de la abadía.

Jacob, entristecido, observa la partida de su querido alumno y fiel amigo. Por las sinuosas calles de Florencia, Maximiliano y el monje que le sirve de guía van de la mano. Alejándose del centro y caminando por los senderos de los acantilados, la última imagen que se ve del joven son las líneas sombrías de su capota monástica.

La noche cae plácidamente y el rabino reza con fervor por su querido compañero, enviándole afectuosas pero frágiles vibraciones para que penetren en las portentosas entrañas de los muros benedictinos.

CAPÍTULO XLIII

LOS CAMINOS RECONDICIONADOS DE LA ABADÍA HACIA EL VATICANO

Los enterradores sombríos siguen senderos ennegrecidos, acompañados solo por la tenue luz de la luna de la medianoche, hacia las bodegas benedictinas. Llevan los suministros mensuales de la Orden y traen cadenas, herramientas y otros equipos extraños, destinados a las cámaras ubicadas en la mazmorra. Corre el año 1523 y Maximiliano ya se hizo monje.

Ajeno a las locuras y excesos cometidos por el priorato en la conducción de los destinos benedictinos, prosigue sus estudios y espera la oportunidad de abandonar el monasterio, pues siente que no le corresponde el lugar oscuro. Es una conciencia adquirida a lo largo de los años, asociada a la renovación interior que experimentó frente a tantas etapas en las zonas de sombra. Su corazón clama por un cambio, mientras que la razón sigue aceptando caminos torcidos y menos dignos para alcanzar metas materialistas, aunque sin excesos.

Cuando tiene conocimiento directo y personal de alguna tortura practicada en los subterráneos - donde son llevadas personas consideradas infieles -, Maximiliano siempre busca al abad para obtener justificaciones.

- Mi querido Max, no te dejes impresionar por la situación de nuestros prisioneros. Están muy bien cuidados y sus familias confían en nuestra orden para recuperarlos y convertirlos en cristianos ejemplares.

- Lamento discrepar, hermano, pero no considero que la tortura sea un método correcto y adecuado para convertir a los infieles.

- ¡¿Tortura?! ¡Qué palabra tan dura y dudosa! Para algunos, este método que rechazas es un bálsamo para el espíritu.

La oposición de los líderes de la abadía es vehemente cuando se busca cualquier cambio en la estructura secular de la orden religiosa y, en particular, en algunas de sus singulares formas de obtener la confesión espontánea y el arrepentimiento de sus invitados. Cualquier comentario de Maximiliano en ese momento sería inútil. Al darse cuenta de la urgente necesidad de abandonar la vida monástica, continúa presionando a los monjes para que lo envíen a Roma a estudiar en el Vaticano.

Mientras estudia, descubre a través de amigos bien informados los manuscritos de Maquiavelo, que datan de 1513, tejiendo una larga y peculiar narrativa sobre la política y el poder. Interesado, se dedica al conocimiento de la obra y se convierte en un experto en la materia.

Elocuente en la defensa de sus puntos de vista y conocedor de los entresijos de la filosofía y otras ciencias humanas, terminó por ganarse la confianza del prior, quien decidió enviarlo al Papa.

Preparándose para partir, se entera de la muerte de su ídolo Maquiavelo, acaecida en 1527. Entristecido, pues quería encontrarlo, parte al año siguiente para una nueva vida en la inmensa ciudad romana.

En el Vaticano, desarrolló aun más su gran gusto por el arte y, en particular, por la pintura. Tiene libre tránsito en la sede del poder político católico y logra forjar importantes lazos de amistad con cardenales y obispos. Sigue de cerca los trabajos de decoración del palacio papal, deslumbrándote con las obras del pintor Leonardo da Vinci. Recuerda su infancia en la cuna del Renacimiento - Florencia - y se adentra en el Cinquecento, última etapa de este movimiento artístico italiano, conociendo a Miguel Ángel.

Mediante negociaciones con cardenales, que llevaron sus pretensiones al Papa Clemente VI, finalmente obtuvo la autorización de la Iglesia para ver la publicación de *"El Príncipe"* de Nicolás Maquiavelo.

Tendría una carrera brillante si no fuera por la enemistad gratuita que le dedica el cardenal Ubaldo, renombrado líder de los católicos de Roma. Reacio a la actuación y buenas intenciones del monje benedictino, el prelado suele poner muchos obstáculos a Maximiliano en todos sus ámbitos de actividad. Suele haber diálogos duros entre los dos.

-¿Me llama usted, Eminencia?

- ¡Definitivamente que sí! ¿Continúas tu insignificante trabajo, joven?

- Me dedico a la labor decorativa de este augusto palacio y estoy a vuestra disposición siempre que lo necesitéis...

- Dejemos de lado tus posturas de buen chico y cristiano ejemplar. Quiero saber si sigues predicando las ideas inútiles de ese escritor florentino, Maquiavelo.

- ¡Sin duda! Admiro su trabajo y sus ideas, con el debido respeto a Su Eminencia.

- Porque quiero que sepas, Maximiliano, de mi descontento con tu conducta. No me gusta esta obra *"El Príncipe"* y, en particular, no me gusta tu presencia, deambulando por los pasillos del Vaticano. ¿Por qué no vuelves a Florencia?

- Le prometí al prior que continuaría mis estudios en Roma...

- ¡Te aconsejo que vuelvas! Por mi parte, si es posible, quiero verte lejos de aquí.

- ¡Agradezco, Su Eminencia, su sinceridad! Hoy tenemos pocos enemigos honestos y francos que toman su posición frente a nosotros. Lamento haber despertado tanta ira en usted. Me mantendré alejado de Vuestra Eminencia para no perturbar vuestra paz.

- Y lo mínimo que espero, hasta que sea horade que te vayas para siempre. Nunca olvides esta advertencia mía. ¡Puedes salir!

Sin comprender la razón del odio gratuito que suscita en Ubaldo, Maximiliano nunca pudo suponer que el cardenal es su enemigo secular, el capitán Tergot, finalmente reencarnado.

Poco a poco, el prelado logra actuar tras bambalinas de la sede papal, tejiendo las peores intrigas y la situación del monje benedictino se vuelve cada vez más complicada. Aislado y experimentando un ostracismo camuflado, tiene ganas de marcharse, de volver a Florencia.

Antes de tomar cualquier decisión, decide salir a la calle, durante la madrugada de uno de los días más convulsos que ha vivido en el Vaticano, para reflexionar. Deambula por la ciudad mientras sus pensamientos vagan sin rumbo fijo. Los mentores de Nuevo Amanecer lo acompañan y, solícitos, buscan inspirarlo para que se acerque a la residencia de Epifânio, un anciano de ideas protestantes y muy vinculado a la Colonia espiritual. En pocas horas, Maximiliano está frente a la modesta casa de su futuro aliado en el camino protestante.

- ¿Cómo estás chico? ¿Estás perdido?

- ¡No, quizás! Perdido en mis reflexiones.

- ¿Te gustaría charlar? Soy un buen oyente.

- ¿Por qué no? ¿Cómo te llaman?

- Epifânio.

- Acepto tu invitación. Después de todo, no tengo nada que perder.

Durante los buenos tiempos, los dos intercambian ideas y discuten con entusiasmo teología y algunos puntos básicos de filosofía. El dueño de la casa intenta mostrar al benedictino los postulados protestantes y escucha con atención sus quejas sobre la prepotente estructura católica.

Fascinado por la doctrina expuesta por Epifânio, Maximiliano promete volver para continuar el debate y, en los meses siguientes, animado por el nuevo camino, olvida las amarguras sufridas en su vida cotidiana en la Iglesia católica, abrazando cada vez más el protestantismo.

CAPÍTULO XLIV

GERMINA LA SEMILLA PROTESTANTE

Durante la Edad Media, la Iglesia Católica logró la supremacía religiosa entre los creyentes de toda Europa. En vista de la construcción de varios templos suntuosos, distribución de sacramentos a la nobleza en general, realización de las Cruzadas, continuas publicaciones de la Biblia y convenios y pactos secretos con el poder político de los diversos reinos, ducados y condados, se hizo poderosa institución de mando. No todos en la institución coincidieron con esta postura y aplaudieron la hegemonía conquistada. El bajo clero, en su mayor parte, no estaba satisfecho con el desapego de los valores espirituales y se quejaba del inconveniente énfasis en el culto externo y las apariencias.

La oposición al papado de los estados nacionales que se estaban estableciendo en Europa, el movimiento humanista desatado por el Renacimiento y un creciente progreso científico contribuyeron al crecimiento de algunos sectores de oposición dentro del propio catolicismo romano.

A partir de estos síntomas, las ideas esbozadas por el teólogo alemán Martín Lutero, sumamente astuto e inteligente en todas sus afirmaciones, desencadenan el inicio de una nueva corriente religiosa que se consolidaría años después en todos los rincones del Viejo Continente. Sus tesis expuestas en la Catedral de Wittenberg son efectivas y cuestionan los dogmas eclesiásticos. Monje que, nunca tuvo la intención de afrentar a la Iglesia o a sus principios básicos. Su intención es adaptar el culto y el sacerdocio a la verdad que lleva en su corazón, simplificando el acceso del pueblo a los miembros del clero y fomentando la fe como valor esencial del ser, superando las riquezas materiales y los títulos.

Estas ideas pronto llegan a Roma e invaden con fuerza la mente de Maximiliano, a través de las noticias transmitidas por Epifânio.

Profundamente agredido por los abusos que ve dentro del Vaticano, especialmente, insatisfecho y dolido por los injustos ataques de Ubaldo a su persona; condenado al ostracismo y reducido a un mero servidor del palacio papal, acaba convirtiéndose al protestantismo.

Cada noche, Maximiliano sale temprano de sus tareas en la curia romana y va a casa de su amigo Epifânio para dedicarse con un grupo de eruditos a la nueva doctrina que está abrazando. Ya no mantiene correspondencia con la abadía de Florencia y acaba levantando sospechas sobre su conducta.

El enemigo jurado, Ubaldo, ordena a algunos sirvientes que sigan los pasos del chico por toda Roma. No pasa mucho tiempo para que el pérfido cardenal finalmente descubra la traición que ha estado esperando durante tanto tiempo para atacar a Maximiliano.

Ajeno a la persecución del prelado, entabla una nueva amistad con un joven monje alemán, invitado por Epifânio a las reuniones, quien le revela las enseñanzas de otro teólogo protestante. Los postulados de Calvino llaman su atención, despertando un interés incontrolable por conocerlo personalmente.

Sin embargo, apenas regresa al Vaticano, es conducido a la presencia del cardenal Ubaldo. Preguntado por su participación en el movimiento protestante, lo niega con vehemencia y sigue afirmando ser católico. Insistente, el prelado lo obliga a confesar, especialmente cuando llama a la conversación a sus asistentes, que siguieron a Maximiliano durante varios días. Desenmascarado, el florentino se desespera y se le ordena no salir de las habitaciones hasta que le autoricen a hacerlo.

Presintiendo la aflicción y el castigo que recibiría, huye del palacio papal y se refugia en la casa de Epifânio durante unas horas, y luego parte hacia Ginebra, donde tiene la intención de encontrarse finalmente con Juan Calvino.

Enfurecido por la huida del enemigo, Ubaldo publica una recompensa por su captura. Temerosa ante el avance protestante, la Iglesia Católica revive la cruel Compañía de Jesús, lo que significa el regreso de la Inquisición.

Se restablece el Santo Oficio y Ubaldo pasa a formar parte del Tribunal. La violencia de sus acciones se extiende brevemente por los rincones europeos y el movimiento protestante se debilita, perdiendo terreno.

Lejos de allí, Maximiliano viaja por Francia durante el año 1545, en busca de las raíces del movimiento de religiones en oposición al catolicismo romano y acaba cruzando las fronteras de Ginebra en el camino de su nuevo líder.

CAPÍTULO XLV

EL ENCUENTRO CON CALVINO

Había caminado toda la noche, bajo el resplandor espectacular de la Luna compañera, y ahora se encontraba cansado y sin esperanza. Unos pasos más, por pocos que sean, conducen a Maximiliano a un claro, formado por hermosos árboles y alegres pájaros que cantan por el cielo, donde descansa merecidamente. La hégira que emprende le produce un amargo sentimiento de estar perdido y vacío.

Horas más tarde, se despierta apurado, imaginando que está perdiendo un tiempo precioso en su búsqueda incesante. Todavía se imagina en Francia, pero ya está en suelo ginebrino. Se levanta y se pone en marcha, dejando atrás el amable espacio sin árboles que lo arrullaba en un descanso providencial.

Se enfrenta a escarpadas montañas, que componen un hermoso paisaje, diferente del entorno florentino donde pasó la mayor parte de su existencia y cuyo prestigio invita a ser alcanzado. Se mira en la quietud del Sol, radiante a esta hora del día. Te sientes como un verdadero heliolatero - que adora al Sol.

Cuando se siente abandonado por la guía divina, termina encontrando, al final de un camino angosto, una torre construida sobre escombros. En la parte superior, ve una ventana, con cortinas que bailan con el viento, y nota una presencia humana adentro. Decide dar un portazo al castillo en ruinas.

Asistió con inusitada prontitud un heiduque, que se presentó como un viajero de Roma, y lo condujo a una habitación vacía, donde recibió instrucciones de esperar. Minutos después, entra en la habitación un hombre delgado, vestido de negro, con una pequeña capucha en la cabeza, barba espesa y seria, con un libro en las manos. Parece tener unos cuarenta años.

- ¿Quién eres tú? Pensé que era mi buen amigo Guillermo... - pregunta desilusionado quien parece ser el casero.

- Mi nombre es Maximiliano, soy un monje benedictino... Es decir, fui un monje benedictino y ahora estoy en una peregrinación por Europa, buscando ubicar Ginebra y conocer a una personalidad del movimiento protestante. Si puedes darme cobijo por una noche, continuaré mi viaje mañana sin fallar.

- ¿Qué hace un monje perdido en estas tierras? ¿Dónde está tu abadía, querido?

- Como te podría decir, ya no pertenezco a la Orden Benedictina... ¡Me he retirado! Empecé; sin embargo, mi entrada en la vida monástica en Florencia. De paso por Roma, decidí abandonar el catolicismo.

- ¡Interesante! ¿Puede un religioso dejar de serlo? ¿Tenía motivos fuertes y justificables para tal blasfemia?

- ¡No he abandonado la religión! Quiero unirme a los protestantes. Señor, le pido un refugio temporal... Solo esta noche.

- Por cierto, ¿a quién buscas? Tal vez pueda ayudarte...

¡Conozco a mucha gente!

- Busco a Juan Calvino, un famoso teólogo protestante francés, que está en Ginebra, según tengo entendido. ¿Lo conoces?

- Por nombre. Pero ¿por qué quieres encontrarlo?

- Es un auténtico reformador, alguien que me animó, con sus ideas, a salir de la Iglesia Católica.

- Creo que has venido al lugar correcto. Pronto podré presentarte a quien quieres. Ya es tarde. Date prisa para cenar, que me gusta disfrutar puntualmente a las siete. Evilásio te mostrará tu habitación.

El anfitrión de Maximiliano sale de la habitación y luego entra el sirviente.

¿Puedo guiarlo, señor? ¿Dónde está su equipaje?

- No tengo. Solo soy dueño de la ropa en mi cuerpo.

- Creo que no es un problema. Algunas piezas se pueden arreglar, si lo desea. Espero no causarles molestias, ya que los alojamientos no son dignos de un viajero. El jefe no suele recibir invitados aquí. Es un retiro temporal para vuestras reflexiones, cuando solo lo acompaño.

- Para mí, solo una cama y una buena comida son suficientes. No olvides que una vez fui monje, acostumbrado, por tanto, a lugares sencillos sin comodidades.

A las siete cenan en el mismo salón donde se conocieron por primera vez, el anfitrión y su único invitado.

- Por lo general, mis comidas se sirven en la cámara de trabajo. Espero que no te sorprenda el ambiente precariamente instalado para recibirte...

- ¡De ninguna manera! Normalmente no me importa la apariencia. Lo que cuenta es la intención y el calor humano en la relación en general. Tu amabilidad está registrada en todas tus atenciones.

- ¡Estoy satisfecho! Probemos la comida y, después, podremos hablar de tu misión.

La autoridad moral con que habla el anfitrión silencia a Maximiliano y, por unos minutos, el silencio reina en el castillo, solo interrumpido momentáneamente por los pasos de Evilásio, que trae y lleva los platos servidos a la mesa.

Después de la comida, comienzan una conversación amistosa.

- Acabo de escuchar tus palabras sobre la conversión al protestantismo. Me gustaría saber más sobre esto.

- Me hice monje a una edad temprana. Creía que podía ascender a posiciones sociales envidiables en la vida eclesiástica.

Estudié muchos autores y varias obras. Me especialicé en los escritos de Niccolo Machiavelli. Fui de Florencia a Roma para continuar mis conferencias y mejorar mi aprendizaje. En la sede del Vaticano, por desgracia, descubrí un mundo nuevo, lleno de trucos y estrategias, con las que no estaba de acuerdo. Unos enemigos gratuitos en la curia romana lograron acosarme todo el tiempo y el abatimiento se apoderó de mi ser. Entonces decidí acercarme a un grupo de religiosos, lejos de los católicos, que estaban estudiando las tesis luteranas. Construí buenas amistades y solidifiqué conocimientos, pero fui traicionado por el Cardenal Ubaldo. Hui por toda Europa, sin rumbo fijo y con el único objetivo de encontrarme con Calvino, un pensador emérito, cuyas ideas están en sintonía con las expuestas por Lutero hace algún tiempo. Esa es mi historia. ¿Puedo, quién sabe, llegar a conocerte mejor?

- ¿Conoces la obra *Instituciones de la religión cristiana*[44]?

Ciertamente he oído hablar de ella, pero lamentablemente nunca la tuve en mis manos.

- Accidentalmente obtuve una copia. Puedo proporcionarte... ¿te gustaría?

- ¡Seguramente!

Evilásio te entregará el libro en unos minutos. Debo retirarme, porque el cansancio a esta hora no me perdona. Mañana hablaremos.

- Pero... ¿sobre usted, señor?

- Buenas noches.

La figura austera del dueño de la casa se va sin dudar y Maximiliano se contenta con terminar la conversación sin las aclaraciones que pretendía recibir.

---

[44] Nota del autor material: este es un famoso libro de Calvino, escrito en latín en 1535, que expone las doctrinas de los protestantes franceses. En opinión del reformador, el protestantismo no es ni una filosofía ni una religión, sino simplemente Escritura interpretada por la conciencia. (Diccionario Práctico Ilustrado Lello, página 1671)

La noche se hizo corta para el empeño con que se dedicó al libro que llegó a sus manos. Entusiasmado, conoció las principales ideas de Calvino estampadas con precisión en las *Instituciones*. Se durmió solo cuando el Sol llenó su habitación y calentó su corazón una vez más.

- El maestro lo espera en el bosque junto al castillo, señor.

- Gracias, Evilasio. Iré ahora mismo.

Entre los árboles altísimos, casi solitarios en este gélido lugar de las montañas, que dan sombra a un pequeño lago, lazulita y cristalino como pocos, Maximiliano se encuentra con su anfitrión.

- Evilásio me dijo que siguió el movimiento en tu habitación durante toda la noche. ¿No pudiste dormir?

- ¡Es verdad! No cerré los ojos hasta el amanecer, porque me enganché con el libro que me diste... Tengo la extraña costumbre de leer y caminar al mismo tiempo. Por eso la movida...

- Entiendo. ¿Y qué te pareció la obra?

- Profunda y esclarecedora, tratando temas muy importantes como la familia, la fe, el derecho, la Iglesia, los sacramentos, entre otros. En particular, me llamó la atención la parte relativa a la relación entre los cristianos y la política.

- De hecho, la Iglesia se acercó demasiado al Estado, convirtiéndose en una institución política y no religiosa, como exigían sus orígenes. Cristo fue olvidado, y así el hombre se alejó de sus ejemplos, arruinando su carácter y hundiéndose en el pecado. Por otro lado, ¿cómo conocer a Dios sin leer las Escrituras?

- Pero los católicos leen y entienden las Sagradas Escrituras.

- No. Solo entienden lo que les transmite el sacerdote. Pocos realmente leen los escritos que retratan la verdad y la vida. El autor de la obra que tuviste la oportunidad de leer nos dice que el gobierno puede y debe convivir con la Iglesia, incluso porque puede tener autoridad divina. Sin embargo, la autoridad política se había encargado de proteger a la Iglesia y no porque estuviera protegida.

- Pero, ¿cómo puede la Iglesia, sin armas ni ejércitos, proteger al Gobierno?

- Con su palabra en el nombre de Dios. Es más poderoso para una institución que manipula el contenido de la Escritura de lo que mil ejércitos podrían lograr. Las mentiras y las falsedades no pueden ser el rostro de la Iglesia. El Papa tiene un poder inmenso ante Reyes y Emperadores. No podría estar mal usarlo como lo ha estado haciendo o permitir que sus subordinados lo hagan. ¿Por qué hablar latín con la gente? ¿Por qué no transmitirles el servicio de forma simplificada en su lengua materna? Nos parece que no se desea la iluminación de los fieles, sino su sometimiento ante el principio de la verdad absoluta en manos de unos pocos que puedan leer y comprender, a su manera, el contenido de las Sagradas Escrituras. Los dogmas y leyes dictados por el papado no constituyen la realidad de la religión.

- ¿Son tus ideas o las de Calvino?

- Parece que ambos pensamos de la misma manera. Ha llegado el momento de poner fin a esta desviación del propósito abrazado por la Iglesia Católica. Creo que Calvino difiere en algunos puntos de las tesis luteranas, pero en esencia ambas ciertamente están de acuerdo. El mayor trabajo; sin embargo, me parece que no es lanzar la idea, a pesar de ser esencial para el movimiento, pero su difusión es fundamental. Y tú, ¿piensas ayudar a Calvino de alguna forma?

- ¡Sin duda! Por eso estoy aquí... ¿Dónde estamos?

- En Ginebra, en las montañas de Suiza, cerca de los dominios de los Habsburgo.

¿Cómo sabes tanto sobre Calvin? ¿Eres amigo o alumno del maestro francés?

- ¡Ambos, querido! Somos amigos y yo también soy tu alumno. Entremos, el frío de la montaña hay que sorberlo poco a poco.

Nuevamente, esa noche, cenan juntos y profundizan en discusiones sobre teología, política y leyes. Maximiliano va, reconfortado, a su habitación. Hacía tiempo que no tenía la oportunidad de vivir momentos de tan prósperos debates. Al día siguiente, Evilásio se encuentra con Maximiliano, dándole un mensaje del jefe.

- ¿Cómo? ¿Salió? ¿Me dejó alguna nota u orientación sobre cómo encontraré a quien estoy buscando?

- ¡Cálmese, señor! Tengo una carta aquí, con instrucciones específicas.

La puso en sus manos.

Maximiliano, temblando, toma la misiva de Evilásio y comienza a leer apresuradamente. Se pone pálido mientras lee y se sienta en la silla más cercana para no caerse al suelo.

- Son, de hecho, instrucciones. Me pide que haga publicidad de las Instituciones y otras obras similares que me serán entregadas, en su momento, en todos los cantones europeos, especialmente en París. Me brinda condiciones materiales para continuar mi camino, sin preocupaciones económicas y confía en mi lealtad a la causa que ahora estoy abrazando. Dice que se pondrá en contacto conmigo cuando lo crea conveniente en poco tiempo. ¿Firmar... "Juan Calvino, tu amigo y ahora admirador"?

- ¡De verdad, señor! Pasaste unos días con nuestro querido líder. Tuvo que regresar a Ginebra para cuidar los intereses de la Academia[45] que está organizando. Necesita voluntarios, como tú,

---

[45] Nota del autor material: Calvino se instaló en Ginebra en 1541 y la convirtió en la Roma del protestantismo. La Academia, fundada en 1559, confirió gran prestigio intelectual a Ginebra. (Gran Enciclopedia Delta Larousse, pg. 3034)

para dar a conocer su trabajo, especialmente en Francia. Vio en ti a alguien digno de confianza e idealista. Si estás de acuerdo con la propuesta realizada, debe retirarse inmediatamente. Te paso los fondos para tu peregrinaje.

Sin ningún comentario, Maximiliano parte hacia París, confiado y entusiasmado.

Las montañas lo despiden en silencio, haciendo que la brisa helada lo acompañe en el descenso hacia el llano y agitando las hojas de la vegetación circundante como una suave brisa, que le otorga tranquilidad y esperanza. En el claro cielo azul, un pájaro esbelto, blanco como la nieve del *fastigius*, vuela soberano, trazando el paisaje y emitiendo un canto lejano e imperceptible. Maximiliano llora y agradece a Dios por momentos tan esplendorosos y un futuro tan prometedor.

CAPÍTULO XLVI

DE REGRESO A ROMA

Desde Ginebra, Maximiliano regresa a Roma, antes de dirigirse a París. Para despedirse de sus amigos, especialmente de Epifânio, se pone en una posición frágil, caminando descuidadamente por las calles cercanas al Vaticano. Al poco tiempo es descubierto por el cardenal Ubaldo, quien lo hace arrestar. En esta ocasión, las actividades del Concilio de Trento, la reunión eclesiástica más larga en la historia de la Iglesia, ampliamente conocida como la Contrarreforma, llegaron a su fin, reforzando la repulsión al protestantismo.

Detenido para ser juzgado por traición, acude al Tribunal de la Curia romana. Una escalera de mármol lleva a los cardenales a una puerta gigante en la parte superior de las escaleras. En pleno, uno de los guardias anuncia el inicio de la sesión del Consejo. Entran los jueces en el recinto austero y sombrío, construido especialmente para albergar la asamblea. Suntuosas cortinas reflejan la riqueza del ambiente, que está decorado con espejos con marcos dorados, cuidadosamente distribuidos por toda la habitación.

Delante de ellos entra todo, soberano, el cardenal Ubaldo, al frente de la comitiva de jueces ataviados con túnicas rojas y capirotes blancos, todos apresurados y cabizbajos. Lo lleva a la plenaria de Maximiliano.

- En el nombre de Dios y del Santo Papa, instalo la sesión del juicio. Apreciemos la alta traición sufrida por la Iglesia Católica frente a los actos practicados por el monje benedictino

Maximiliano, aquí presente. Infiltrado en el Vaticano, contando con la confianza de la Curia romana y participando deslealmente en el movimiento reformista, el acusado se valió de la buena fe de los católicos que lo acogieron en Roma, procedente de Florencia, para violar su juramento de fidelidad al manto sacerdotal. Ese desgaste ¿tiene algo que decir el libelo antes que se manifiesten los cardenales? - Pronuncia solemnemente el cardenal Ubaldo.

- No, señor cardenal presidente. Nada puedo añadir a lo que le dije hace años y que ciertamente Vuestra Eminencia ha incluido en el proceso. No entiendo tanta ira dedicada a mi persona, pero debo confesarles que no reconozco la legitimidad de esta asamblea atroz para juzgarme.

- ¡Eres un insolente y manipulador! Usted quiere considerar este Concilio como arbitrario e ilegítimo para escapar de sus actitudes ligeras y traicioneras contra la Santa Iglesia. No hay peor mal que el tuyo, en llenar el corazón con la ira satánica de los opositores al catolicismo. Abrimos los brazos, en el pasado, para recibirte en nuestras entrañas, para ahora verte apuñalar por la espalda nuestras más puras ideas.

- ¡No soy un traidor! Acabo de abrazar una nueva causa religiosa, en la que creo y en la que tengo fe. Me sometí a un examen de conciencia y consideré el cambio como el mejor camino, lejos de pretender atacar a la Iglesia Católica.

- ¿Deseas la confesión, negando el protestantismo y volviendo a tus raíces benedictinas?

- ¡No, señores! Ahora soy protestante y lo seguiré siendo hasta mi muerte.

La altanería de Maximiliano escandaliza a los cardenales y son necesarios unos minutos de silencio para que todos se recompongan.

Está bien, hágase tu voluntad. El Consejo se reúne ahora para decidir tu destino.

Sacado de la sala y llevado a prisión, Maximiliano espera resignado su sentencia.

Meses después, en un cruel estado de aislamiento, e informado de su condena a prisión hasta que decide negar la Reforma, publicando su confesión de culpabilidad. Cae enfermo en la mazmorra y comienza a tener visiones constantes del mundo de los espíritus. La fiebre lo hace delirar y, al desprenderse del cuerpo físico, se reencuentra con viejos enemigos ahora en el plano invisible.

Una noche, se despierta interrumpiendo su sueño y se vuelve, precipitadamente, hacia uno de los rincones de la celda, vislumbrando la figura de un soldado alemán, de postura erguida, que le dirige innumerables insultos. El espíritu que lo amenaza a él es Günther, fiel servidor de Klaus Von Bilher, adversario que lo mató a fuerza de espada, siglos antes, cuando Giscard D'Antoine, obispo de Lyon.

Mientras Maximiliano es encarcelado y convertido al protestantismo, en el plano espiritual se produce una ruptura entre sus seguidores. Razuk, totalmente resistente al cambio de comportamiento de su líder, se vuelve contra él y forma un grupo contrario, abandonando a Gedión y a todos sus antiguos aliados.

La evolución de los espíritus no ocurre en el mismo período para todos. Cada uno evoluciona según su libre albedrío y según su capacidad individual y personal para asimilar y practicar los postulados cristianos. Mientras Eustáquio avanza en sus años de expiación, Razuk y Gedión permanecen inmóviles.

En este momento, por tanto, Maximiliano tiene que enfrentarse a varios enemigos, algunos reencarnados y otros en el plano espiritual.

Pasan los años y el ex monje benedictino pierde la esperanza de salir de prisión. Sin embargo, una mañana lo sacan de la celda y lo llevan allí, casi inconsciente. Se despierta días después en una cabaña en el bosque cerca de la ciudad de La Rochelle, Francia. Tus libertadores son los protestantes ligados a Epifânio que, desde Roma, buscaba a toda costa salvar a su amigo de manos del cardenal Ubaldo.

– ¿Dónde estoy? – pregunta Maximiliano confundido.

- ¡Estás a salvo ahora! Mi nombre es Landoaldo y estoy al servicio de nuestro compañero Epifânio.

- Sabía que podía contar con mis amigos... Quiero saber cómo va la Reforma. ¿Puedes informarme?

- Seguimos enfrentándonos a la oposición de Catalina de Medici y, después de innumerables batallas entre católicos y hugonotes, nos quedan los baluartes de Cognac, Montauban, La Charité y también La Rochelle, donde estamos.

- ¿Y Calvino? ¿Sigue predicando en Ginebra?

¡Murió, Max! De la misma manera, Epifânio también se ha ido. Perdiste la noción del tiempo, ya que estuviste encarcelado durante muchos años.

Entristecido por la noticia de la muerte de dos grandes ídolos, llora y pregunta:

- ¿En qué año estamos de todos modos?

- 1570.

- ¿Tenemos todavía alguna posibilidad de consolidar el movimiento protestante?

- ¡No podemos perder la fe! Estamos en lucha constante. Uno de nuestros líderes más combativos, el Almirante Coligny, firmó recientemente un tratado de paz con la Corte, lo que nos permitió mantener algunos baluartes libres para nuestro culto y trabajo. También se acercó al joven rey Carlos IX. Su actitud; sin embargo, despertó la ira y la enemistad de Catalina de Médicis. Estamos, por tanto, en una situación delicada, pero consolidando las ideas de Calvino.

- ¡Me siento más relajado! Me gustaría empezar a trabajar de inmediato.

- ¿Sería posible verme con el almirante?

Mañana, sin falta, buscaremos a Coligny.

CAPÍTULO XLVII

LA NOCHE DE SAN BARTOLOMÉ

Una breve reseña histórica.

El poder absoluto de los reyes se consolidó de forma lenta pero segura en Francia. A partir de 1520, los protestantes se hicieron oír en el escenario nacional e iniciaron una ofensiva religiosa, aumentando el número de adeptos y buscando consolidar alianzas en la Corte, especialmente entre los nobles tradicionales y conservadores que vivían a la sombra de Francisco. La progresiva participación del protestantismo en la vida de los franceses irritó al clero y a los fervientes seguidores del catolicismo. El odio hacia los hugonotes por parte de la familia Guisa, tradicional y católica, quedó consagrado. Se organizó una escalada de planes para erradicar el movimiento de reforma, que culminó con la masacre de Wassy en 1562.

Los católicos, en esa ocasión, iniciaron una verdadera guerra contra los protestantes, haciendo delicadas las relaciones de los miembros de la Corte. Los adeptos de la familia Guisa se deslizaron por los pasillos del castillo real, ganando aliados y fomentando la intriga. Entre los fieles seguidores del duque de Guisa se encontraba el conde Revergy, enemigo acérrimo del movimiento reformista y antipático de las ideas de Calvino. Exhibía sus sesudos argumentos a todos los que encontraba y, mediante fiestas rociadas con excelentes vinos y finos manjares, hacía crecer la posición de los católicos, que dirigía con insólita astucia.

Demostrando su habilidad inusual y despertando el miedo en sus adversarios, extendió su fama por todos los rincones de Europa, a pesar de los pocos antecedentes históricos de su participación en el movimiento contra la Reforma. El Conde fue uno de los mayores aliados de los Guisa, sirviendo también al débil rey Francisco II y, más tarde, a Catalina de Medici. Esta última prácticamente asumió el trono francés al convertirse en regente del rey Carlos IX, todavía menor de edad.

Al mismo tiempo, junto a los protestantes, creció el prestigio del almirante Caspar de Coligny, quien, a pesar de ser educado en la doctrina católica, de noble cuna, se convirtió a las ideas reformistas y actuó hábilmente en defensa de los hugonotes.

Francia tenía oficialmente como monarca al rey Carlos IX, quien incluso prematuramente se emancipó para asumir el gobierno, pero en la realidad mandaba con las manos heridas a la sagaz Catalina de Médicis.

Los años siguieron su curso desde 1563 hasta 1570, cuando Maximiliano fue liberado de las mazmorras romanas y regresó a Francia para participar en el movimiento protestante.

Las ofensivas católicas contra los hugonotes continúan y numerosos enfrentamientos aislados, repartidos por todo el país, provocan varios muertos. La historia registra; sin embargo, el fatídico mes de agosto de 1572, que culmina en la noche de San Bartolomé.

A medida que Coligny se acerca al Rey y debilita a Catalina de Medicis, las conspiraciones contra la Reforma se extienden por toda la corte. Los preparativos para el matrimonio de Margarita de Valois y Henrique de Bem[46] están en proceso de

---

[46] Nota del autor material - La consecuencia más flagrante de la Reforma fue la división de la cristiandad occidental (...) Las guerras religiosas también fueron consecuencia del movimiento reformista (...) En Francia, los calvinistas o "huguenotes", como se les llamaba, formaron un verdadero partido político, en el que había tres líderes de gran prestigio: el príncipe de Conde, Antonio de Borbón (Rey de Navarra) y el almirante Coligny. Cuando Enrique H murió en 1559, lo

consolidación y, a través de la putrefacta trastienda de la traición, se desarrolla con todo su vigor una de las mayores tramas jamás vividas en Francia. Los Guisa, por entonces vinculados a Catalina de Médicis, organizan una masacre masiva contra sus enemigos protestantes.

El Conde Revergy aumenta sus articulaciones en los corredores palaciegos y participa en numerosos encuentros con la nobleza católica. El clero vinculado al Vaticano finge no saber de

---

sucedió su hijo Francisco II, que entonces tenía 16 años. Los asuntos del Rey quedaron prácticamente en manos de Antonio de Guisa, tío del pequeño y flacucho monarca, en detrimento de los Borbones, príncipes de sangre que se vieron destituidos. Los reformadores organizaron entonces la conspiración de Amboise, con el objetivo de secuestrar al Rey y liberarlo de la tutela de los Guisa. Los descubrimientos fueron duramente castigados y los Guisa se convirtieron entonces en dueños del poder. Francisco II murió muy pronto. Su hermano Carlos IX, aun menor de edad, subió al trono, con su madre, Catalina de Médicis, como regente, quien, al estilo de la política italiana y renacentista, engañó con frecuencia a ambas facciones, buscando mantener un relativo equilibrio. Sin embargo, cuando el Duque Francisco de Guisa consintió en la Masacre de Wassy, en la que murieron 60 hugonotes, surgió en Francia un odio político y religioso que se prolongó hasta 1593 (...) La Paz de Saint-Germain (1570) había establecido un amnistía general y libertad de culto para los reformadores, con la excepción de París y cuatro "ciudades de seguridad" más. (Historia General, A. Souto Maior, 14ª edición, 1971, páginas 302/307).

La Reina Madre, Catalina de Médicis, celosa del ascendiente del Almirante Coligny sobre su hijo Carlos IX y, además, opuesta al proyecto, apoyado por el Almirante, de declarar la guerra al Rey de España, Felipe II, consiguió convencer al hijo de la existencia de un complot de los jefes hugonotes que permanecieron en París tras el matrimonio de Margarita de Valois, hermana del Rey, con Enrique de Navarra (18 de agosto). Aterrado, Carlos IX consintió en la masacre de los reformadores. La matanza comenzó en la madrugada del 24 de agosto con el repique de las campanas de Saint-Germain L'Auxenois. Los principales líderes protestantes, incluido Coligny, fueron asesinados, así como más de 3.000 reformadores. Solo Enrique de Navarra y el Príncipe de Conde lograron escapar a la muerte, por rápida abjuración. La masacre continuó en las provincias en los días siguientes. (Gran Enciclopedia Delta Larrouse, 1972, páginas 6122/6123)

los hechos, aunque la realidad indica lo contrario. Incluso el cardenal Ubaldo, junto a decenas de obispos romanos, llegan a París, con el pretexto de participar en la boda que uniría a protestantes y católicos.

En la fecha fijada para la boda, entidades del bajo plano espiritual se acercan a París por miles, como ejércitos del mal, con el objetivo de participar en la matanza que se articula en el palacio real. Razuk, antiguo aliado de Eustáquio, encabeza uno de los frentes que apoyan los planes diabólicamente trazados de Catalina de Médicis y la familia Guisa. En el plano material, el cardenal Ubaldo, también eterno rival de Eustáquio, actúa, abierta y enérgicamente, contra los intereses de Maximiliano y su grupo calvinista, desde la asamblea que tuvo lugar en el fondo del Umbral, cuando se produjo una ruptura irreparable en las hordas inferiores. El capitán Tergot, temporalmente encarcelado en este cuerpo de un prelado romano, se encuentra en plena actividad.

Por su parte, Gedión, todavía fiel a Eustáquio, desde el plano espiritual, comanda un grupo de apoyo a su líder, resignándose a sus cambios de conducta y de religión, proponiéndose acompañarlo en cualquier circunstancia y ante cualquier decisión.

Reencarnado - astuto y traicionero - en la figura del Conde Revergy se encuentra el enemigo del pasado, Marcel, obispo de Orleans.

El 24 de agosto de 1572, una inmensa y negra nube se apodera de París, representada por masas de espíritus que llegan de todas partes. Una vez comenzada la masacre, en una de las calles parisinas, Maximiliano fue detenido. Cuando se despierta, está en el centro de una plaza, encima de un carro y ve, cabalgando hacia él, a un soldado que lleva una lanza. El soplo de dolor, odio e ira desmedida barre las calles del corazón de Francia. Los templos hugonotes arden en fuego cruel, enviando humo negro a los cielos, cegando aun más la luz exigua de las estrellas.

Los gritos brotan de todos los rincones, uniéndose inmediatamente a los rugidos que emanan del plano invisible también. Los enemigos del pasado se regocijan en su venganza. Hay numerosos reencuentros abruptos entre nuevos espíritus desencarnados y espíritus inferiores que les esperan, provocando un indescriptible temblor magnético, que sacude aun más la precaria estructura emocional de los parisinos. El trabajo de los equipos de luz, enviados por el plan superior, construye un arco iris en el horizonte, aunque lejos del centro de la lucha y solo para rescatar a quienes, por méritos, deben dirigirse hacia las ciudades espirituales o sus Puestos de Socorro. Descargas de lanzas puntiagudas de origen desconocido cruzan el cielo y alcanzan a varios manifestantes en una plaza de las afueras, desalentando la resistencia. Los sacerdotes católicos, dentro de sus iglesias, suelen hacer el *santiamén*, encomiando las almas y pidiendo humildemente el perdón divino.

Sin condiciones para reaccionar, Maximiliano imagina su final estampándose en la aguda flecha que se acerca. Impasible y manteniendo su fe cristiana, fija su mirada en el caballero y se siente aturdido. De repente, escucha un sonido tristánico representado por el certero vuelo de la lanza disparada por su torturador. Perforando su pecho y atravesando su espalda, la vara puntiaguda cierra su visión material, conduciéndolo inmediatamente a otro plano de su existencia. Inmediatamente recuerda, bajo el escrutinio de varios flashes, su desencarnación en Dijon, en el año 500. Luego pierde el conocimiento.

Transfigurado, el Cardenal Ubaldo camina por las calles de la ciudad, seguido de cerca por varios soldados. Se encuentra con los cuerpos desfigurados de los protestantes, dados por muertos en todos los callejones y en todas partes. Ordena a sus protectores armados que lo lleven de regreso al castillo real, ya que decide partir de inmediato hacia Roma. Su venganza contra Maximiliano comienza a sonar inútil e insignificante ante tal atrocidad, mientras el remordimiento corroe su núcleo.

Al regresar al Vaticano, fue condenado al ostracismo y nunca volvió al escenario político-religioso que la Curia romana le había proyectado. Por remordimiento o disgusto, no olvida la sangrienta matanza que tuvo la oportunidad de presenciar.

La noche de San Bartolomé - una violencia cruel e injustificable, en el contexto de una disputa religiosa - es para siempre imborrable en la memoria y la historia del reino de Francia.

CAPÍTULO XLVIII

DEL MUNDO DE LAS ARTES A LA ESCLAVITUD

Dejando Francia, asesinado en la Noche de San Bartolomé, Eustáquio pasó algún tiempo en Nuevo Amanecer, consciente que debía reencarnarse una vez más, sobre todo para encontrarse con viejos adversarios. Luego partió hacia África, donde nació en la tribu Yoruba, cuyo pueblo está ubicado en el Golfo de Benin, en la costa occidental. Su gente se dedica a la fundición del bronce y a la construcción de hermosas obras de arte, que son vendidas a los extranjeros.

Bajo la identidad de Luvi, Eustáquio lleva consigo un enorme bagaje de conocimientos, además de haber aprendido a cultivar sentimientos más nobles. Desagregado en la relación familiar, desde temprana edad pierde a su madre y es abandonado por su padre. Ella solo tiene a su hermana menor Vana para cuidar y guiar.

Mirando las líneas del horizonte sobre el mar, quiere partir algún día hacia tierras lejanas, dispuesto a conquistar nuevas culturas. Su único obstáculo son sus aventuras y su hermana, que tiene una discapacidad física. La pequeña es rebelde y nunca entiende por qué Luvi le dedica tanto cariño y atención.

Los sabios caminos por los que se engulle el plano superior; sin embargo, colocan a los seculares enemigos Eustáquio (Luvi) y Tergot (Vana) en una estrecha relación familiar.

– ¡Maldita seas, Luvi! ¡Déjame en paz! No necesito tu ayuda y estoy bien por mi cuenta.

- Vana, ¿por qué tanta dureza? Quiero lo mejor para ti y me preocupo por ti. ¿Sería demasiado dejar que tu hermano te cuidara?

- ¡Sería! Eres un entrometido y quieres dirigir mi vida. Cuanto más lejos estás, mejor me siento.

Al cumplir los doce años, Vana se liberó del yugo de Luvi y comenzó una vida ingobernable y frívola, recibiendo a muchos hombres de su tribu para encuentros amorosos. Las burlas de su hermano le agradan mucho más que estas relaciones suyas. Cuanto más se entristece y se enfada Luvi al ver cómo se desarrollan los acontecimientos, más incentivo tiene su hermana para continuar con sus delitos menores. Incluso con una discapacidad, continúa incurriendo en deudas inconmensurables durante su pasantía en la materialidad, totalmente refractaria a los consejos de su hermano.

Luvi no se considera derrotado y persiste en su camino de ayudar y apoyar a la niña. Constantemente se siente rechazado, aunque nunca deja de amar a su hermana.

Tu tribu es pacífica y no le gustan las guerras ni las armas. En una ocasión, es invadida por mercenarios ingleses que quieren encarcelar esclavos. Luvi es capturado y, como resultado, es separada definitivamente de su hermana Vana, quien permanece en tierras africanas.

Detenido, acaba preso en el barco de un rico comerciante londinense, cuyo hijo, conocido como Big Joe, lidera la aventura pirata por el tráfico de trabajadores negros. Llevada a la presencia del líder de la expedición, Luvi permanece impasible.

- ¡Este esclavo está cabizbajo y no se mueve! ¿Está enfermo?

- ¡De nada, señor! Creo que simplemente extraña su tribu.

- ¿Estás seguro, Pimienta? No quiero arriesgarme, llevando conmigo un inválido...

- Asume toda la responsabilidad, Big Joe. En poco tiempo, se estará mezclando con los demás y comenzará a trabajar.

El barco inglés se dirige a la costa brasileña, donde se venderán los africanos.

En el camino, Big Joe se divierte irritando a Luvi, el esclavo más tranquilo.

¡Tráeme a ese negro mudo! Quiero analizarlo mejor. Segundos después, ambos se miran.

Entonces, Zopeiro, ¿qué tienes que decirme ahora? ¿Decidiste decir algo? - Risas -. ¡Oh, lo sé! Te gustaría que te pegaran todos los días para reunir el valor de gritar, ¿no? ¡Azoten a ese bastardo sin valor!

Azotado, Luvi comienza a ser golpeado diariamente, pero aun no dice una palabra. Disgustado con su situación, solo habla con algunos compañeros esclavos. Esta reencarnación que está experimentando tiene como propósito específico hacer que Eustáquio se reencuentre con innumerables verdugos del pasado. El comerciante inglés, Big Joe, de hecho, es Günther Von Bavanhaum, quien en el siglo VIII ayudó a varias fuerzas a derrotar a Giscard D'Antoine.

El largo viaje lleva a muchos presos a la muerte, ya que están sujetos a malas condiciones higiénicas y alimentarias. Uno de los esclavos descontentos, Cauim, comienza a tramar una rebelión. Al darse cuenta que serían masacrados si intentaran reaccionar de alguna manera contra los británicos, Luvi lidera un grupo contra el movimiento rebelde. La rivalidad crece entre los dos. Cauim, la reencarnación de Marcel, obispo de Orleans, se enfrenta de nuevo a su antiguo enemigo.

- Siento que quieres desafiarme, Luvi...

- ¡No es verdad, Cauim! Solo insisto en evitar el enfrentamiento que tanto deseas, porque sé que nuestra gente sería cruelmente aplastada. Además, ¿no les parece suficiente la miserable situación a la que hemos sido sometidos?

- ¡No seas cobarde! Dependemos unos de otros para sobrevivir en este lodazal en el que fuimos arrojados. No se puede luchar contra el enemigo con flores... Debemos sorprenderlos mientras nos quedan algunas fuerzas.

- ¡Disparates! Un solo gesto agresivo de nuestra parte y los mercenarios promueven una matanza.

Después de mucha discusión, la posición de Luvi prevalece, irritando al adversario Cauim, pero evitando, de hecho, una tragedia.

Los meses aplastan implacablemente las esperanzas de los africanos y socavan su orgullo y altanería. Muchos desencarnan y otros se rinden por completo a las órdenes de los ingleses. Dominados y sumisos, llegaron a la Guayana Británica, donde desembarcó el primer grupo de esclavos. Big Joe casi deja allí a Luvi, pero se da por vencido cuando escucha el consejo de su asistente, Pepper Boy, que quiere venderlo por un alto precio en tierras brasileñas.

Después de la segunda parada, ahora en la costa de Bahía, desembarca un segundo grupo de esclavos. El viaje continúa hacia Río de Janeiro. Surgieron desacuerdos a bordo entre Luvi y Cauim. Las noches parecen no tener fin y los días destruyen, minuto a minuto, la resistencia de todos, sometidos como están a un trabajo extenuante.

Atracan en Río y desembarca el último grupo de africanos, para ser llevados inmediatamente a subasta. Orgulloso de su mercancía, Big Joe pregona las cualidades de sus prisioneros. Uno de los compradores está interesado en Luvi y Cauim, pagando al comandante inglés una excelente suma.

Desconectándose de los piratas, los dos continúan su viaje hacia el interior de la Capitanía y son entregados a un sacerdote portugués, como regalo de un rico comerciante de la Corte portuguesa, deseoso de congraciarse con la Iglesia. Sin escrúpulos, el religioso acepta los servicios de los esclavos y determina que estos ayuden a su pueblo en la construcción de un templo que él está construyendo.

Los castigos inmoderados y las precarias condiciones de vida a las que son sometidos acaban por unir a Cauim y Luvi.

Surge una amistad solidaria y fruto de la miseria entre los antiguos adversarios. A pesar del inmenso sufrimiento, logran reparar la mayor parte de las deudas pasadas, ejerciendo el perdón mutuo y suscitando un sentimiento fraterno de apoyo mutuo.

No todos los enemigos se reconcilian con Luvi después de todo. Minerva, que había sido víctima de Eustáquio en dos ocasiones, al conocerlo y recibir la oportunidad de perdonarlo, al amparo del sacerdote portugués Elicio, lo ataca, esclavizándolo y sometiéndolo a constantes humillaciones.

- Hermano Elicio, ¿qué hacemos hoy con Luvi? Solo trabajaba a tiempo parcial y, alegando estar enfermo, se fue a la cama.

- ¡Encadénenlo al cepo y azoten a ese negro insolente! - pronuncia, colérico, el cura.

Después de muchas semanas de latigazos diarios, es conducido a un claro en el bosque y dejado inerte y enfermo, encadenado, esperando el final de su existencia.

Resignado, se va al mundo de los espíritus tan pronto como se agotan sus fuerzas. Recibido por Nívea, continúa durmiendo en la Colonia.

CAPÍTULO XLIX
LA EMOCIÓN DEL RETORNO

Rescatado poco después de la desencarnación, dejando la forma de Luvi, Eustáquio descansa en el Puesto de Socorro de Nuevo Amanecer.

- ¿Dónde estoy? ¿Qué estoy haciendo en esta habitación? El hermano Elicio quiere mis servicios, debo irme...

- Tranquilo, Eustáquio, ya no estás viviendo en el plano de los encarnados. ¡Cálmate! Estoy aquí para ayudarte. Sabiendo que, esta vez, sus dolores físicos y morales eran agotadores y que su retorno a la conciencia no sería inmediato.

- ¿Quién eres tú?

- ¿No me recuerdas? Soy Rosana Te cuidé en otros momentos y seguí tu tratamiento. Todavía estaba al lado de Anita.

- ¿Anita? ¿De qué estás hablando? Escuche, si no vuelvo inmediatamente, me azotarán... ¡Por favor!

- Llamaré al Dr. Euclides. Nuestro médico, que también lleva mucho tiempo con él.

- Rosana y Euclides transmiten un pase reconfortante a Eustáquio, mientras éste se duerme tranquilamente en su habitación. El duro paso por la corteza terrestre le trajo un distanciamiento de la realidad que tendría que ser corregido por la fuerza del amor y la orientación. Muchos espíritus, al salir de su entorno físico, aun con relativa preparación para comprender la nueva situación que vivirán, guardan huellas de sus sufrimientos en la materialidad y bloquean el acceso inmediato al recuerdo y la recuperación de la conciencia cuando regresan a su patria espiritual.

Un tiempo en terapia, seguido de cerca por la entregada Rosana, acaba provocando su recuperación.

- ¿Rosana? ¿Y tú que estás a mi lado?

- ¡Sin duda, Eustáquio! ¿Como te sientes? Sé que todavía no estás completamente recuperado, pero no te apresures. Hay tiempo para tu descanso.

- Me alegro de haber vuelto. ¿Cuántos días he estado aquí?

- Han pasado dos años, mi querido amigo. Su sueño fue profundo y energizante. Necesitabas una recuperación completa.

- ¡No es posible! Pensé que estaba preparado para regresar al mundo de los espíritus con plena conciencia.

- No siempre es así. Cuando las pruebas que atravesamos en la materialidad son arduas y nos agotan, nuestro espíritu puede necesitar un tiempo para recuperar la conciencia y recordar lo sucedido.

- Pero...

- ¡Cálmate, Eustáquio! No te preocupes, pronto estarás completamente recuperado.

- Y Anita, ¿dónde está?

Terminando su etapa en el plano material. No se encontrarán por ahora.

El semblante de Eustáquio refleja fácilmente su decepción. Resignado, se despide de Rosana y comienza a reflexionar sobre lo vivido, dentro de las posibilidades de sus recuerdos.

Preparado nuevamente, ve a Hilário ya en la ciudad espiritual y, juntos, conversan sobre su agenda. Su regreso está previsto para 1631, en una reencarnación preparatoria. Emocionado, inmediatamente acepta.

Bueno, entonces debo seguir tu sugerencia y marcharme lo antes posible.

No es tan fácil. Queremos explicártelo mejor. Tu regreso será decisivo. Si hay triunfo, puede enfrentarse a una reencarnación clave. De lo contrario, si vuelve a fallar, estará sujeto al largo proceso de recuperación y puede regresar a reencarnaciones alternativas.

- No entiendo...

- Tu agenda indica que te conviene volver a Crosta en unos años. Reencarnando en 1631, habrás experimentado un ciclo completo de aprendizaje aquí con nosotros. Eso sería ideal.

Sin embargo, anticipando la fecha de tu regreso al plano material, podrás cumplir ciertas pruebas que te serían de utilidad; es decir, podrás encontrarte con viejos adversarios, en este punto también reencarnados. En otras palabras, lo más seguro para tu camino sería regresar en 1631, ya que aquí el aprendizaje sería completo. pero en caso

- Si está de acuerdo, anticiparemos su regreso para que pueda experimentar ciertas pruebas importantes, que solo serán viables antes de 1631.

- Comienzo a darme cuenta de la relevancia de mi paso. Y si entiendo bien, depende de mí elegir...

- ¡Exactamente! Recuerda también que tu eventual fracaso no puede atribuirse a tu prematura reencarnación, si decides partir antes de 1631. En cambio, amigo mío, si triunfas, tu mérito será mucho mayor.

Les agradezco su claridad y no me niego a asumir la importante decisión que tendré que tomar. Mientras explicabas las ventajas y desventajas de mi regreso inmediato a la Crosta, estaba pensando en lo justa que es la mano divina. Nada sucederá por casualidad, ni ha sucedido hasta el día de hoy en mi camino. Los riesgos que tengo y tendré por delante son frutos de mis propias deudas. Por lo tanto, debo - siento que debo - asumir tal responsabilidad. Es cierto que al marcharme ahora estaré menos preparado para afrontar determinadas situaciones, pero creo firmemente en mi fuerza interior y nunca me he sentido tan amado por Dios como ahora. Mi respuesta es afirmativa. Seguiré de antemano de vuelta a la carne. Tendré que luchar y buscar las mejores decisiones.

No escondo mi satisfacción, Eustáquio. Siento que está cambiado, más consciente y, quién sabe, lo suficientemente preparado para cambiar las perspectivas de éxito a tu favor. Transmitiré su decisión a la Coordinación General y esperaré instrucciones.

Autorizado para avanzar su camino, regresa con confianza en 1621.

CAPÍTULO L
LA GUERRA DE LOS TREINTA AÑOS

Un poco de historia.

El joven Armand-Jean du Plessis dejó París para recibir su ordenación en Roma cuando cumplió veinte años. Se llevó consigo una copia del libro de Maquiavelo, "*El Príncipe.*" Interesado por las lecciones del canciller florentino, se entusiasmó con la idea de aplicar a la estructura jerárquica de la Iglesia algunos de los principios básicos de la doctrina magistralmente expuestos en esta obra que acababa de descubrir.

La Reforma protestante siguió invadiendo los hogares franceses y cuando Armand regresó a París se sintió obligado a participar en la lucha teológica de su país, contando con el apoyo de la nobleza y, en particular, no por casualidad, de la familia Médicis. Nombrado obispo, ascendió triunfalmente a los más altos cargos eclesiásticos de Francia y acabó ejerciendo una gran influencia en la política interior y exterior de su nación. Mientras era nombrado cardenal de Richelieu, al otro lado de Europa, nació un niño flaco, germánico de nacimiento, que recibió el nombre de Frediano, cuyos padres, fervientes católicos, estaban descontentos con la situación de la recién creada insurrección en Bohemia., cuando los príncipes protestantes se negaron a aceptar al Emperador electo Fernando II de Habsburgo e impusieron el reinado de Federico V.

El año 1622 fue un año convulso para todo el Imperio alemán, que acababa de sumergirse en uno de los conflictos más ruinosos para su unidad y que causó estragos durante varias décadas. Los católicos no aceptaron la ofensiva protestante y, con el pretexto de promover una lucha contra las religiones, hicieron que innumerables países comenzaran a inmiscuirse en el conflicto armado que se apoderaba del Imperio. Francia, por injerencia del cardenal y Duque de Richelieu, inició una ofensiva contra los hugonotes en toda Europa. La Guerra de los Treinta Años continuó.[47]

Alrededor de 1533, con la muerte del rey Federico I, en Dinamarca, los protestantes iniciaron una ofensiva para tomar el poder. Estalla la guerra civil en el país, y cuando triunfan los hugonotes, muchas familias católicas abandonan Copenhague. Entre ellos están los Schleswig, que siguen a Lech, en el Imperio alemán[48], buscando refugio.

---

[47] nota material del autor: La Guerra de los Treinta Años fue una guerra religiosa y política, que comenzó en 1618 y terminó en 1648, por el tratado de Westfield. Dos causas esenciales fueron el antagonismo de protestantes y católicos y el miedo provocado por la ambición de la Casa de Austria. La lucha se inició en Bohemia por la defenestración de Praga (nombre dado a los actos de violencia cometidos en Praga, en 1618, contra los gobernadores imperiales que, según la tradición nacional, fueron arrojados por las ventanas del palacio por los protestantes de Bohemia, cuyos derechos religiosos había violado el Emperador Matías. Era el signo de la Guerra de los Treinta Años). La mencionada guerra se divide en cuatro períodos: 1) el período Palatino (1618-1624), durante el cual Federico, Elector Palatino y elegido Rey de Bohemia, fue derrotado en la Montaña Blanca (1620) y despojado de sus propiedades; 2) el período danés (1624-1629), durante el cual Christian V de Dinamarca tomó la delantera sobre los luteranos; 3) el período sueco (1630-1635), durante el cual fue asesinado en Lucena Gustavo Adolfo, vencedor en Breitenfeld y Lech; 4) el período francés (1635-1648), llamado así porque Richelieu, después de haber apoyado en secreto a los opositores de la Casa de Austria, intervino directamente contra ella. Las victorias francesas de Frigurgo y Norlinga decidieron a Austria a firmar la Paz de Westfield. Alemania estaba arruinada y devastada por estos treinta años de guerra. (Diccionario Práctico Ilustrado, página 1915).

[48] Nota del autor espiritual: la ciudad de Lech se encuentra actualmente en Austria.

Harold Schleswig, el padre de Frediano, mantiene una estrecha fidelidad a los postulados católicos y decide participar en la Guerra de los Treinta Años, junto al Emperador alemán, que lucha contra el protestantismo. Desencarnando en medio de la batalla, deja a los miembros de su familia sumergidos en una tristeza inconmensurable.

Buscando una educación estricta, la madre envía a Frediano al norte de Alemania para ser educado por su tío Erik, instalado en Bremerhaven.

El comienzo de la relación entre ambos es accidentado, ya que el adolescente descubre que su tío es protestante, precisamente, a su juicio, el enemigo que mató a su padre. Muchas lecciones; sin embargo, se suman a su espíritu y, poco a poco, Frediano descubre la pureza del sentimiento religioso que brotó un día de Lutero, a las puertas de la catedral de Wittenberg, desmitificando el horror que tenía la posición de Erik.

Al ganar intimidad con su tío, se enterade que Harold, en realidad, era su padre adoptivo, ya que el verdadero lo había abandonado cuando aun era un niño.

A pesar de sufrir por un tiempo con la revelación, termina consolado por el hecho que solo recibió amor de sus padres adoptivos, sin tener nada de qué quejarse. Luego quiere saber más detalles sobre sus verdaderos padres, especialmente su padre Christen.

Cuando alcanzó una edad razonable, se unió a la batalla religiosa del Imperio Alemán, en 1639, ahora del lado de los protestantes, actuando con convicción y aliado con los franceses que acababan de declarar la guerra a Alemania. Retoma sus incursiones en territorio germánico y recorriendo, una vez más, el sur del país, en la región alpina de Münich, siguiendo las indicaciones de su tío Erik, se encuentra con su padre Christen, que se encuentra refugiado en una choza en la orillas del río Losaich. Averso a las contiendas y un ateo convencido, no tiene dónde esconderse, haciendo lo que puede para evitar la guerra.

Comienza una tercera etapa en la vida de Frediano. Después de vivir con su padre adoptivo Harold y luego con su tío Erik, conoce mejor a su padre Christen, un danés amistoso y alegre.

Rodeado siempre del cariño y la atención de las familias con las que tuvo la oportunidad de convivir, Frediano crece feliz y realizado sentimentalmente.

Su mayor diversión es acompañar a Christen en sus aventuras de exploración, escalando las montañas de los Alpes. La única diferencia entre ambos está en el campo religioso, ya que Frediano se había hecho protestante - al vivir con Erik - y su padre biológico es ateo.

Todos los meses, el muchacho va a Lech y ve a su madre, hermanos y abuelos, parte de su herencia adoptiva que nunca ha olvidado. Cuando es posible, regresa a Bremerhaven para intercambiar ideas con el tío Erik sobre el protestantismo. Pasa mucho tiempo y se acerca el momento de una separación entre Frediano y Christen.

- Hijo, quiero que sepas, antes que te vayas a otra batalla, que estoy muy orgulloso de ser tu padre. Lamento no haber vivido contigo durante tu infancia y parte de tu adolescencia. Me siento culpable por nuestra ruptura.

- ¡Papi, nunca pienses que te condeno por tu actitud! Todos podemos cometer errores y solo Dios es capaz de perdonarnos. Estaba muy feliz con mis padres adoptivos y con el tío Erik. Tal vez si no hubiera sido por nuestro distanciamiento temprano, nunca los hubiera conocido y amado.

- ¡Es bueno escucharte decir eso! Tu madre, tan joven y hermosa, seguramente te amaría si hubiera conocido a su hijo. Murió, como sabes, prematuramente.

- ¡Dejemos el pasado para las tramas, padre mío! ¡Hablemos del presente! Partiré para cumplir con mi tarea, defendiendo la causa protestante, que ahora abrazo. Cuando regreses, tendremos un hermoso viaje juntos.

No, antes quiero llevarte a conocer a unos amigos míos, con los que pasé unos días muy agradables en las montañas alpinas.

- ¿Otra aventura?

Esta vez, te lo prometo, es una visita de la que siempre tendrás buenos recuerdos.

- ¡Está bien! Todavía tengo unos días.

Padre e hijo parten con entusiasmo para reunirse con la familia Bergvolk en Garmish-Partenkirchen.

- ¿Cómo conociste a tus amigos?

¡De viaje, sin duda! Recuerda, soy un aventurero pacífico, con muchos amigos en todo el Imperio. Visitaremos a la familia Bergvolk, cuyo patriarca una vez me dio cobijo cuando estaba de gira. Tiene unas hijas preciosas... Dos de ellas, gemelas, me encantaron...

- Pero, padre, no creo que haya tenido una aventura con las hijas de su anfitrión.

- ¡No, en absoluto! Eran muy niñas... pero graciosos e inteligentes. Ellos pensaron que yo era diferente. Nunca antes habían visto a un danés. La familia es numerosa, hay doce hijos. Humilde, pero muy hospitalario y alegre.

La Baviera del siglo XVII está totalmente involucrada en la Guerra de los Treinta Años, aunque sus regiones montañosas no se ven afectadas en gran medida por las batallas. En uno de estos rincones se encuentra el pueblo Partenkirchen, desde donde se accede a la tormentosa subida que conduce a la empinada montaña que lo separaba de Garmisch, otro pueblo vecino.

Durante dos semanas, Christen y su hijo se quedan con los Bergvolk, entablando una relación agradable y muy amistosa. Desconectada de la vida social y política del Imperio Alemán, la familia pasa sus días cultivando la sencillez y el amor por la Naturaleza.

Se acerca el momento de la despedida y los hijos de la pareja entonan un himno, compuesto por el varón mayor, para saludarlos en la despedida que debió marcar el sufrimiento de la separación, pero también la alegría inconmensurable de la convivencia que tuvieron y de la amistad que creció, más fuerte. Christen y Frediano agitan sus manos y se alejan de la cabaña, mientras escuchan, emocionados, la canción entonada por los anfitriones.

De regreso en Munich, Frediano decide partir hacia Viena, donde los protestantes se preparan para sitiar la ciudad hacia 1647.

El padre está descontento y no acepta la participación de su único hijo en la guerra. De hecho, no es una simple separación, ya que las posiciones en las líneas del destino están invertidas. Christen, reencarnación de Klaus von Bilher, una vez fue hijo de Giscard, actualmente reencarnado Frediano. En el pasado, el conde D'Antoine estuvo separado desde el nacimiento del hijo bastardo Klaus. El don hizo que este último, en la posición de padre, también abandonara a su hijo desde su nacimiento. Por eso, el momento que precede a la separación de ambos se vuelve difícil y los sentimientos surgen desde lo más profundo de sus espíritus. Un amor atormentado y secular los une y los separa con la misma facilidad.

Frediano y Christen se distancian, aunque esta vez los une un amor sólido y constructivo.

En 1648, con el final de la Guerra de los Treinta Años, aparentemente la paz volvió a reinar en el destrozado Imperio Alemán. Algunas regiones aun se disputan, aisladamente, la hegemonía de sus convicciones religiosas, prolongando pequeñas luchas y conflictos entre protestantes y católicos. Frediano, asociado a un grupo que acampó en las cercanías de Viena, revisa los documentos que había logrado extraer de un alto oficial de la milicia vinculado al clero católico que contenían información confidencial del Vaticano.

Dispuesto a hacer uso de esta documentación, parte hacia Munich. Llegando a un monasterio de la región de Salzburgo, se entera de la firma del Tratado de Westfalia[49], que habría puesto fin al conflicto de religiones.

Continuando el viaje de regreso, termina preso en una emboscada preparada por enemigos católicos recalcitrantes. Encerrado en un calabozo a las afueras de un pueblo del sur de Alemania, acaba desencarnando, víctima del hambre y la debilidad del cuerpo físico, provocada por la perversidad de sus opresores. La luz de Nuevo Amanecer le da la bienvenida en tu momento de liberación.

---

[49] Nota material del autor: completado en 1648 en Monasterio (Münster) y Osnabruck entre el Emperador alemán, Francia y Suecia, para poner fin a la Guerra de los Treinta Años. Dieron a los príncipes del norte de Alemania, a cuyos territorios se añadieron, la libertad de religión, el derecho de alianza con extranjeros y marcaron el fracaso de los Habsburgo en su intento de unificar Alemania. Francia ganó Alsacia y vio confirmados los Tres Obispados. (ibíd., página 1934)

CAPÍTULO LI

LA SABIDURÍA DIVINA

Los hermosos y dorados portales de Nuevo Amanecer dan la bienvenida a Eustáquio, dirigido por su mentor Genevaldo. Inmediatamente ingresa - consciente y feliz - en la Casa de Reposo para un tratamiento de recuperación de energía.

Después de cinco años de actividades en la Colonia, Agamenón lo convoca a su presencia.

- Querido Eustáquio, debemos evaluar conjuntamente tu último Viaje por la corteza terrestre. Después de su recuperación y reintegración a nuestra ciudad, me gustaría saber de ti.

- Te confieso, mi buen amigo, que hoy tengo mejores condiciones para la autocrítica. Tuve excelentes oportunidades de rescate en la etapa física. Algunas las aproveché y otras, lamentablemente, las desperdicié. Ojalá pudiera volver de nuevo. ¿Es posible?

- ¡Sin duda! Tu progreso se hace particularmente evidente desde el momento en que tú mismo quieres volver a la carne para terminar tu programa, aun no completado. ¿Recuerdas el pasado no muy lejano en el que acabaste regresando obligatoriamente?

- ¿Como podría olvidarlo? Si no fuera por su cariño y atención, y creo que no hubiera podido...

- ¡No digas eso! Tu evolución es fruto exclusivo de tu mérito personal al conducir el libre albedrío que Dios te dio. Lo más importante de tu última experiencia en la Corteza fue el encuentro y el perdón mutuo que se produjo entre Christen y Frediano. Padre e hijo, dos veces, en reencarnaciones alternas, pudieron saldar sus deudas y consolidar el amor universal y fraternal.

- ¡Estoy igual de feliz!

Has logrado, querido amigo, seguir al pie de la letra el mandato de Jesús: "*Reconciliaos cuanto antes con vuestro adversario, mientras vais todos por el camino, no sea que os entregue al juez, el juez no os entregue al ministro de justicia, y no seas encarcelado. De cierto te digo que no saldrás de allí hasta que pagué hasta el último centavo*"[50]. Esta reconciliación provocó una inmensa alegría en otro Espíritu, poniendo fin a un largo peregrinaje en busca de venganza. Ricardo Igor von Bilher[51], asesinado a instancias de Giscard D'Antoine, se encuentra hoy, bajo otro caparazón e identidad, por supuesto, muy satisfecho con su acercamiento con Klaus o Christen.

- ¿Cuál es mi destino ahora, Agamenón?

Es hora de experimentar tu tan esperada reencarnación clave. Había regresado a Francia y, allí, redescubriendo la opulencia - su más feroz enemiga -, además de repasar viejos adversarios, pudo construir, mediante el ejercicio del amor y el perdón, su prometedor futuro en el camino evolutivo.

- Me siento inseguro ante tanta responsabilidad. Qué pasa si fallo?

---

[50] Nota del autor espiritual: este es el pasaje mencionado por San Mateo, cap.5:25-26, demostrando que, con miras a la tranquilidad futura - como explicó Kardec en su codificación - es importante reparar cuanto antes los males practicados contra los demás, perdonando a los enemigos, para que, en el plano material, puedan eliminar las animosidades. se extinguen. Si esto no sucede, no será la muerte la que pondrá fin a las aversiones mutuas, que ciertamente persistirán en el plano espiritual (ver "*El Evangelio según el Espiritismo*", Cap. X, ítems 5 y 6).

[51] Nota del autor del material: es oportuno recordar en este punto que el capitán Ricardo Igor von Bilher, hijo del Duque de Estrasburgo, fue traicionado por el Conde Giscard D'Antoine y su esposa Gabriele. El Conde, a consecuencia de este acto, tuvo como hijo bastardo a Klaus Augusto von Bilher, además de haber hecho perecer a Ricardo en sus manos. (Capítulo XII)

- Ten en cuenta, Eustáquio, que la obra no estará exclusivamente en tus manos. De hecho, ninguna gran empresa cuenta con una sola persona para llevarla a cabo, ya que todos están sujetos, por el mal uso del libre albedrío, a desviarse del buen camino. Así, innumerables espíritus abandonan el plano espiritual para misiones fundamentales en la Corteza y solo el conjunto de sus actitudes podrá definir o no un cambio de rumbo en los caminos recorridos por la humanidad. Esto significa que debes hacer tu contribución a tu propia recuperación y ayudar a tus compañeros a regenerarse, pero no debes preocuparte, de antemano, por el éxito o el fracaso de esta trayectoria. Solo a Dios le corresponde juzgarnos.

- ¡Tienes toda la razón! No volveré a mostrar ansiedad innecesaria. ¿Hay alguna precaución especial que deba tomar?

- ¡Si existe! Tu regreso llegará en un momento delicado de la historia de Francia. La Inquisición terminó oficialmente, pero los inescrupulosos representantes de algunos sectores reaccionarios del clero continúan practicando esta forma de cruel violencia contra muchos fieles. Además, políticamente, Francia vivirá un período de cambios intensos, en los que tendrás que participar colaborando a la mejora de los valores cristianos.

- ¡Así sea, Agamenón! Estoy listo para ir y enfrentar los obstáculos que me esperan.

En 1737, Eustáquio se fue a París, tomando la carne bajo el nombre de Lisandro, partícipe activo de los caminos que llevaron a Francia a su mayor Revolución y convirtiéndose en defensor emérito de las ideas de la Ilustración que combatían la pena de muerte y otros procesos violentos de exterminio de hombres.

CAPÍTULO LII
LA REVOLUCIÓN FRANCESA

Las desigualdades sociales en el Estado francés se acentúan y la monarquía absoluta, consolidada con puño de hierro por el cardenal Richelieu, sobrevive próspera y cara. La división de la sociedad agrava progresivamente la tensión y los dos primeros grupos de poder - el clero y la nobleza -, denominados primer y segundo estamentos, se alejan cada vez más del resto de la población, concentrada en el tercer estamento. Una clase de mercaderes, empresarios y profesionales liberales pasó a poseer una parte considerable de la riqueza y trató de implantar una nueva ideología en Francia. Surge la filosofía de la Ilustración, que predica, ante todo, que la Iglesia es una institución prescindible del hombre. Para encontrar a Dios - dice la Ilustración - no hace falta la participación obligatoria del clero como intermediario, ideas que desagradan a la Iglesia católica.

En 1737 nació Lisandro, hijo de ricos burgueses, pero sin participación alguna en la estructura política de la época.

Recibiendo una educación exquisita y refinada, debido a las relaciones sociales de sus padres, acabó viviendo con personalidades de la Ilustración francesa. Aprende varios idiomas y, desde temprana edad, se embarca en estudios eruditos. La familia está formada por los padres Renan y Aline y los niños Lisandro, Guido, Haydee y Gilbert. Mientras que el menor apoya al mayor en su desarrollo intelectual, los otros dos solo se preocupan de divertirse en las fiestas de la Corte. Sin embargo, sufren discriminación por parte de jóvenes nobles que no tienen en cuenta a los hijos de comerciantes sin título.

En algunas tertulias, Haydee y Guido disfrutan de presumir ante sus nobles amigos los conocimientos de su hermano mayor, quien encanta a todos con su prodigiosa memoria para los versos poéticos.

- Por favor, Lisandro, repite para nosotros la escena del balcón, en las dulces palabras de Romeo - pide la hermana Haydee,

- Lo intentaré... ¡Enciende la luz a través de la ventana! ¡Se trata de Oriente y Julieta y el Sol! He aquí que aparece el Sol, matando de envidia a la Luna, que es solicitada y enferma. ¡Julieta, eres más hermosa que la Luna!...

Entre suspiros y ligeros aplausos, finaliza:

- ¡Eres mi dama! ¡Vaya! ¡Ella es mi amor! (...). No sé si recuerdo más.

Emocionadas, las chicas presentes insisten en que continúe.

- ¡No te detengas! Queremos saber de ti - una de ellas ruega.

- Los ojos de Julieta brillan como estrellas en el cielo. ¿Qué podría pasar si sus ojos estuvieran en el cielo y las estrellas en su cabeza? Seguramente el resplandor de sus rostros avergonzaría a las estrellas como la luz del día a una lámpara (...)[52]

Los niños, olvidados en un rincón, se rebelan ante la llamativa presencia de Lisandro, pero las damas encantadas obstaculizan sus reclamos:

Hablando de los ojos... - suplica una de ellas. Y el chico continúa.

- Sus ojos podrían arrojar rayos del cielo tan claros que los pájaros cantarían creyendo que había llegado el amanecer. ¡Mira cómo apoya su rostro en su mano! ¡Quería ser un guante sobre esa mano para poder tocar su cara!

---

[52] Nota del autor del material: se pueden encontrar más detalles en la obra *"Romeo y Julieta"*, Shakespeare, Acto II, Escena II: Jardín de los Capuleto.

Como haría Julieta, las niñas suspiran juntas, en una sola voz:

- ¡Ay de mí!

Insatisfechos, algunos nobles que aprecian al poeta inglés le piden a Lisandro que repita los fragmentos de Julieta.

- ¡Ay de nosotros, Lisandro! ¿Dónde están las súplicas de nuestra Julieta?

- Necesito volver a París. Les debo para nuestra próxima reunión. ¡Hasta pronto, amigos!

Satisfechos, los hermanos Guido y Haydée se imponen ante todos, supliendo la falta de títulos nobiliarios que corroe su orgullo.

La juventud intelectual de Lisandro lo lleva a ser el centro de atención en su hogar, despertando el respeto de sus hermanos y la satisfacción de sus padres. En cuanto se estrenan, intenta leer las célebres obras *"El espíritu de las leyes"*, de Montesquieu, y *"El contrato social"*, de Rousseau.

En cuanto a este último libro, el pasaje que más le impresiona es el que trata de la figura del legislador - la persona que tiene como misión hacer las leyes del Estado y de la sociedad. Le brillan los ojos mientras succiona diligentemente este capítulo línea por línea, mientras su corazón clama por un puesto así en la política francesa y su razón termina mostrándole el camino: tendría que ser legislador en su país. Las palabras del autor Rousseau siguen ardiendo en su mente, repitiéndose una y otra vez hasta que se agota en sus reflexiones.

¿Qué te tiene tan preocupado hoy, Lisandro?

Nada en particular, Gilberto. Solo estoy pensativo y cuestiono mis próximos pasos. Estamos en un año difícil para toda la estructura social de nuestra patria y debo posicionarme del lado de quienes defienden un Estado libre e igualitario, desligado del personalismo del Rey y del clero. No puedo olvidar las palabras de Rousseau...

- Lo sé, cantabas por todas partes y hasta en sueños hablabas sola...

- ¡No exageres, hermano mío!

- Se lo puedo repetir si quiere... Escuche: el legislador es un hombre extraordinario en todos los puntos de vista. No es una cuestión de magistratura o soberanía. Legislar es una función superior y particular que no es común al imperio humano... Quien impone la ley no debe conducir los destinos de la humanidad y el que manda a los hombres no debe hacer la ley...[53] ¿Tengo razón hasta ahora?

Halagado por la atención que el joven hermano dedica a sus insistentes declaraciones sobre el mejor sistema de gobierno que él siente es ideal para Francia, Lisandro accede.

- Casi del todo acertado, pero no menos brillante. ¡Estoy orgulloso de ti, mi hermano! De hecho, has aprendido importantes pasajes de los escritos de Rousseau. ¿No cree que su declaración es soberbia en lo que al legislador se refiere? ¿Se dan cuenta que el que hace las leyes no puede gobernar con exención? De la misma manera, el que gobierna debe permanecer al margen de la redacción legislativa... Es una visión obvia del universo político que muchos no se han dado cuenta hasta ahora. ¡Vaya! Ciertamente debo volver a la obra del barón, *El Espíritu de las Leyes,* donde encontraré subvenciones para escribir el próximo cuaderno.

Desde principios de 1789, los Cahiers de Doleances[54] recogían la opinión del pueblo - componente del tercer estado - sobre las cargas tributarias, los actos de gobierno, los privilegios de la nobleza y, a pesar de estar contenidas en el cuestionamiento de la monarquía, terminaban retocando el tema crucial para el pueblo francés en ese momento: la redacción de una constitución. Lisandro, en clara ascensión política y social, y sus más allegados

---

[53] Nota del autor del material: se pueden encontrar más detalles en la obra "Sobre el contrato social", Jean-Jacques Rousseau, Libro Segundo, Capítulo VII (Sobre el legislador).

[54] Nota del autor espiritual: estos son los "cuadernos de lamentaciones y reclamos."

preparan uno de estos cuadernos dentro de la biblioteca de su residencia para enviárselo al Rey, acompañado muy de cerca por Gilberto, eterno interesado en las ideas del hermano mayor.

- Querida Junet, ¿comprendes el alcance de las declaraciones de Rousseau? Podemos criticar la organización política de nuestro Estado del mismo modo que lo hizo Calvino en Ginebra. ¿Qué te parece?

- ¡Eres un admirador de Calvino, seguro!

- ¡Evidentemente! Su actividad no se limitó a la teología. Fue un político honesto e inteligente que revolucionó Ginebra. ¿Has tenido la oportunidad de leer sus *Instituciones*?

- ¡Todavía no! Él hizo.

- ¿Qué pensaste? - Pregunta Junet al otro compañero, Ernest.

- Precioso e indispensable! Te ofrezco mi copia. Deberías saberlo de inmediato. Pero, Lisandro, ¿qué vamos a especificar en este cuaderno con respecto a la Iglesia? ¿Cuestionaremos a Dios como la fuente absoluta de todas las leyes?

- ¡No es así! Dios es la fuente última de inspiración de la ley de los hombres; sin embargo, la Iglesia no es la única que puede interpretar la voluntad divina. ¡Este es el mal de nuestro siglo! ¡He aquí la herida de Francia! Hemos entregado la primacía de la palabra de Dios a una institución gastada y que se desmorona. ¡Con eso nunca estaré de acuerdo!

- ¿Eres protestante?

- ¡No se trata de esto! Sigo la filosofía de mi querido y difunto padre. Me considero un espiritualista. Creo en la Sagrada Escritura, en las enseñanzas de Jesucristo, en la Mano de Dios guiando nuestro destino, pero no delego a la Iglesia - a ninguna religión - la tarea de pensar y actuar por mí. Soy dueño de mis acciones y responsable de mis actitudes. Responderé directamente al Creador cuando me vaya de este mundo.

Asombrado, el amigo Junet pregunta:

- ¿De verdad crees en la vida después de la muerte?

- ¡Sin duda! Pero no perdamos más tiempo. No estamos reunidos aquí para discutir filosofía o teología. Sigamos con nuestro manual de denuncias. Pongamos en sintonía la visión universal de los pensadores con la verdadera política. La presencia de Dios no debe estar separada de las leyes... Recuerden que desde la época de Maquiavelo esto está escrito.

- ¡Es verdad! El florentino nos dice en su obra que nunca hubo un solo legislador que no recurriera a Dios para legislar. Solo entonces sus leyes serían aceptadas[55].

- ¡Esa es nuestra filosofía! ¡Al trabajo!

Ernest, uno de los compañeros de Lisandro, a pesar de fingir ser amigo y leal, en realidad lo envidia y asimila sus ideas para luego transmitirlas en la Corte como si fueran propias, con el fin de demostrar conocimiento y erudición. Su ignorancia provoca un repudio social y la única posibilidad que vislumbra es sustraer al amigo ilustrado sus meditados dichos y escuchar las discusiones entre los cahiers, para acumular cultura, aunque sea artificialmente. Sin embargo, encuentra en su camino la desconfianza de Gilbert, quien lo disputa a diario en defensa de su hermano.

- No sé qué haces aquí con nosotros, Ernest. Mi hermano debe estar ciego por no darse cuenta de tu infidelidad y tu incapacidad intelectual.

- No seas agresivo, Gilbert. Entiendo tu dedicación a tu hermano, pero no me juzgues precipitadamente.

- Realmente no tengo el brillante conocimiento de tu hermano, pero no puedo ser considerado tan ignorante como tratas de insinuar.

- ¡Pierde el ocultamiento! Mi nombre no es Lisandro y no soy tan crédulo como él. Nunca podrías engañarme. Sé que eres egoísta y solo sigues los pasos de mi hermano porque no tienes a

---

[55] Nota del autor espiritual- Maquiavelo sabía la importancia de vincular las leyes a la voluntad de Dios, de lo contrario, el ciudadano las consideraría vacías de contenido e ineficaces.

dónde ir. Eres una persona de mente estrecha que no tiene penetración en la nobleza, ni en el clero. Los intelectuales desaprueban tus conocimientos y todos deben reconocer tu insignificancia.

- Creo que debes dejar de insultar. Puedo estar enojado, de verdad.

- Haz lo que quieras, porque no te tengo miedo. Mientras pueda, intentaré mantenerte alejado de mi casa y de mi hermano.

- Reencarnado, Razuk - una vez aliado y ahora enemigo -, bajo el sobre de Ernest, no oculta su disgusto por Lisandro y su intención de hacerle daño. Sin embargo, para equilibrar la situación, el joven Gilbert y el viejo amigo Gedión, también reencarnaron junto a Eustáquio.

Se acerca una de las fechas fatales para el universo absolutista francés. El 9 de julio de 1789, cuando los diputados se reúnen en la Asamblea Nacional Constituyente, trae el avance considerable de lo que sería la célebre revolución de las revoluciones en la historia de Francia. Al destituir al ministro Necker, Luis XVI encendió el movimiento revolucionario y, el 14 de julio siguiente, la toma de la Bastilla simbolizó un hito en esta lucha armada que comenzaba a ocupar las calles de París. La guardia nacional, con los colores emblemáticos de la bandera francesa - azul, rojo y blanco -, busca mantener el orden. Se invita a una comisión de notables a participar en la administración. Lisandro inicia su carrera en el gobierno intelectual. Solo a principios de agosto se contuvieron los ánimos revolucionarios, en vista del acuerdo celebrado entre el clero, la nobleza y el tercer estado, aboliendo los privilegios y conteniendo los impuestos. Lisandro, Junet y Ernest participan activamente en este acuerdo, aunque este último hizo pocas contribuciones al evento. A finales del mismo mes aparece el documento histórico denominado Declaración de los Derechos del Hombre y del Ciudadano, cuando, una vez más, Lisandro aporta su pensamiento.

La negativa de Luis XVI a aceptar tal declaración y base del acuerdo que selló el fin de muchos privilegios, provocó que la ira de los franceses volviera a estallar y el movimiento tomó las calles. Como en todos los grandes acontecimientos históricos de los hombres, innumerables espíritus, de todos los niveles evolutivos, se acercan a París y gigantescas nubes negras, por varios días, ocupan los cielos de Francia. Los emisarios de Nuevo Amanecer buscan apoyar a los encarnados vinculados a la colonia, entendiendo la importancia del momento vivido por todos y apuntando a contener, en la medida de lo posible, las exageraciones y violencias que puedan surgir en cualquier momento. Un equipo de mentores, liderado por Genevaldo, se acerca a Lisandro y busca asegurar su tranquilidad en tan convulsa ocasión. A Nuevo Amanecer habían llegado instrucciones de las Colonias superiores, solicitando la salida inmediata de sus enviados al escenario francés, a fin de asegurar, en la medida de lo posible, un rumbo sano para la historia.

La confrontación es inevitable y los mentores iluminados rodean París. Hordas de espíritus inferiores huyen asustados hacia áreas cavernosas en las afueras de la ciudad, ante el resplandor que los ciega de los equipos de rescate. Algunos líderes nefastos y persistentes del mundo espiritual inferior se apoderan de la ciudad y, apoyados por corrientes negativas de vibraciones de varios encarnados, continúan influyendo en una parte considerable de los parisinos.

Lisandro, en esta oportunidad de su viaje a través de la Corteza, goza de una considerable exención en su espíritu, ya que sus más crueles oponentes y obsesores del pasado están reencarnados, como él. Marcel, Tergot, Günther y Razuk viven experiencias en la corteza terrestre y, con la excepción de este último, lejos de París. Es cierto que seguidores de estos líderes y todavía enemigos de Eustáquio lo persiguen, aunque con menos furia y astucia. Así, Lisandro logra evolucionar en sus cargos de manera racional y acentuada.

Preocupado por la situación política de su país, no se casa y vive solo, con la única compañía de su leal hermano Gilbert. Haydee y Guido tomaron un camino desconocido tan pronto como sus padres Renan y Aline desencarnaron. La familia se desmorona parcialmente y el interés nacional habla más fuerte en su corazón.

La revolución y su rasgo sangriento se vuelven irreversibles. El convento de los jacobinos[56] agrupa una facción radical - encabezada por Robespierre -, que quiere instaurar una dictadura y pretende eliminar a toda la nobleza y miembros de la Corte. En este movimiento se infiltran muchos de los enemigos de Eustáquio, a lo largo de los siglos, bajo nuevas identidades proporcionadas por la reencarnación.

Mientras los jacobinos hacen sus planes, Lisandro asesora a uno de los más inteligentes y capaces de los diputados que participan en la Asamblea Nacional Constituyente. De sus manos salen escritos geniales, aprovechados íntegramente en la Constitución que está naciendo. En 1791 se completó la elaboración de esta carta de derechos y deberes, que dejaba muchos de sus privilegios al monarca y buscaba conciliar los más variados intereses. Permite; sin embargo, el acceso al poder de la burguesía y asegura la libertad religiosa, a pesar de proclamar el catolicismo religión oficial de Francia. Se terminaría una etapa de la historia si todos aceptaran pacíficamente este documento en su totalidad, nacido de los cimientos de la Ilustración y, en cierta medida, revolucionario. Desde Roma se alza la primera voz contra la Constitución. El Papa afirma que los sacerdotes no se someterán a las nuevas reglas de Francia.

Los problemas del nuevo régimen francés continuaron ya principios de 1792 estalló la guerra contra la alianza Prusia-Austria. Mientras tanto, los girondinos son el famoso partido

---

[56] Nota del autor del material: los jacobinos representan un club formado en Francia por los exaltados revolucionarios, partidarios de Robespierre, cerrado en 1794 (Diccionario Práctico Ilustrado Lello, pdg. 1974).

político de la Revolución Francesa, formado casi en su totalidad por diputados del sur de Francia; los girondinos se opusieron a las matanzas de septiembre y se negaron a votar por la muerte del Rey. Casi todos fueron decapitados en octubre de 1793 (ibid., pdg. 1626).

Lisandro se incluye entre los segundos (girondinos) y sus enemigos pasados en los primeros (jacobinos), aunque todos participaron del mismo lado, inicialmente, contra la monarquía.

Los girondinos, incluido Lisandro, están llamados a formar parte del ministerio del Rey. Monárquico convencido, nunca quiso derrocar a Luis XVI y solo pretendió limitar sus poderes e instituir la democracia y la igualdad en su país. Al darse cuenta de esta posición y también previendo un cambio en la política, Ernest lo abandona y se refugia en el grupo de los radicales jacobinos. Entiende que esta es su oportunidad de superar su posición a la sombra de Lisandro y tomar vuelo por su cuenta.

Disgustado con la posición de Ernest, Lisandro es consolado por el hermano Gilbert y Junet. Busca reconstruirse volviendo a sus estudios, aunque en este punto se siente particularmente atacado por los artículos que Robespierre publica con frecuencia. Al leer estas publicaciones, Lisandro ve la participación activa del excompañero Ernest.

Uno de los traicioneros ataques de unos jacobinos contra una caravana de nobles franceses, donde se encuentra Gilbert, asesorando a un diputado monárquico, en julio de 1792, mata al hermano menor de Lisandro, causándole un sufrimiento insoportable. Su aislamiento comienza a comenzar y su retiro del ministerio es inmediato. Incluso ante los llamamientos de Junet, regresa a su casa, en París, para ocuparse de la elaboración de artículos que contradijeran la idea de violencia que abraza el grupo contrario. Se escribe y publica una hermosa carta de despedida al hermano asesinado, convirtiéndose en una pieza inusual de la literatura revolucionaria francesa. Alejado de la nobleza, el clero, los intelectuales y el gobierno, comenzó a reflexionar sobre la razón de ser del ser humano y también sobre la confrontación entre la riqueza material y los valores del espíritu. Permite, en esta etapa, acercarse al mentor y amigo Genevaldo.

Ajenos a tales posturas de Lisandro, sus adversarios jacobinos y su antiguo compañero Ernest persisten en atacarlo repetidamente por todos los medios posibles de difusión de ideas.

El colmo de su inconformismo; sin embargo, se produjo el 21 de enero de 1793, cuando el Rey Luis XVI fue guillotinado. El mayor acusador del monarca había sido Robespierre, asistido por las traicioneras consideraciones de Ernest.

Decide, entonces, dejar París, dirigiéndose a un monasterio benedictino, con el que mantiene contacto amistoso, compuesto por monjes de esta índole vinculado a la estructura tradicional de la Iglesia católica y destinado a cultivar el amor y la caridad.

CAPÍTULO LIII
LA VERDADERA RELIGIÓN

A los pocos meses de la muerte de Luis XVI, superado el susto que sacudió profundamente su espíritu, Lisandro decide abandonar el claustro voluntario que se había establecido en la abadía de Versalles, participando en la primera comida conjunta con los monjes benedictinos.

- Hermanos, roguemos a Dios pidiendo protección por nuestra querida Francia, hoy tan sacudida por la guerra interna, como por el camino de todos nosotros, perdidos en la agitación revolucionaria que se ha instalado en nuestros corazones. Oremos también por la suerte de nuestro querido hermano Lisandro que nos visita y participa de nuestra vida sencilla, buscando paz espiritual y tranquilidad para sus meditaciones

- El Prior Ulrico abre la cena.

Sin ningún comentario por parte de los presentes, un aura de luz verdosa penetra lentamente en el ambiente, alcanzando los centros vitales de todos los monjes, llevándoles armonía y serenidad y animando al visitante a pronunciar unas palabras.

- ¡Amigos benedictinos! Estaba feliz de haberlos encontrado un día. Estaba confundido y perdido en mis propias reflexiones sobre la vida y la Revolución que marcó a nuestro querido país. Con su apoyo, orando a Dios, estoy seguro que ahora estoy en el camino correcto. Se lo agradezco.

Abandonando sus bienes materiales, está dispuesto a terminar sus días en un ritmo de vida sencillo y lleno de logros en el campo de la caridad y la fraternidad, tomando como ejemplo la orden benedictina de Versalles, que insiste en permanecer desconectado de las reglas de la Vaticano.

- ¡Ciertamente, mi querido hermano, puedes contar con nosotros! Nos diferenciamos de otras órdenes religiosas e incluso dentro de los benedictinos formamos un grupo extraño. Nos alejamos de las riquezas materiales y adoptamos una vida modesta, pero llena de compromiso espiritual y rica en amistades y devoción a Dios. No es que condenemos a quienes tienen algún bien o valoren los valores de la materia, pero somos claros al considerar el predominio del espíritu sobre el cuerpo y, sobre todo, de Dios sobre todas las cosas. Y si no damos ejemplo en cuanto a nuestro pensamiento, ¿cómo podremos convencer a los demás que tenemos razón? Hemos vivido en paz durante muchos años y hasta la dirección de nuestra orden nos deja seguir nuestro propio camino, creyendo que somos inofensivos. Un día, quién sabe, tal vez podamos influir en otras personas religiosas para que adopten la misma postura, seguros que les resultará más fácil estar junto al Creador. Por tantas razones, hermano Lisandro, comprendemos perfectamente tu actual desapego de los bienes materiales y aprobamos la idea que, al menos intentándolo, pueda conocer la vida sencilla de reflexión y ayuda a los demás sin el menor requisito de ningún tipo de contribución financiera. Cuenta con nosotros para despejar tus dudas y compartir tu experiencia y tus conocimientos filosóficos y literarios, que sabemos que son muchos y de indiscutible valor. Que vivamos juntos en el nombre de Jesús y nuestros amigos espirituales en plena armonía y construyendo un mundo mejor.

Aquietando su interior, el visitante llora por unos minutos en silencio, recibiendo la solidaridad de los monjes presentes.

La primera semana después de salir de la reclusión pasó rápidamente, mientras los benedictinos le mostraban todo el monasterio y le mostraban su rutina y su estructura de trabajo. Los domingos salen todos juntos y recorren las ferias de París para repartir alimentos y animales, provenientes de sus propias plantaciones y crianzas, sin recibir ningún pago a cambio, más que un caluroso agradecimiento desde el fondo del alma: *merci beaucoup; grace a Dieu; Dieu vous soil en aide; Dieu vous benisse*[57], entre muchos otros.

Lisandro se siente renovado interiormente e incluso las túnicas de los nobles, poco a poco, van dejando paso a la sencilla indumentaria de los monjes. Casi franciscanos, si no benedictinos, son la alegría de muchos pueblos y sus miserables habitantes, cuando pasan cantando himnos de alabanza a Dios y ejerciendo la caridad de Jesús predicada sin ningún apego al materialismo. El ejemplo conquista el corazón entristecido de Lisandro y su semblante refleja la alegría de una nueva vida que se desarrolla a su alrededor.

De regreso al monasterio, hace una serie de averiguaciones al Prior.

- Hermano, permíteme preguntarte, ¿cómo puedes sobrevivir sin la ayuda financiera de la comunidad? Nunca he visto una orden religiosa que no acepte donaciones...

- Aceptamos donaciones.

- ¿Como? No vi a nadie pidiendo contribuciones en las ferias.

- No se trata de recibir dinero o metales preciosos como lo hacen otras órdenes, que mencionaste. Recibimos semillas de agricultores de la región, así como su ayuda voluntaria en la siembra y cosecha, al fin y al cabo, nuestra mano de obra no está calificada y somos pocos para el volumen de alimentos que sembramos en cada cosecha. Además, recibimos reproductores para mantener activo nuestro rebaño. Como resultado, conseguimos no solo mantener abastecida la despensa del monasterio, sino también distribuirla gratuitamente en los mercadillos. ¿Lo entiendes?

- Cada vez más asombrado, llega a comprender que no todas las partes de la Iglesia son materialistas y manipulan a los

---

[57] Muchas gracias, gracias a Dios, Dios se lo pague, Dios te ayude.

fieles para su propio beneficio. Gracias a Dios por la oportunidad de conocer toda la verdad al respecto, que siempre quisiste.

- ¿No tienes miedo de perder el puesto anterior? ¿No le temes al Vaticano?

- Amigo, te recuerdo que presentas *apres la mart les papes deviennent papillons et les sires deviennent ciron,*[58] en una célebre frase de los religiosos más ilustrados. Esto quiere decir que, al traspasar la frontera de la vida material, volviendo a la patria del espíritu, el hombre pierde su majestad y el manto sacerdotal. No hay papas ni reyes después de la muerte, por lo que no debemos dar cuenta de nuestras buenas obras excepto a Dios. A menudo, el que fue noble en esta vida será el más vil de los seres en el plano de la verdadera existencia.

- ¿Qué miedo podemos tener de papas o reyes?

- Solo tenemos miedo de no cumplir con nuestras misiones de amor y ayuda a los demás.

Lisandro pasa meses felices, aprendiendo y meditando junto a los benedictinos y transmitiéndoles sus conocimientos filosóficos y su conocimiento general de la literatura francesa.

Enfermo, entra en el año 1794 con la especial convicción que pronto tendrá que abandonar el plano material. Al no poder

---

[58] Nota del autor espiritual: "después de la muerte, los papas se vuelven mariposas y los reyes oyen." Esta frase se hizo famosa entre los religiosos franceses que estudiaban el más allá, sin creer que el poder y la riqueza material fueran determinantes para conquistar un lugar en el cielo, junto a Dios. Su ideal era la revalorización del espíritu y sus cualidades, prescindiendo de títulos y posición social, incluso en el caso del Sumo Pontífice o de los monarcas. La frase, como puede verse, fue idealizada en vista de la rima que le proporciona el idioma francés, por lo que la traducción literal no parece tener la conexión lógica esperada. Comprendiendo; sin embargo, la intención expuesta por el enunciado en sí - llamativo para la época - se puede ver la importancia de mencionarlo en la obra y en Francés. No hay constancia de quién la pronunció por primera vez, aunque en algunas obras de la literatura francesa de autores de renombre mundial, como Víctor Hugo, algunos de sus personajes la mencionan. Nada es por casualidad

acompañar a los monjes en las tareas caritativas de los pueblos de la región, Lisandro se retira al bosque ubicado en las afueras de la abadía, en una mañana soleada, para meditar. Siente el acercamiento de un mentor amigo y se deja envolver por el espíritu. Gradualmente, percibe que es el momento de su desapego de la materia y, suavemente, cierra definitivamente los ojos, para reabrirlos luego en el mundo de la verdadera vida.

CAPÍTULO LIV

LA SAGA DE NAPOLEÓN BONAPARTE

Después de una breve pasantía en Nuevo Amanecer, recuperado y confiado, Eustáquio regresa a Francia para convivir con uno de los personajes históricos más notables - Napoleón Bonaparte[59] - además de experimentar otra reencarnación clave, sobre la que se basará su regeneración y su progreso espiritual.

Mientras Bonaparte está terminando, en 1799, su campaña en Egipto - que pretende socavar los puntos de apoyo de su archienemigo, el Imperio Británico - a través del paso triunfal en San Juan D'Acre, el pequeño Eduardo comienza sus primeras frases, animadas e inteligentes, en el apacible hogar de la noble familia Celliet. A la edad de seis años, el segundo hijo de Fernando, uno de los Duques más prestigiosos de la Corte en ese momento, se desarrolla rápidamente, adquiriendo un temprano despertar a la cultura. El mayor, Remus, estudia con el menor frente a los más estrictos profesores privados de toda Europa,

[59] Nota del autor material: la importancia de la narración de parte de la historia de Napoleón a lo largo del capítulo pretende resaltar cómo fue la educación y formación de Eduardo en aquella ocasión. El niño creció siguiendo el ascenso de Napoleón y tenía en su padre un admirador del general Francés. Aunque obtiene en casa una orientación para seguir a toda costa las hazañas de Bonaparte, acaba por rechazar todo ello y, escéptico ante teorías y prácticas que no traen libertad y solidaridad, se hace demócrata y liberal. Esto le garantiza la regeneración espiritual.

especialmente contratados para darles una educación fuera de lo común.

De regreso a Francia - territorio que está siendo preparado por el plano superior para acoger la Tercera Revelación [60] -, Napoleón encuentra un país traumatizado por el terror implantado años seguidos por los jacobinos, además de comprobar la inmensa desintegración social y económica que azota a Francia, en particular, los comerciantes. Lo que se necesita es un líder fuerte y decisivo que pueda llevar a la nación de regreso al crecimiento y la estabilidad en todos los niveles de la sociedad. Al darse cuenta de esta situación, no tardó en producirse un golpe de Estado y el famoso 18 Brumario - 9 de noviembre de 1799 - llevó a Bonaparte al poder, instalando un consulado para el gobierno de Francia. Junto a Sieves - el abad que consolidó la teoría sobre el tercer poder, existente en el país antes de la Revolución Francesa - y Ducos - Conde y abogado que, a pesar de haber participado en el movimiento revolucionario junto a los jacobinos, cuenta con la admiración de los otros dos miembros del consulado - Bonaparte comienza a dirigir los destinos de los franceses, liderando como Cónsul.

Sin embargo, en poco tiempo se desvía del camino que le estaba destinado y comienza a dar vida a sus propias ideas, rodeado de ambición y vanidad. No le falta inteligencia y sagacidad, atributos que podrían convertirlo en un líder capaz de unificar al sufrido pueblo francés, con democracia y libertad.

Su indiferencia por la religión, al principio, es útil para contener la lucha permanente entre católicos y protestantes, pero, luego, se torna peligrosa, pues el desprecio por los valores espirituales lo conduce por el camino indómito del gusto por la conquista y la dominación.

Consolidándose en el gobierno, reconciliado con la Iglesia, el Cónsul nombra ministros, jueces y todos los funcionarios

---

[60] Nota del autor espiritual: se trata del Espiritismo, que pocos años después sería ampliamente conocido y difundido a través de la consolidación de la obra de Allan Kardec

estatales. Sus compañeros de consulado se convierten en meros consultores. El Poder Legislativo es débil y debilitado y las guerras exteriores continúan proyectando el nombre de Napoleón más allá de las fronteras de Francia. Se avanza mucho territorio nacional, especialmente en el campo de las leyes, con la elaboración del Código Civil francés[61].

El desentrañamiento de las leyes universales, que quedaría cristalino a mediados del siglo XIX de la mano de Kardec, sacaría a la luz un postulado ineludible que nada sucede por casualidad. Sin embargo, desde muy temprana edad, la humanidad experimentó esta norma mayor y no sería diferente con Bonaparte.

Admirador de la obra maestra de Maquiavelo, "*El Príncipe*", Napoleón lo adoptó como libro de referencia y lo releyó varias veces. Entre los capítulos que utiliza para inspirarse a revolucionar el campo legal francés está aquel en el que Maquiavelo analiza los métodos para llegar al Principado a través del crimen. En este enfoque, se trata de la utilidad de todo gobernante que asciende al poder para construir un fuerte aparato de leyes civiles y militares que le garantice la seguridad y el control de la Justicia. Bonaparte entonces idealizó el Código Civil.

Entre los miembros de la comisión encargada de redactar el citado Código se encuentra el duque Fernando de Celliet, padre de Eduardo, quien goza de la confianza personal del Cónsul.

En una biblioteca erudita, formada por innumerables ejemplares de los libros más raros de Europa, a la luz de un candelabro de plata, está Fernando, trabajando, como siempre, hasta altas horas de la madrugada. Comienza el año 1804 y Napoleón le exige acelerar el Derecho Civil, que quiere ver cuanto antes para toda la nación.

El niño Eduardo, muy apegado a su padre, se despierta durante la noche y trata de seguir, aunque sea de lejos, todos los pensamientos de su padre. Remo, a su vez, se dedica al estudio de la música, interpretando al piano obras célebres de compositores

---

[61] En vigor hasta hoy en su esencia, tamaño mérito e importancia.

austriacos y alemanes - sus favoritos -. Para eso, se acuesta muy temprano y, junto a su madre, en cuanto el sol le rinde homenaje a la mañana de un nuevo día, vuelve a sus partituras. Es, por tanto, ajeno al trabajo de su padre, dejando al joven Eduardo con la ardua tarea de asesorar a su padre.

Los días corren y la presión aumenta sobre el comité encargado de la redacción final del Código. Los empleados van y vienen desde una de las salas de Palacio de Gobierno, donde se está elaborando un proyecto de ley. Junto a la verificación del equipo material, mentores de varias colonias espirituales se acercan para conocer cuál sería una norma básica para la construcción de varios ordenamientos jurídicos de las naciones esparcidas por el globo, incluyendo la patria del Evangelio, Brasil.

Editado el Código Civil en marzo de 1804, se rinden varios homenajes al Duque de Celliet, uno de los redactores. Eduardo, siempre al lado de sus padres, sigue con entusiasmo su entrega y admiración por Bonaparte.

Empoderado por la nueva ley, Napoleón continúa su misión belicista externa. La conspiración británica contra el gran líder de los franceses tiene el efecto contrario al pretendido por sus enemigos y acaba empujándolo al trono como Emperador. El glorioso año de 1804 cierra sus puertas con la coronación de Bonaparte en Notre Dame, adoptando el águila romana como uno de los símbolos de su poder, ya absoluto.

La escalada de conquistas se perpetúa en el tiempo. El emperador tiene en sus manos a Italia, la verdadera cuna de su familia, justo cuando invade triunfalmente Viena, Austria. Bajo el yugo napoleónico, el imperio romano-germánico se deshace y Alemania, irónicamente, cae bajo la protección francesa. Ni Prusia ni Rusia logran frenar su hegemonía. El único obstáculo sólido a sus pretensiones está en Inglaterra, que se beneficia de su eficiente flota naval y de su condición geográfica.

A nivel familiar, el Emperador de los franceses se preocupa por su descendencia y, repudiando a la emperatriz Josefina, se casa con la Duquesa María Luisa de Austria. Este matrimonio es arreglado por el astuto Mettemich, un príncipe austríaco que nunca soportó la guerra de conquista de Napoleón, razón por la cual el matrimonio le serviría de pretexto para esperar pacientemente el momento adecuado para atacar al líder de Francia, el cual se lleva a cabo. Unos años después.

María Luisa le entrega el ansiado heredero en 1811, mientras el Duque de Celliet sigue el camino victorioso de su ídolo político, transmitiendo a sus hijos su sentimiento de alegría por la proyección que Napoleón está proporcionando a Francia. Eduardo crece, por tanto, alabando la figura del Emperador y respetando la admiración de su padre.

Con la edad suficiente para comprender muchos aspectos de la guerra en curso de su país, el joven de quince años comienza a desafiar las ideas del Duque. Cuestiona el porqué de la violencia y dominación que un pueblo ejerce sobre otro. Pide y no se conforma con la extenuante y frecuente supresión de las libertades internas. Finalmente, se convierte en oponente de su propio padre y, en última instancia, de Napoleón.

Cuando la nación francesa obtiene victorias en su guerra exterior, el Emperador organiza fiestas en el palacio y la familia Celliet siempre está invitada. Eduardo, en estas ocasiones, comienza a rechazar las invitaciones que le hace la Corte, disgustando a su padre.

La derrota de Leipzig impulsa a Napoleón, en 1813, a convocar a jóvenes familias francesas para reunir su ejército de reclutas. Eduardo, inmediatamente convocado por su padre, se niega a cumplir la orden de integrar las fuerzas napoleónicas y la ruptura familiar se instala en el señorío Celliet. Remo, a su vez, abandonó definitivamente Francia y, ligado a las artes - un espíritu frágil y delicado que siempre fue, aborreciendo cualquier tipo de violencia - retomó sus estudios en Barcelona, fijándose residencia con los familiares de su madre. La Duquesa desencarna poco después, dejando el conflicto familiar restringido a Eduardo y su persistente padre.

A principios de 1814, Francia es atacada por todos lados y aunque los jóvenes reclutas del Emperador le dan alguna posibilidad de victoria, la superioridad del enemigo hace sucumbir al gran Napoleón en marzo del mismo año. Instalada en Orleans, la Corte francesa, dirigida por la emperatriz María Luisa, hace todo lo posible por calmar la rabia incontrolable de Bonaparte.

Encarcelado en la isla de Elba, el Emperador no se rinde y sigue idealizando su regreso triunfal al poder. Decide releer la obra de Maquiavelo y reflexionar sobre sus postulados. El Duque de Celliet, a pesar de estar aislado de la estructura gubernamental, sigue siendo un aliado del general y lo visita regularmente en Elba. Lleva consigo a Eduardo, ahora crítico y severo con las posturas napoleónicas.

Siempre buscando consolar al gran líder de los franceses, Fernando trata de tranquilizarlo, recordando sus mayores conquistas, la eterna gratitud que el pueblo le dedica y la alta traición a la que fue sometido por una conspiración exterior a los deseos de Francia. El ex- Emperador agradece las palabras de Celliet, pero quiere, con todas sus fuerzas, volver al gobierno.

Eduardo, a pesar de no estar de acuerdo con sus acciones, admira la fuerza del espíritu de Napoleón, imponiendo sus ideas y mostrándose a veces irascible, a veces sensible y perspicaz. Ocasionalmente, se derrumba emocionalmente, luego se recompone y exhibe sus argumentos y sus filosofías sobre el golpe que había sufrido. Discuten un poco de democracia, escuchando atentamente las reflexiones de Eduardo al respecto.

Tras este memorable encuentro, Eduardo vuelve a distanciarse de su padre y nunca vuelve a ver a Bonaparte, quien poco a poco pone fin a su participación en la escena política francesa de una vez por todas. Unos años más tarde, envejecido y enfermo, acabó desencarnando el Duque de Celliet, dejando a su hijo Eduardo sus títulos y propiedades, ya que nunca confió en su primogénito Remo, que siempre estuvo absorto en su música.

Al regresar a París, renuncia a su herencia y, donando su riqueza a instituciones muy respetadas de la época, se dedica a la carrera de periodista.

Oponiéndose a cualquier idea absolutista, Eduardo traza su camino dentro de los postulados de la democracia y el liberalismo. Se casa y forma una familia, aunque la fidelidad no es su cualidad.

Las relaciones extramatrimoniales hacen sufrir a su esposa Melita, quien permanece a su lado hasta el final de su camino, en nombre del amor que le tiene y por la felicidad de las dos hijas de la pareja. El rencor que desprendió; sin embargo, le quita prematuramente la vida y, con remordimientos, Eduardo decide redoblar su atención con las chicas. Siempre recuerda las lecciones de su difunto padre, un patriota indiscutible, lo que le da fuerzas para continuar. Las diferencias que tuvo con su padre nunca le quitaron la inmensa admiración que siente por la memoria del Duque de Celliet.

Reputado escritor, recuerda en sus obras y artículos periodísticos el valor que tuvo Napoleón para la nación francesa, aunque nunca deja de señalar las flagrantes desviaciones que cometió el general.

Al llegar a la adolescencia, las hijas vuelven a dejarlo solo y se van a Barcelona a estudiar música con su tío Remo.

Envuelto en las líneas que construye, Eduardo dedica el resto de su existencia a la causa de la democracia y al enaltecimiento de los valores humanos fundamentales, predicando la libertad y el fin de cualquier tipo de opresión que el Estado pueda ejercer contra la sociedad.

CAPÍTULO LV

DEMOCRACIA, LIBERTAD Y VIDA

El escritor y periodista Eduardo trabaja incesantemente en su biblioteca, ubicada en una amplia y cómoda residencia en el centro de París. Trabaja para varios periódicos y publica artículos y libros sobre política y filosofía. La soledad lo convierte en un auténtico pensador. La proclamación de la república en Francia le hace reflexionar sobre los viejos parámetros y valores que había aprendido de su padre, firme defensor de la monarquía. El convulso año 1848[62] exigió más tiempo a Eduardo analizar hechos

---

[62] Nota del autor material: de 1847 a 1848, la oposición pidió una reforma electoral (aumento del derecho al sufragio), rechazada por Guizot; sobre este tema se desarrolló la campaña de banquetes, que aprovecharon los republicanos (1847).

El año 1848 en Francia: la Segunda República

22-24 de febrero de 1848 - Prohibición del banquete en París, lo que provoca una manifestación parisina; Luis Filipe despide a Guizot, pero el tiroteo del Boulevard des Capucines provoca el levantamiento de París, la toma del Hotel de Ville y la abdicación de Luiz Filipe (24 de febrero).

Febrero-abril de 1848: un gobierno provisional (...) e impuesto por los revolucionarios parisinos. Proclamación de la República en el Hotel de Ville (24-25 de febrero), establecimiento del sufragio universal (2 de mayo), restauración de las libertades (prensa), abolición de la pena de muerte y de la esclavitud, creación de *ateliers nationaux* (talleres) (26 de febrero) y una comisión gubernamental para los trabajadores (...), que reduce la jornada laboral, arbitra los conflictos laborales, etc. (28 de febrero). El gobierno aumenta el impuesto directo en 45 centavos por franco, lo que aleja a los campesinos de la República.

políticos y medidas gubernamentales, criticarlos o elogiarlos, según su criterio personal. Su persistencia y sus ideales democráticos le impiden desviarse una sola línea de los temas relacionados con las libertades individuales y la igualdad social.

Siguiendo las ideas que aparecían por todos los rincones de Francia, se deleitaba con las posturas del célebre Víctor Hugo, escribiendo sobre él y dedicándole elogios en los periódicos. En vista de sus posiciones liberales, e invita a comentar y criticar la novela *Le Dernier jour d'un condamne*[63], que trata de la abolición de la pena de muerte. Su cargo no podía ser otro que ensalzar los nobles valores del novelista y poeta francés, que goza de un inmenso prestigio en la Corte.

Cuando la revolución popular de 1848 sacudió las estructuras francesas, con el apoyo expreso de Víctor Hugo, decidió escribir un artículo que le granjeó la admiración de ambos lados de la disputa. Titulado *La religion de la politique*[64], describe el lado espiritual de todo ser humano - incluido el político - y la posibilidad de utilizar los buenos postulados de la religión, ya sea protestante o católica, para controlar los excesos de poder, humanizar los gobiernos despóticos y hacer justicia social, sin necesidad de derramamiento de sangre. Constantemente e inspirado por los mentores de Nuevo Amanecer, en especial su querida Nívea.

---

23 de abril de 1848: Elección de la Asamblea Constituyente por sufragio universal (mayoría conservadora). 15 de mayo de 1848: Atentado socialista contra la Asamblea (...)

23-26 de junio de 1848: levantamiento de los trabajadores parisinos (a causa de la supresión de los talleres nacionales). La insurrección es brutalmente reprimida (...).

Noviembre de 1848: votación y promulgación de la constitución de 1848. 10 de diciembre de 1848: elección por sufragio universal de Luis Napoleón Bonaparte, presidentes de la República.

(Gran Enciclopedia Delta Larouse, pg. 2892).

[63] *"El último día de un condenado."*

[64] *"La religion de la política."*

Francia es miserable, escribe Eduardo en su artículo semanal. Llamando a sus compatriotas a luchar por la reorganización del Estado y exigiendo una administración legalista, recuerda las contundentes palabras de Voltaire y publica: "*Mi Francia, nuestra patria; aun no sabes de qué lado tomar; ¿Quieres lecciones en el gran arte de vivir? Hay que elegir; vacilante en tus deseos; quieres elegir, dices, el destino más feliz. Pero, ¿cuál es ese destino?*" Vuelve a inquietarse por la revuelta armada y los caminos absurdos que sigue su país, como si fuera una persona: "*tú quieres elegir el destino más feliz, pero ¿cuál es ese destino?*"

Su patriotismo no perjudica a los grupos políticos y rivales en permanente conflicto, por lo que no sufre represalias. Su aparente tranquilidad cesa en el momento exacto en que un golpe de Estado, proveniente del presidente constitucionalmente electo, hace que el país regrese a la senda de la ilegalidad. Se restaura el II Imperio de Francia y Napoleón III asume el trono. Posicionándose en contra del acto desatado por el gobierno, Víctor Hugo se exilia en 1851. Inconforme, Eduardo decide luchar contra este acto que considera arbitrario e injusto. Luego promovió mítines y marchas, chocando con las fuerzas del nuevo reino.

Sosteniendo su bandera de la resistencia, Eduardo termina siendo asesinado a tiros por un golpe de incierto origen durante una marcha celebrada en diciembre de 1852, mientras se lleva a cabo la ceremonia de coronación de Napoleón III, poniendo fin a su vida material.

Tomado por el resplandor esplendoroso de los Emisarios de Nuevo Amanecer, en un auténtico *rayon d'espoir*[65], logra su mayor liberación -que no es política, social o económica, ni siquiera material: el retorno al mundo de los espíritus.

---

[65] Rayo de Esperanza.

CAPÍTULO LVI

LA PREPARACIÓN DECISIVA

Bastan unas pocas horas para plasmar toda la memoria de Eduardo durante el incesante trabajo en la Coordinación de Triage, dirigida por su compañero Hilario.

- ¿Recuperado de tu viaje de regreso, Eustáquio?

- ¡Seguramente! ¡Con tu ayuda, me siento renovado!

- ¿Cómo estás amigo?

- No podría estar mejor; sin embargo, tengo algo que transmitirte. Se va nuestro querido coordinador general, Agamenón.

- ¿Cómo así? ¿Hará algún viaje?

- ¡Nada de eso, amigo! Agamenón fue llamado por Superioridad. Debería dejar la Coordinación General dentro de unos años.

- Pero... ¿cuántos años?

- No se ha hablado precisamente todavía. Sin embargo, para nosotros, que no calculamos el tiempo como se hace en la corteza terrestre y donde los años pasan a través del tiempo sin que muchas veces nos demos cuenta, el solo hecho que nos haya llegado tal noticia es el presagio de nuestra separación.

- ¿Y Nuevo Amanecer se quedará sin coordinador? ¿Quién lo reemplazará?

- Sabemos que vendrá otro líder a acompañar nuestro trabajo. Su nombre no nos fue comunicado, pero la Coordinación General ya lo sabe, seguro.

- De hecho, necesitamos tener mucha fuerza para no estar tristes en este momento. Nos gusta mucho Agamenón... ¡Su inteligencia, sabiduría e inmenso amor! No puedo dejar de reconocer su gratitud.

- Sabemos que partirá hacia un mundo aun mejor y este hecho simboliza su triunfo en dirección a esta Colonia. Un día, todos viajaremos a planos superiores.

- ¿Y yo? ¿Qué será de mí ahora?

- Creo que Agamenón te dará esa respuesta. Acabo de recibir una llamada del Coordinador General. ¡Él quiere verte!

Emocionado y esperanzado, Eustáquio parte de inmediato hacia el Edificio Central y se encuentra, minutos después, con el dirigente de Nuevo Amanecer.

- Mi querido Eustáquio, ¡estás con nosotros otra vez! Me enteré de su éxito y triunfo en la misión que le tocó realizar. ¡No podría estar más feliz!

- Tú también sabías, mi buen Agamenón, de mis errores, ¿no?

- ¿Quién no? Todos estamos sujetos a desviaciones del camino correcto. Para ello, Dios nos concede infinitas posibilidades de regeneración. Repitamos y tantas veces como sea necesario lo que una vez hicimos mal. Este es el principio justo y limpio de la reencarnación.

- Por esta misma razón deseo regresar a Crosta para reparar los errores que cometí en mi último viaje.

- ¡Eustáquio, mi amigo! Un día estaba yo en esta misma habitación convenciéndote que volvieras a la materialidad, porque necesitabas seguir tu camino. ¡Tu molestia fue inmensa! Hoy, me enfrento a una solicitud tuya de querer regresar al plano físico...

- Agamenón, cuando conocemos el camino trazado por Jesús y sus ejemplos penetran realmente en nuestro corazón, no hay escapatoria al Evangelio. Sabemos lo que está bien y lo que está mal. Si por elección ejercitamos mal nuestro libre albedrío, debemos reparar este error mediante acciones positivas a favor de la evolución de otros semejantes a nosotros. No debemos hacerlo solo para mitigar nuestra culpa, pero porque la ley universal del amor y la caridad nos lo impide.

- ¡Exactamente! Tus palabras silencian cualquier objeción hacia mí, pues eso es precisamente lo que espontáneamente esperaba de ti a lo largo de los años. Amigo, toda nuestra lucha no fue en vano. De hecho, tu regreso está previsto para un futuro próximo. Mientras esperamos tu partida, prosigamos nuestras conversaciones y tus estudios.

- ¿Y tú? Sé que te vas.

- ¡Es verdad! Puedo confirmarte la información. En unos años seguiré mi camino para asumir un nuevo trabajo, no como coordinador, sino trabajando en equipos liderados por nuestros mentores. Estoy muy contento de ir al reencuentro de viejos y queridos compañeros que estarán allí para recibirme, aunque siento una temprana nostalgia por esta ciudad que tanto amo y por la que tanto hemos trabajado.

- ¿Te volveremos a ver?

- ¡Definitivamente nos mantendremos en contacto! Todos somos compañeros en un largo viaje, querido amigo, y nunca perdemos de vista a los que amamos. Siempre estaré conectado con Nuevo Amanecer y todos sus habitantes, en los que estás incluido.

- Aun así, te extrañaré.

- Solo al principio... Con el paso del tiempo te darás cuenta que el amor es universal y la fraternidad entre los espíritus debe llenar plenamente tu corazón. Nuestro trabajo sigue los parámetros del Evangelio y, como resultado, estamos siempre juntos y nunca estaremos separados. Tomaremos temporalmente caminos diferentes.

- Agamenón, te debo mucho cariño. Quiero pasar estos próximos años a tu lado, tratando de ejercer toda mi capacidad para ayudarte en tus actividades, si me lo permiten.

- Seguramente, Eustáquio, será glorioso para nosotros.

Los dos amigos se despiden y Eustáquio toma posesión de su cargo en la Colonia, ahora en el Archivo General del Edificio Central.

- ¿Cómo van tus estudios?

- ¡Están en la vía rápida, Agamenón! Ni siquiera se siente como si hubiera regresado por tanto tiempo. Cada vez más siento que soy ignorante y pequeño, frente a la sabiduría de los emisarios del plano superior.

Eustáquio, sabe que no todos los autores que se hacen famosos en la Corteza son espíritus moralmente purificados. A veces, desarrollan rápidamente su intelectualidad y dejan al azar su reforma interior y su práctica de los postulados cristianos. Pero, ¿cómo pueden escribir líneas tan hermosas, llenas de sentimiento e inteligencia y, al mismo tiempo, no estar preparadas para vivir plenamente el Evangelio?

- Esa es la ley de la evolución. El espíritu debe buscar, de manera equilibrada, desarrollarse siempre en los dos campos necesarios para su camino: el moral - y principal - y el intelectual. La razón encuentra más fácil estructurarse cuando el espíritu es culto e iluminado, mientras que el sentimiento se humaniza y se vuelve cristiano cuando el núcleo sigue los principios de Jesús.

- ¿Cómo puedes decir con tanta certeza que los sabios del pasado pueden no ser perfectos?

- Mi querido amigo, es un principio de la justicia divina. Si un autor o escritor logra tejer bellas líneas de filosofía o poesía, por ejemplo, y al mismo tiempo es frívolo en su actuar y comportamiento en sociedad, quebrantando reglas básicas de las leyes morales, ¿cómo puede ser perfecto? Hay algunos misioneros en la Corteza, pero estos son brillantes en sus hechos y obras, así como rectos e inmaculados en sus vidas personales.

- Ya que estamos en el tema, permítanme aclarar otra de mis dudas no resueltas. Siento que estoy y he estado siempre frente a un filósofo, un espíritu que ya trazó sus caminos en este campo, cuando reencarnó en la corteza terrestre. ¿Estoy equivocado?

- No, de hecho, ¡tienes razón! De la misma manera que te conocí, aguzaste tu discernimiento sobre mí. Confieso que mis orígenes están marcados por dos reencarnaciones en particular: en Grecia y Portugal. También te puedo decir que no hay mucha diferencia entre estos pueblos, por increíble que te parezca. Sin embargo, recordemos que los egeo-cretenses, mucho antes que los fenicios - a quienes se consideraba los pueblos del mar - eran maestros en el arte de navegar bien, tanto que transmitieron sus conocimientos a los aqueos, quienes los utilizaron sabiamente. El hecho de ser un buen navegante, en sí mismo, no sería imprescindible en el campo de las artes y la filosofía, pero la conquista de nuevos puertos, el conocimiento de nuevas tierras y la fortaleza en la antigüedad, muchas veces se medía por el ingenio de las gentes arrojándose al mar desconocido.

- ¡Es verdad! El Imperio Británico fue uno de los obstáculos más arduos para Napoleón de cara a su dominio de los mares.

- Fíjate amigo, que la mejora de las técnicas de navegación fue pasando de un pueblo a otro y los fenicios formaron parte de esta cadena evolutiva. Posteriormente, algunos grupos de fenicios y aqueos reencarnaron en Iberia, hoy Portugal. Así, constituyeron el embrión de lo que sería uno de los pueblos más audaces del siglo XVI, que estaría programado para colonizar una tierra del futuro, Brasil.

- Ya he reencarnado allí.

- Definitivamente que sí. Todos aquellos que van a construir una patria futurista, como es el caso de Brasil, deben hacer su internado allí. Entre los que salieron de la región griega estaba yo, todavía en el siglo I, siguiendo mi último paso por la Corteza, que fue en tierras lusitanas. Este es el significado de mi nombre! Agamenón, de origen griego, y Duarte, nacido en cuna ibérica.[66]

---

[66] Nota del autor espiritual: Agamenón Duarte es un nombre ficticio del coordinador general de Nuevo Amanecer en este período del

- ¿Eras griego y lusitano?

En diferentes momentos de mi paso por el plano material, sí. Una de mis reencarnaciones clave tuvo lugar en Ilion, más conocida como Troya, y la otra tuvo lugar en la misma región de la isla de Chio. Que hace mucho tiempo, allá por el siglo IX a.C, me llamó la atención y recuerdo que tenía una actividad parecida a la tuya, cuando visitó por última vez Francia. Debería escribir sobre mi gente y sus logros. Así lo hice y, por inspiración del Altísimo, dejé un legado a la Humanidad, no por méritos propios, sino porque el plano superior me dio ideas. Como intermediario entre los dos planos de vida ya he actuado y esta será vuestra actividad en vuestro próximo viaje por la Corteza.

- ¡Dime quién eras, Agamenón! Quizás he leído algo sobre ti o escrito por tus manos...

- No se debe girar el pasado para ilustrar el presente. Solo si fuera imprescindible te lo diría. Debo continuar diciéndoles que este pasaje me trajo condiciones para redimir mis deudas del pasado y permitirme regresar a otros lugares del globo, avanzando en mi etapa evolutiva, hasta participar, como voluntario, en el grupo cuyas más fuertes sus orígenes estaban en Grecia y quienes reencarnaron en Iberia.

- Y si Grecia fuera tu zona de actuación más incisiva, ¿cuál sería la mía?

- No hay formade que no lo hayas descubierto todavía...

- Vale, creo que es Francia.

- ¡Evidentemente! Además de la región francesa, tienes fuertes lazos con Alemania e Italia, que juntos constituyen tu base de apoyo cuádruple en el plano material con Brasil.

- Y nuestra colonia, ¿con qué zonas está conectada?

---

desarrollo de la obra. Sin embargo, el nombre adoptado por él en Espiritualidad no difiere, en esencia, del mencionado. De hecho, adoptó el primer nombre de origen griego, en honor a un paso decisivo en la Corteza, así como el segundo nombre de origen lusitano, como tributo que pagaba su último paso por la materialidad, en suelo portugués.

- Aquí viven espíritus de todas partes de la Corteza, por lo que nuestros lazos son muy variados. En el futuro, fortaleceremos los lazos con Francia y Brasil.

- ¿Solo las personas iluminadas tienen acceso a los mensajes de Dios? ¿Conocen también los ignorantes todos los mandamientos cristianos?

- ¡Sin duda! La síntesis del amor divino está en todos los corazones y la razón es plenamente capaz de discernir entre el bien y el mal. La ignorancia, a la que te refieres, es solo el resultado de cierta etapa en la materialidad, pero no perdura después de la desencarnación del espíritu. Por eso, todos llevan consigo, dondequiera que estén, nociones muy claras de las Leyes de Dios y conocen los mejores caminos a seguir.

- ¿Y cómo vivían las personas que vivían en la Corteza antes de Cristo? ¿Conocían los Mandamientos Divinos y creían en la vida después de la muerte?

- ¡Por supuesto! Muchos caminos fueron recorridos hasta que el hombre pudo evolucionar moral e intelectualmente, pero la humanidad siempre ha tenido sus escritores y mensajeros, los que difunden estas ideas en sus obras. Nótese que Homero escribió en su famosa *Ilíada y Odisea,* alrededor de mil años antes de Cristo, numerosos pasajes enfatizando conceptos que los hombres ya conocían y que luego fueron reafirmados por Jesús. Nótese el concepto de caridad y tributo a Dios en las palabras de Eumeo a Odiseo, pronunciadas en la *Odisea*: *No suelo despreciar a los extranjeros, aunque estén peor que tú. Todos ellos son enviados por Zeus: pobres e invitados. No te ofrezco mucho, pero lo hago de buena gana*[67]. Nótese que Zeus es su punto de referencia espiritual, pero en realidad se dirige al Altísimo cuando menciona que todos son enviados por Zeus, con la intención de justificar su aceptación en su mano - de esta casa; es decir, todos son igualmente considerados por Dios y son sus hijos. La caridad se debe a los necesitados, representando la contribución que se puede dar, en

---

[67] Nota del autor del material: ver más detalles en la "*Odisea*" de Homero, Canto XIV, no. 50

este contexto, por pequeña que sea. ¿No repetiría Jesús el mismo concepto, años después, con la ofrenda de la viuda[68]? En el caso de Eumeo, un esclavo, al recibir en su casa a un extranjero, darle cobijo, estaría dando poco, pero eso sería lo necesario. Así fue mencionado en la obra que precedió a Cristo por muchos siglos. Por supuesto, mi querido Eustáquio, estos son solo extractos que, en una visión global, especialmente de una obra que narra la aventura guerrera de un personaje, se pueden perder. Sin embargo, el hombre sabe lo que es correcto y lo deja ver en las pequeñas cosas que escribe y experimenta.

- No había pensado en eso cuando leí la *Odisea.* Tus comentarios; sin embargo, me recuerdan los momentos en que Ulises se comunicaba con el mundo de los espíritus. ¿Es correcta mi deducción?

- ¡Sí lo es! Homero sabía de la existencia de los espíritus y puso esto en su obra. Sin embargo, era consciente que, para la comprensión de la gente de la época, la comunicación con el "mundo de los muertos" en la misma línea que en el plano material sería mucho más convincente. Por lo tanto, creó elementos de diálogo y representatividad propios del entendimiento de la época. En su evocación de los muertos, narra pasajes importantes, diciendo que del oscuro Erebrus brotaron las almas de innumerables muertos (...) [69] Entonces, ¿ves alguna diferencia con las zonas umbralinas que conocemos tan bien?

- ¡Ninguna! Parece una cuenta corriente que nos podríamos dar, bajo cualquier aspecto, a medida que pasamos por las zonas oscuras.

- El relato del plano espiritual más cercano a la realidad de los griegos - las zonas umbralinas - deleitó a quienes leyeron la

---

[68] Véase "*El Evangelio según el Espiritismo*", Cap. XIII, incisos 5 y 6, en particular las siguientes palabras de Kardec "el óbolo del pobre, que da, privándose de lo necesario, pesa más en la balanza de Dios que el oro del rico, que da sin privarse de nada."

[69] Nota del autor material: se pueden encontrar más detalles en la "*Odisea*" de Homero, Canto XI, números 30 y 40.

Odisea por primera vez. Los pueblos de la época creían en el mundo de los Espíritus y solo adaptaban sus creencias a dioses con diferentes nombres y mitologías, lo que les servía de aprendizaje.

Recordemos que mitología puede significar, en griego, tanto narración fabulosa como el estudio de estas narraciones. De hecho, hay un pasaje en el que Odiseo viene a hablar personalmente con su difunta madre Anticleia.

- ¡Ahora lo recuerdo!

- ¡Pues seguro que lo es! Los espíritus hablan con los encarnados, ¿no? Los griegos solo situaban este mundo espiritual en un lugar geográfico determinado, para facilitar su comprensión y aceptación. Homero consideró que las áreas donde vivían los espíritus eran los confines de la Tierra, y mencionó la región de los cimerios, un pueblo legendario, cerca del Vesubio. Dijo que este lugar estaba cubierto por nubes y los rayos del Sol nunca penetraban allí. Estos habitantes vivieron una noche eterna. Una vez más, Eustáquio, este es el Umbral. Su visión retrató fielmente regiones que aun existen en el camino evolutivo de los espíritus.

Asombrado por las aclaraciones obtenidas, Eustáquio ve crecer cada vez más su admiración por el coordinador de la Colonia, agradeciendo a Dios por la oportunidad de compartir con él a lo largo de su pasantía en Espiritualidad.

Se acerca el año 1890, fecha fijada para el regreso de Eustáquio a la corteza terrestre. Comienza la última conversación entre amigos.

¡Hoy nos despedimos, amigo Eustáquio! Pronto te irás, y cuando regreses, ya no estaré coordinando Nuevo Amanecer. Ese es el horario. Espero recibir noticias positivas de donde sea que estés en tu viaje y triunfo. Sé que estás lo suficientemente preparado para enfrentar los obstáculos que se te presentarán. Nunca te desanimes y procura seguir fielmente los principios cristianos. Recuerda valorar la riqueza espiritual y no preocuparte por el apego al camino materialista que te ha caracterizado hasta ahora. Aquí en Colonia, tuviste a las obras de Kardec, que están publicadas en la Crosta, y sabe que uno de los puntos fundamentales de su programa es iniciar la difusión de esos postulados dondequiera que vaya. Convirtiéndote en espiritista en tu próxima etapa en el plano material, seguro que nuestros mensajes llegarán más fácilmente a tu corazón. ¡Que Dios te bendiga!

- ¿Que te puedo decir?

- ¡No digas nada! Oremos juntos en lo Alto, dando gracias por esta oportunidad de renovación que estamos teniendo al trabajar juntos durante tanto tiempo.

Una inmensa envoltura de luces brillantes emana del Edificio Central. La sede de la Coordinación General se llena de amor, consagrando la despedida de Eustáquio y Agamenón.

CAPÍTULO LVII

EL ÚLTIMO VIAJE EN LA CORTEZA

El fin del Imperio en Brasil quedó sellado el 11 de noviembre de 1889, cuando varios oficiales, acompañados de eminentes republicanos - entre ellos Quintino Bocaiúva, Rui Barbosa y Benjamin Constant - sedujeron al Mariscal Deodoro da Fonseca para acompañar el movimiento a favor de la República, en esa misma fecha, la pareja João Batista y Francisca Romana se casan en una propiedad rural cerca de Petrópolis.

Luego de su luna de miel rodeada por los gritos de la armada brasileña el 15 de noviembre de 1889, iniciando una nueva etapa política en el país, los recién casados se instalaron en la ciudad de Río de Janeiro, en un barrio tradicional de familias monárquicas conservadoras, quienes al negarse a aceptar la proclamación de la República, manteniéndose fiel al amado Emperador Don Pedro II. Doña Francisca, cariñosamente conocida por todos como "Chiquiña", insatisfecha, atraviesa los primeros días de su matrimonio angustiada y preocupada por la caída del monarca que tanto respetaba.

El año de 1890 fue agitado, ya que se establecieron las nuevas estructuras políticas de la sociedad brasileña, mientras se esperaba la llegada del hijo mayor de la pareja.

Eustáquio vuelve al plano material, reencarnando bajo la ropa de José Antonio, para vivir una etapa decisiva de su existencia en Río de Janeiro, al amparo de la ciudad que parece haber nacido para, en el futuro, recibir el nombre de maravilloso.

Exudando alegría, los padres lo rodean de cariño y amor, sentimientos que siempre lo acompañarán.

Seguido de cerca por Hilário, ahora designado por Nuevo Amanecer para el trabajo externo, bajo la luz protectora de su querida Nívea, pasa sus primeros años desarrollándose rápidamente y, a los siete años, ya habla de varios temas, incluso historia y política, con su padre..

- Papi, ¿por qué no tenemos un Rey, como veo en las historias?

- Tuvimos un gran Rey, hijo mío, pero lamentablemente fue destituido y entramos en la llamada República. Un día sabrás, estudiando mucho, lo que te estoy diciendo. Entonces podrá formarse su propia convicción sobre el momento histórico que acaba de vivir nuestro Brasil...

- Pero, ¿qué es "convicción"?

- Es su propia persuasión íntima.

- ¿Y qué es "persuasión"?

- José Antonio, ¿no crees que es demasiado pronto para recibir tantas explicaciones? Tendrás toda la vida por delante para conocer todo lo que te interese, ¿de acuerdo?

- Sabes, papá, a veces pienso que la vida no es tan larga como para permitirnos perder el tiempo. Me gustaría nacer sabiendo.

A pesar de estar vinculados oficialmente a la religión católica, João Batista y su esposa ya tuvieron la oportunidad de leer las obras de Kardec, que llegaron a sus manos especialmente traídas por amigos que visitaron Francia. Entusiasmados con las nuevas ideas, se dejan llevar por conceptos espirituales y luego explicarle al pequeño José su comprensión del futuro de cada hombre.

- Hijo mío, la vida no es tan corta como parece, ya que no termina con la muerte. El espíritu que habita en tu cuerpecito es inmortal. ¿Recuerdas la historia de la oruga que se convierte en mariposa? A nosotros nos pasa lo mismo...

- ¿Nos convertimos en mariposas?

No, es solo figurativo. Nuestro espíritu es la mariposa que vive prisionera en forma de oruga. Cuando morimos, dejamos la forma de oruga y adoptamos el cuerpo de la hermosa mariposa.

- Entonces, ¿nos volvemos más bonitos cuando morimos?

¡Exactamente! El espíritu es más hermoso que el cuerpo, porque es eterno.

- Me tranquiliza saber esto; así puedo estudiar con más tranquilidad, al fin y al cabo, si no tengo tiempo ahora, sigo después, ¿verdad papá?

- ¡Claro que sí, José! Ahora ve a jugar un poco y déjame terminar de leer este libro.

Pronto se une la familia, los hijos menores, Vicente y María Isabel. En clara ascensión social, el comerciante João Batista adquirió una sólida posición económica y, a pesar de no tener una sólida formación intelectual, deseaba la mejor educación para sus tres hijos. De ellos, el más dedicado a sus estudios es, sin duda, José Antonio, que quiere ser médico.

Doña Chiquiña solo puede pelear con su esposo por sus flagrantes posiciones materialistas. El dinero y los bienes materiales conquistan a João Batista de tal forma que lo alejan de la vida familiar durante muchas horas de su día. Como resultado, los niños tienen cada vez menos presencia del padre en casa.

José, aun adolescente, se une al movimiento de apoyo a la Santa Casa do Rio de Janeiro, admirando cada vez más el trabajo de los médicos y quedando deslumbrado por las innumerables posibilidades que la profesión ofrece a quien quiere ayudar a los necesitados.

La familia, debido a la admiración que tienen João Batista y Francisca por la figura de Don Pedro II, siempre habla de las ventajas y desventajas que el país se haya convertido en República. De todos ellos, el más entusiasmado con la nueva situación política de la nación y José Antonio, aunque no hay discusión más acaloradas frente a las distintas posiciones que se ocupan.

Todo marcha bien, salvo el malestar que genera la ausencia del progenitor en el día a día de la familia. João Batista solo cambia de comportamiento cuando su hijo mayor decide irse a estudiar medicina a Europa. Para suplir la falta, el padre regresa a casa y se acerca nuevamente a su familia.

Un barco solitario, en plena mañana de invierno carioca, envuelto en la fría llovizna que cubre el muelle, parte surcando las cristalinas aguas del mar brasileño, dejando atrás, desconsolada, a doña Chiquiña, que sabía que aquella era la última vez que vería a José Antonio.

- ¡Chiquiña, no llores tanto! Si hubiera sabido que la partida de nuestro hijo a Europa te causaría tanto sufrimiento, no lo habría permitido.

- ¡No serviría de nada, João! Siento, desde que era pequeño, la proximidad de este momento.

- ¿Qué quieres decir?

Nunca más volverá a Brasil. Hay algo esperándolo en el Viejo Continente; tal vez, una misión, un camino sin retorno para nuestra convivencia. El corazón de madre, como dice todo el mundo, ¡nunca se equivoca!

- ¡No me creo estas tonterías! Pronto estará de vuelta en Río.

- ¡No te culpo! Sé que aprovechará la educación que estamos auspiciando y su formación como médico será un bálsamo para su afán de ayudar a los demás.

* * *

Inscrito en París, en la facultad de medicina, en poco tiempo se adapta a la vida francesa, como si hubiera vivido siempre en Europa. Admirado por sus colegas y alabando el nombre de Brasil por su aplicación en los estudios, José se emociona cada vez que ve aumentar su nivel de conocimiento.

Muchas cartas se intercambian con su familia en Río de Janeiro, y en todas ellas José Antonio se disculpa por no encontrar tiempo para visitarlos en Brasil, ya que, en sus ratos libres, se dedica al apoyo de la población pobre, en las afueras de París. Mientras estudia medicina, no descuida la actividad caritativa. También se adentra en el estudio de la filosofía, la ciencia y la religión que nació a mediados del siglo XIX. Le llegan a las manos los libros *Le del et l'enfer y La Genese*[70], ambos escritos por Allan Kardec.

Entusiasmado, no tarda más de un día en leer atentamente las dos obras, quedando encantado con las líneas que ha asimilado. Al investigar la vida del autor de los libros, descubre, conmovido, que Allan Kardec en realidad se llamaba Hippolyte Leon Denizard Rivail y solo adoptó un seudónimo porque en otra existencia remota, cuando vivía en la Galia como druida, tuvo tal nombre... También se entera - asombrado - que el autor de las obras espíritas ha sido siempre estudiante de anatomía - su materia predilecta en la facultad de medicina -, tanto que llegó a ser miembro de la Real Academia de Ciencias Naturales de Francia.

Su despertar a una nueva religión, que trajo consigo otra filosofía de vida - como decían sus padres - así como una preciada posición científica, le granjea feroces enemistades en la universidad, pero también gana la simpatía de muchos colegas y profesores.

Su sueño de visitar Suiza crece, como lo había hecho Kardec, quizás incluso desarrollando allí su trabajo inicial en la profesión. El escenario europeo favorece su deseo, nada más terminar su carrera nota el resurgimiento de las relaciones exteriores que vuelven a Francia. El asesinato del archiduque Francisco Fernando de Habsburgo, Bosnia, en julio de 1914, ocupó todos los titulares, iniciando el movimiento que conduciría a la Primera Guerra Mundial.

Parte para Ginebra, mientras le llega una carta de su padre exigiendo su regreso inmediato a Brasil. La respuesta no tardó en

---

[70] Nota del autor espiritual: "*El cielo y el infierno*" y "*La Génesis.*"

llegar a Río de Janeiro, lamentando su negativa a salir de Europa, pero diciendo que su misión apenas comenzaba, y que no podía, por tanto, abandonar su camino.

Brillante y diligente, pronto recibió una visa definitiva que lo autorizaba a permanecer en suelo suizo, siempre que ejerciera la medicina bajo la supervisión de médicos nacionales. En poco tiempo, deslumbra a sus supervisores y comienza a interesarse no solo por el arte de curar, sino también por la literatura y el arte en general.

Su carrera va en ascenso cuando el Instituto de Investigaciones Médicas y Científicas de Zúrich le ofrece un puesto, lo que le obliga a trasladarse al norte del país. Como si una inspiración lo animara a aceptar - lo que, de hecho, se produjo bajo el gesto personal de Agamenón, coordinador general de Nuevo Amanecer -, parte hacia un nuevo rumbo en su vida. Más cerca de Alemania, otra cuna de los problemas y deudas del pasado - pero también de donde extrajo profundas y hermosas lecciones de vida

- Josef, como llegó a ser llamado por el pueblo germánico de Suiza, pronto se siente atraído por la magnetizante Baviera.

Las incursiones en suelo alemán, aun con el creciente movimiento de la guerra que se avecina, le recuerdan al poeta Camões, que bien describió la tierra germánica en sus célebres canciones. Paseando, una vez, por la región de los Alpes, cerca de pueblos tranquilos y casi olvidados en el mundo - Garmish y Partenkirschen - repite en voz baja y mesurada: Entre el mar y el Tanais vive gente extraña: rutenos, moscos y livonianos. Los sármatas en otro momento, y en la montaña Hyrcinia, los marcomanos son Polonio. Sujetos al imperio de Alemania. Son sajones, bohemios y panonios. Y varias otras naciones, bañadas por el frío Rin y los ríos Danubio, Amasis y Albis[71].

---

[71] Nota del autor del material: se pueden ver más detalles en la obra "*Las Lusiadas*", Luis de Camões, Canto Terceiro, Capitulo XL.

- Ah, *Las Lusiadas.* Me renueva el ser cuando escucho o leo tus canciones. Parezco envuelto por el espíritu de Camões y siento escalofríos por todo el cuerpo. Si no fuera por el frío de estas montañas, incluso podría decir que el poeta, espiritualmente, está a mi lado...

De hecho, un Espíritu está allí, abrazándolo con afecto y animándolo a recordar sus versos favoritos. No es Camões, sino un admirador tuyo, Agamenón. Suiza es el escenario ideal para que José Antonio se supere y recupere, de un plumazo, el tiempo perdido de otras existencias, sobre todo porque el país que abrazó como residencia tiene orígenes celtas - como los suyos - además de ejercitarse, a la perfección, la neutralidad entre dos importantes países vecinos: Francia y Alemania. Por tanto, Eustáquio no podía estar viviendo en una región más acorde con los rescates que tiene que lograr, ya que podrá relacionarse en paz tanto con los franceses como con los alemanes, calmando a sus pasados adversarios. La Suiza Romántica y Alemana terminó por encantarle y su ingreso en la Cruz Roja Intencional es inmediato, en cuanto se entera de la existencia de esta organización.

En representación de la unidad de la Cruz Roja en Zúrich, ya que la sede está en Ginebra, Josef comienza a tener contacto con las personalidades que pasan por su país neutral, al estallar la guerra en el escenario europeo. Refugiados y enfermos, heridos y exiliados, en fin, abandonados por todos lados buscan consuelo y protección en la paz de los cantones suizos. Además de su trabajo en el Instituto de Investigación, Josef desarrolla actividades en un pequeño hospital en las afueras de Zúrich, que diseñó y construyó precisamente para apoyarlo en los tiempos de lucha armada que vive Europa.

Su reticencia en la búsqueda de la formación de una familia e incluso en contactar a sus familiares en Río de Janeiro le parece un obstáculo y Josef suele explicar a sus amigos, que le hacen preguntas, que es imposible mantener su profesión, su obra de caridad, su puesto en la Cruz Roja y la digna atención a una esposa e hijos. Por eso, quedarse soltero le parece la mejor opción.

La acción caritativa le quita prioridad en el Instituto y su investigación empieza a ser cada vez menos rentable. Sin embargo, el gobierno suizo nota el aumento de su contribución a la Cruz Roja y Josef pronto obtiene la aprobación de Giuseppe Motta, un político influyente en ese momento, quien le autoriza todos los pasos que se propone dar.

Como domina a la perfección varios idiomas, incluido algo de ruso, a petición de las autoridades suizas, Josef es el encargado de acoger al más reciente exiliado que ha entrado en el país procedente de Rusia. En respuesta a la solicitud, se acercó a Wladimir Ilyich Ovlianov - conocido como Lenin -, con quien sostuvo importantes conversaciones, que fueron enriquecedoras para ambos. Un nuevo horizonte se abre en tu camino.

CAPÍTULO LVIII

EL FORTALECIMIENTO DE LA FE CONSAGRANDO LA TRAYECTORIA

Consciente de las inspiraciones de los Mentores de Nuevo Amanecer, especialmente de Hilario y Nívea, Josef acude a los campos de batalla, no como soldado de armas, sino como soldado de medicina, salvando vidas y promoviendo actos de verdadera caridad. Situados en Verdum, a finales de octubre de 1916[72], los miembros de la Cruz Roja trabajaban alarmados por la cantidad de muertos y heridos que encontraban. Mientras busca mantener la tranquilidad de su grupo, dándole siempre la esperanza del fin de la Gran Guerra que se apodera de Europa, el médico se mantiene sintonizado con el plano espiritual, realizando - siempre que sea posible - encuentros espíritas en su tienda, en el campamento

A pesar del apoyo que recibe de su ciudad espiritual, incluso vacila en ciertas ocasiones, ya que son tantas las desgracias que se ve obligado a vivir. En ese momento, para su felicidad, conoce a la enfermera María, cuyo semblante tranquilo y sereno lo llena nuevamente de optimismo.

---

[72] Nota del autor material: en 1916, los alemanes lanzaron una gran ofensiva sobre Verdun, una zona difícil de defender y reabastecer. Durante seis meses, los franceses al mando de los generales Petain y Nivelle mantuvieron sus posiciones, mientras que las fuerzas aliadas, a su vez, atacaban la región de Soma. A fines de 1916, las posiciones en ambos bandos eran casi las mismas que a principios de ese año. (Historia General, A. Souto Maior, Companhia Editora Nacional, 14ª edición, 1971).

- Mademoiselle Maria es su nombre, ¿no?

Sí, doctor. Pero, como estamos tan lejos de nuestras casas y en medio de una lucha armada, vamos a dejar de lado el formalismo en el trato. Solo llámame María.

- Te digo lo mismo Solo Josef.

- ¡Muy bien! ¿Usted también forma parte de las filas de la Cruz Roja?

- Sí, soy el jefe de la unidad de Zúrich.

- Trabajo como voluntaria. No hay nada en la vida que me dé tanta satisfacción como mi trabajo como enfermera. Y para mí un auténtico sacerdocio. Amo a mi prójimo como a Dios. Debo, por tanto, actuar y demostrar con mis acciones el postulado cristiano que considero esencial para todo ser humano.

- Me impresiona tu calma y tu optimismo en medio del campo de batalla...

- Sabemos, Josef, que la vida no acaba aquí. ¿Por qué tenemos prisa y ansiedad, asco y miedo?

- ¡Es verdad, María! Yo también lo creo, aunque a menudo no logro demostrar en la práctica las teorías que adopto.

- ¡No te preocupes! Todos somos así, de vez en cuando. Viviendo en este plano de la vida, estamos sujetos a las leyes de los hombres, que no siempre son el mejor camino para nuestra existencia. Solo las leyes de Dios son bellas y perfectas.

- Tienes ideas claramente espiritualistas... ¿Has leído a Kardec?

- Sí. ¿Y tú?

- Soy espiritista. Me gustaría que participaras en nuestras sesiones mediúmnicas.

- Estaría encantada.

La batalla se vuelve cada vez más intensa y los restos de casas, pueblos, aldeas y cantones franceses y alemanes aumentan dramáticamente.

El contacto vigorizante con María hace que el médico suizo trabaje horas y horas, días y noches enteros, sin quejarse y dando gracias a Dios por esta oportunidad. Juntos construyen un campo de refugiados, cuyo principal tratamiento está dirigido al espíritu de los enfermos, mucho más que a la curación de heridas. Nuevo Amanecer logra instalar un enorme trabajo en la frontera francesa con Alemania. En este trabajo integrado de los dos planos de vida, el tránsito de Espíritus crece cada día y se crea una línea directa con la Colonia. Zonas Umbralinas se levantan contra esta obra de amor y buscan atacar por todos lados a los Puestos de Socorro de la Ciudad Espiritual, buscando dificultar el trabajo en el plano material. Sin embargo, la fe y la fuerza superior vencen, hasta que las entidades inferiores ceden y buscan refugio en los rincones abisales de las zonas oscuras, dejando libre el camino de los emisarios de la luz.

La Primera Guerra Mundial sigue su curso y Josef, María y muchos otros vinculados a la Cruz Roja trabajan incesantemente ayudando y apoyando a los heridos y refugiados de todos los orígenes.

En el camino que planean asistir a los frentes de batalla, la enfermera y el médico de Zúrich se pierden de vista, recorriendo desde allí caminos distintos, pero eternamente unidos en la senda del amor cristiano y de la fe inquebrantable.

En 1918, con la firma del Armisticio entre Alemania y los Aliados, en el mes de noviembre, finaliza el conflicto armado que cobró víctimas en toda Europa y muchas deudas acarrearon quienes lo idealizaron y participaron activamente en él, protagonizando luchas y fomentando el odio.

Antes de regresar a sus actividades médicas en Suiza, Josef recibe una noticia que lo entristece y provoca un cambio en sus planes. Rusia vive una revolución y empiezan a aparecer muertes, provocadas por disputas políticas, además que la miseria y el hambre se hacen presentes. Mantener viva la fe y buscar llevar la paz y la salvación a donde sea hay desesperación y agonía, al frente de una cruzada de amor de los miembros más dedicados de su unidad de la Cruz Roja, parte hacia Moscú. En esta ocasión, el Ejército Rojo, bajo la dirección de Trotsky, comienza a obtener algunos éxitos en la guerra civil que viven los rusos a partir de 1917.

Otra masacre es seguida de cerca por Josef, quien, recordando la postura y firmeza de la enfermera María, desarrolla una incalculable capacidad de resistencia y no escatima esfuerzos para ayudar a los médicos rusos a atender a sus compatriotas heridos en los combates internos.

A lo largo de los años que ha estado activo en Rusia, también ha seguido el desarrollo de la literatura y el teatro nacionales, estudiando el tema propuesto por Aleksei Pechkov, quien se hizo famoso bajo el seudónimo de Gorki. Así, expandiendo su universo de conocimiento, desde Rozanov a Bieli, Josef sigue el desarrollo del simbolismo en la gran nación del este. Sin hogar para su convicción política liberal y su idealismo religioso, el contacto con las obras artísticas y literarias de un pueblo que siempre le ha sido distante no puede ser más gratificante.

Permanece en territorio ruso hasta 1924, cuando Lenin desencarna y su sucesor, Josef Stalin, pasa a comandar los destinos de la nación. Al no ver con buenos ojos la devoción del suizo por el trabajo comunitario, el nuevo líder revolucionario le prohíbe permanecer en el país.

De regreso en Zúrich, recibe la noticia de la muerte de sus padres, ocurrida durante la guerra, hecho que lo deja amargado por unos días. No por la muerte en sí, sino porque cree que salieron dolidos del plano material por su ausencia de Brasil. Solo se tranquiliza cuando, en una sesión mediúmnica, realizada en su casa, obtiene confirmación de los mentores que lo acompañan del feliz regreso de sus padres a Nuevo Amanecer, sin rencores y confiado en su labor como médico y espiritista.

Rechazando la herencia que le estaba destinada, dona los bienes que posee en Brasil a la Santa Casa de Misericordia do Rio de Janeiro, con pleno acuerdo de sus hermanos, también espiritistas por convicción y educación familiar.

El tiempo corre rápido, trayendo a Josef su tan deseada maduración espiritual. Consciente de su misión, no duda del éxito de su trabajo y, siempre guiado de cerca por los amigos espirituales, a los que escucha y sigue los consejos, abrazan cada vez más la práctica de la caridad.

En vista de su cargo como médico de los pobres en la ciudad de Zúrich, comenzaron a aparecer delante de él, pasando por su cuidado, innumerables opositores del pasado, ya sea como pacientes, o como compañeros de trabajo. Los rescates, frente a su comportamiento cristiano, suceden naturalmente. La distribución espontánea del amor y el cultivo de la fraternidad representan actos positivos que solo los retornos benéficos son capaces de proporcionar.

La Segunda Guerra Mundial se acerca en el escenario mundial. La Cruz Roja Intencional se prepara para enfrentar el mayor conflicto armado de la historia de la Humanidad. Alertado por sus mentores, Josef tiene una idea exacta de las gigantescas proporciones que tomarán las divergencias entre los poderes del planeta. Seguro de su camino e inquebrantable en sus convicciones, nunca es tarde para recordar la fuerza interior de la enfermera María, a quien conoció durante la Primera Guerra Mundial.

En 1939, los famosos ataques del ejército alemán, conocidos como Blitzkrieg, aparecieron como detonantes del conflicto armado. En este contexto, en septiembre del mismo año, causa estupor en el mundo entero la invasión de Polonia, cuando, en menos de veinticuatro horas, las fuerzas de Hitler destruyen la aviación enemiga y varias divisiones acorazadas y motorizadas, apoyadas por la temida Luftwaffe., ocupan el país. En pocos días, Varsovia capituló ante la superioridad alemana. No hay vuelta atrás en el escenario mundial y se declara la Segunda Guerra Mundial.

Desde Zúrich, preocupado, Josef se organiza para volver a los frentes de batalla. La orientación del plano superior le llega todos los días, a través de médiums que forman parte de su grupo de trabajo espírita. El pleno conocimiento de vuestra reencarnación clave los ayuda a afrontar las inmensas dificultades que se les presentan.

En junio de 1940, los alemanes invadieron París y la Cruz Roja se trasladó allí. Josef encuentra obstáculos casi insuperables, ya que se le acusa de ayudar demasiado a los franceses o de ayudar desproporcionadamente a los alemanes. Continua, imparcialmente, su misión de amor.

Viviendo entre los muertos y los heridos, habiendo siempre manchado de sangre el blanco de su túnica, Josef trata de recordar algunos poemas o sueños que se reunía en su juventud para divertirse unos minutos, pero no puede, tanta presión sufre como líder del equipo.

Las bombas estallan y las ametralladoras esparcen fecundas ráfagas de certeras balas, llevando más enfermos y hermanos a los que debe dedicar afecto y atención. A veces imagina cómo puede haber tanto odio en el mundo y se pregunta: ¿por qué existe una destrucción tan generalizada dirigida contra los seres humanos, con tanta ferocidad? Decepcionado con la conducta de los gobernantes que empujan al pueblo a la violencia, Josef considera la guerra un acto vil y arrogante, alejado del amor cristiano y de los deberes de solidaridad y fraternidad universales.

Las divisiones Panzer pasean por las calles parisinas, mientras el médico suizo pasa junto a ellas para rescatar a los heridos, a pesar que está sujeto a los disparos fatales de los alemanes. En uno de estos enfrentamientos silenciosos, Josef se encuentra con un grupo de alemanes que invaden una librería, punto de oposición de la resistencia francesa. Ordena a la unidad de la Cruz Roja estar alerta y, cuando se da cuenta que los disparos han cesado, se acerca.

De repente, una mano fuerte lo agarra por el cuello de la túnica y detiene su trayectoria. En alemán fluido y reconociendo la personalidad que lo ostenta, Josef aclara que es suizo y miembro de la Cruz Roja Intencional. El general Heinz Guderian, que lo mantiene en prisión, casi impide su labor salvadora si no fuera por la injerencia de los emisarios de lo Alto que calman el espíritu del soldado y lo hacen - mediante buenas inspiraciones - para que el médico ejerza su actividad.

Resistiendo a todo, Josef construye su camino regenerador, siempre dispuesto a luchar por su ideal de repartir amor, por encima de todo y de las dificultades que se le presenten. Su única insatisfacción aun persiste en no poder recordar los hermosos sonetos de Shakespeare que tanto lo apreciaban en la universidad.

La batalla se extiende al resto del mundo y la unidad médica de Zúrich fija su principal punto de acción en la capital francesa, ocupada por los nazis y bajo una constante guerra de guerrillas por parte de la resistencia local.

Pasan los años y Josef siente que su energía se desvanece, mientras ve en su interior el paso por su cuidado de muchos seres humanos que, de una forma u otra, estuvieron vinculados a él en el pasado. A ellos les dedica todo el amor que es capaz de sentir y ora a Dios con insistencia, pidiendo fuerza y salud, para acompañar el dolor de sus enfermos hasta el final del conflicto. El corazón late fuera de ritmo y la taquicardia envuelve su tranquilidad. La depresión de tu sistema nervioso a pesar de ser combatido con firmeza por su espíritu, va aumentando paulatinamente. Comer mal y dormir poco, tensa tu cuerpo físico.

En junio de 1944, las tropas aliadas desembarcan en Normandía y se reaviva la esperanza de Francia. Los combates en la capital del país se intensifican y el trabajo del equipo de Zúrich aumenta de forma espectacular.

A mediados de ese año, Josef recibe una importante llamada de otra unidad de la Cruz Roja con sede en el este de

Alemania, solicitando ayuda con unas cirugías que se suponía iban a realizarse en uno de los campos de concentración mantenidos por los nazis. Ante el avance de las tropas rusas, muchos médicos alemanes abandonaron su puesto y los prisioneros murieron uno a uno por falta de asistencia. Desaconsejado insistentemente por sus colegas, el suizo refuta el consejo, clamando por su protección, sobre todo en vista de su debilitado estado de salud, partiendo hacia el lugar donde debía brindarle ayuda.

Mientras está fuera de París, los aliados marchan hacia la capital y, en agosto, poco después de la partida de Josef, liberan a Francia del yugo nazi, restableciendo una relativa paz en suelo francés.

De regreso de Alemania a principios de 1945 y trayendo consigo la aparición de una neumonía y el horror de las impresiones que recibió en el campo de prisioneros donde recibió atención médica, se refugió nuevamente en su actividad médica.

El ejército aliado avanza sobre el Rin, mientras los soviéticos, en abril, invaden Berlín. A un paso del final de la cruenta guerra que envuelve a Europa y al resto del mundo desde hace años, Josef decide volver a Zúrich para retomar su actividad en el Instituto y su pequeño hospital.

Mientras los alemanes se rinden ante las fuerzas aliadas, Suiza ve, tras años de ausencia, al suizo-brasileño que se convirtió en su amado hijo. Los amigos lo reciben con ilusión y les cuentan las novedades. Antiguos pacientes buscan noticias del incansable médico que expuso su vida en el campo de batalla. Finalmente, son necesarios algunos meses para la reorganización de sus tareas.

Después del conflicto que sacudió a globo, todavía enfermo y con graves problemas cardíacos, sus colegas y, en particular, su médico privado, aconsejan a Josef que abandone la práctica de la medicina por un tiempo. Si no lo hace, podría sufrir un infarto fatal en cualquier momento. Cediendo a las presiones, emprende un viaje de recuperación y su objetivo personal no es el de repasar, antes de su muerte, la hermosa región alpina de Baviera, donde siempre ha experimentado dulces emociones.

Un hermoso y exuberante día amanece, hipnotizando, encantando el valle nevado donde descansa Josef. Un frío intenso azota la región, mientras el doctor sale a caminar antes del almuerzo, con las atrevidas aves que vuelan desafiando la baja temperatura como compañía. Tarareando marchas suizas, se acomoda bajo un árbol exuberante, cuyas copas se balancean solo para dejar pasar el viento y dar la bienvenida a sus ilustres habitantes, pájaros cansados de sus incursiones en el azul del cielo. Reflexiona suavemente sobre su vida, su pasado, sus estudios y su viaje. Recuerda cada minuto a lo largo de sus cincuenta y cinco años de existencia material, sin olvidar - cree - un solo momento. Feliz, suspira aliviado cuando el recuerdo le brinda el regreso de un hermoso soneto que tanto había estado esperando para sentirse mejor.

Emocionado, tratando de recordar en *Integra* su pasaje favorito, declama para sí mismo y para sus atentos oyentes, animales y pájaros que lo observan con recelo:

- *Que no veas obstáculos en la unión sincera de dos almas. Amor, búsqueda de cambios, cambios. ¡Oh no! El amor es el punto constante, que afronta, ileso, las bravas tempestades. Es la estrella que me guía, con cierto brillo y valor sin cuenta. El amor no es el bufón del tiempo... No cambia con el día y la hora y persevera en el umbral de la muerte. Y si prueba que no. Me equivoco, nunca he escrito versos y nunca me he amado...*[73]

En algún lugar, siente que tiene a alguien esperando su regreso. Sabe que el amor universal une a los espíritus afines y guía la esperanza de los caminantes por el camino cristiano. Ver para ser feliz.

---

[73] Nota del autor material: Se pueden encontrar más detalles en los "Sonetos" de Shakespeare.

Un suave entumecimiento envuelve tu cuerpo físico y libera tu percepción. Una voz melodiosa y temática resuena en su espíritu, sugiriendo el momento de la partida. Sereno, Josef se queda dormido, sintiendo que su corazón cansado se detiene. Un último pensamiento recorre su mente, recordándole la dulce voz de la enfermera María, diciéndole, ahora y para siempre... "Eustáquio, ven con nosotros, el renacer del mundo depende de cada uno de nosotros."[74]

EL FIN

---

[74] Nota del autor material: libro "Nuevo Amanecer", parte final.

Grandes Éxitos de Zibia Gasparetto

Con más de 20 millones de títulos vendidos, la autora ha contribuido para el fortalecimiento de la literatura espiritualista en el mercado editorial y para la popularización de la espiritualidad. Conozca más éxitos de la escritora.

Romances Dictados por el Espíritu Lucius

La Fuerza de la Vida

La Verdad de cada uno

La vida sabe lo que hace

Ella confió en la vida

Entre el Amor y la Guerra

Esmeralda

Espinas del Tiempo

Lazos Eternos

Nada es por Casualidad

Nadie es de Nadie

El Abogado de Dios

El Mañana a Dios pertenece

El Amor Venció

Encuentro Inesperado

Al borde del destino

El Astuto

El Morro de las Ilusiones

¿Dónde está Teresa?

Por las puertas del Corazón

Cuando la Vida escoge

Cuando llega la Hora

Cuando es necesario volver

Abriéndose para la Vida

Sin miedo de vivir

Solo el amor lo consigue

Todos Somos Inocentes

Todo tiene su precio

Todo valió la pena

Un amor de verdad

Venciendo el pasado

Otros éxitos de Andrés Luiz Ruiz y Lucius

Trilogía El Amor Jamás te Olvida

La Fuerza de la Bondad

Bajo las Manos de la Misericordia

Despidiéndose de la Tierra

Al Final de la Última Hora

Esculpiendo su Destino

Hay Flores sobre las Piedras

Los Peñascos son de Arena

Otros éxitos de Gilvanize Balbino Pereira

Linternas del Tiempo

Los Ángeles de Jade

El Horizonte de las Alondras

Cetros Partidos

Lágrimas del Sol

Salmos de Redención

Libros de Eliana Machado Coelho y Schellida

Corazones sin Destino

El Brillo de la Verdad

El Derecho de Ser Feliz

El Retorno

En el Silencio de las Pasiones

Fuerza para Recomenzar

La Certeza de la Victoria

La Conquista de la Paz

Lecciones que la Vida Ofrece

Más Fuerte que Nunca

Sin Reglas para Amar

Un Diario en el Tiempo

Un Motivo para Vivir

¡Eliana Machado Coelho y Schellida, Romances que cautivan, enseñan, conmueven y pueden cambiar tu vida!

Romances de Arandi Gomes Texeira y el Conde J.W. Rochester

El Condado de Lancaster

El Poder del Amor

El Proceso

La Pulsera de Cleopatra

La Reencarnación de una Reina

Ustedes son dioses

Libros de Marcelo Cezar y Marco Aurelio

El Amor es para los Fuertes

La Última Oportunidad

Nada es como Parece

Para Siempre Conmigo

Solo Dios lo Sabe

Tú haces el Mañana

Un Soplo de Ternura

Libros de Vera Kryzhanovskaia y JW Rochester

La Venganza del Judío
La Monja de los Casamientos
La Hija del Hechicero
La Flor del Pantano
La Ira Divina
La Leyenda del Castillo de Montignoso
La Muerte del Planeta
La Noche de San Bartolomé
La Venganza del Judío
Bienaventurados los pobres de espíritu
Cobra Capela
Dolores
Trilogía del Reino de las Sombras
De los Cielos a la Tierra
Episodios de la Vida de Tiberius
Hechizo Infernal
Herculanum
En la Frontera
Naema, la Bruja
En el Castillo de Escocia (Trilogía 2)
Nueva Era
El Elixir de la larga vida
El Faraón Mernephtah
Los Legisladores
Los Magos
El Terrible Fantasma

El Paraíso sin Adán

Romance de una Reina

Luminarias Checas

Narraciones Ocultas

La Monja de los Casamientos

Libros de Elisa Masselli

Siempre existe una razón

Nada queda sin respuesta

La vida está hecha de decisiones

La Misión de cada uno

Es necesario algo más

El Pasado no importa

El Destino en sus manos

Dios estaba con él

Cuando el pasado no pasa

Apenas comenzando

Libros de Vera Lúcia Marinzeck de Carvalho y Patricia

Violetas en la Ventana

Viviendo en el Mundo de los Espíritus

La Casa del Escritor

El Vuelo de la Gaviota

Vera Lúcia Marinzeck de Carvalho y Antônio Carlos

Amad a los Enemigos

Esclavo Bernardino

la Roca de los Amantes

Rosa, la tercera víctima fatal

Cautivos y Libertos

Libros de Mónica de Castro y Leonel

A Pesar de Todo

Con el Amor no se Juega

De Frente con la Verdad

De Todo mi Ser

Deseo

El Precio de Ser Diferente

Gemelas

Giselle, La Amante del Inquisidor

Greta

Hasta que la Vida los Separe

Impulsos del Corazón

Jurema de la Selva

La Actriz

La Fuerza del Destino

Recuerdos que el Viento Trae

Secretos del Alma

Sintiendo en la Propia Piel

Otros Libros de Valter Turini y Monseñor Eusébio Sintra

Isabel de Aragón, La reina médium

El Monasterio de San Jerónimo

El Pescador de Almas

La Sonrisa de Piedra

Los Caminos del Viento

Si no te amase tanto...

Ingram Content Group UK Ltd.
Milton Keynes UK
UKHW010627050623
422889UK00001B/439

9 798223 347149